云醉月微眠

明月别枝／著

朝華出版社

下

目录

下部

下部

第二十九章·远别离

还没跑出十步，就被那大家伙逮了个正着，难道真要命丧于此了？

我神色复杂地看着坐在对面的小白，时隔大半年，当初那一头参差不齐的短发已齐肩长了，显然未经过任何修剪。我看着他，心里是说不清楚的感觉，也无法开口说话，只能软软地靠坐在马车里。

除了怪自己，我还能怪谁？对于身边的人，我总是不愿意去防备。这番大意，不是今日才有，是我二十多年来的生活习惯，一时根本改变不了。可是可以一直不改变吗？我苦笑。

天已大亮，马车早已驶出了龙州城。在皇权争夺战中，二皇子会突然失踪，那么是不是说明了皇宫与龙州有一股强大的势力是狐狸无法控制的？而且小白掳走我的目的究竟是什么？看样子倒不像是想用我来要挟狐狸。

马车一路前进，小白始终没有看我。我大概是中了软筋散之类的毒，所以才会浑身无力，莫说跑路了，连开口都不能，也不知小白将会带我到哪里去，这样做的目的又是什么？除了乖乖地待着，我一时也没法应对。我低头看了看自己的衣服，依旧是那一身衣裙，可是没有了凤兰玉佩，狐狸还能在第一时间找到我吗？

说到凤兰玉佩，独处的时间这么短，狐狸没提，我也没问，那玉佩，应该回到狐狸的手中了吧？

我浑身无力，而且饿得前胸贴后背。马车适时停了下来，我抬眼看了看小白，他终于面向我，可是眼睛依旧不看我，只俯身将我抱下马车，进了一家钱庄。我费力地抬起头，才瞄到那钱庄竟是"银月"。

钱庄里一个客人也没有，唯有一个貌似掌柜的中年人和一个伙计。那中年人一看到我们，忙侧身引着小白往钱庄里面走。我们穿过不小的厅堂，又穿过不短的走廊，来到一个清竹环绕的小院落。

中年人推开门，就退至一旁，小白抱着我进门，我抬头想环视一下房间，却意外地看到屋里站着一个人，那人本来背对着我们，听到声响蓦地转身，正与我的视线相对，我惊得心好像一下子跳到了嗓子眼，却发不出任何声音，强自镇定了下来，脸上尽量恢复平静。

竟然是张德！

"快将公子放下。"张德一看到我，略有些焦急地说道。

小白也不和张德打招呼，一言不发地将我抱到椅子上放下，有一缕头发拂过我的脸颊，他却丝毫不觉，从始至终眼睛都不看我一下，只向张德点了点头，就转身大步朝外走去。

我的心揪痛了一下，不由得闭上眼，用力深吸了一口气，再睁眼时，恰好看到那中年人端了饭菜进来。我用期盼且委屈的眼神看了看张德，又盯着桌上的饭菜，示意他我要吃饭。我如今浑身无力，总得吃点儿饭保持一下体力吧。

张德看了我一眼，稍一犹豫，就伸手给我喂了一颗药。很快似有一股热流涌遍全身，我微动了动手，虽然不能一下子生龙活虎，但至少恢复了不少力气。我忙坐直身子，然后一边吃饭，一边找话探情况拖时间。

"德叔有事找月儿，回云府便是，怎么如此大费周折？"

他沉默了一会儿，方道："请公子尽快用完膳，马上就要赶路了。"

"赶路？去修若？"我抬头看着张德，半眯着眼，轻声问。

"是的。"他低头躬身回话，态度不卑不亢。

"父命不可违，爹何必如此？"

既然是回修若，那肯定是云老头的主意了。从狐狸与小白争皇位，狐狸登基，小白失踪，然后云府买官，再到狐狸任命云风为宰相，接下来狐狸又趁我出使天青的机会彻查了云府，而现在，狐狸正欲下旨与我大婚的时候，小白突然出现，劫走我，又将我交给张德，然后赶去修若……这一切是否说明小白与云老头有一定的关系？

他依旧微低着头，却不说话。

我暗自叹了口气，慢悠悠地吃起饭来。宴会那晚的事也没有那么简单，这之中肯定发生了我所不知道的事情。云老头会费尽心机将我带离皇宫，带离云府，是不是也有云风的原因？这个哥哥为了娘生前的遗愿，既不愿意我被带回修若，也不会同意我嫁给狐狸，所以云老头、云风、狐狸心思各异，就害得我被劫来劫去？

如果云风站在我和狐狸这边，那么现在我是不是会是另一番处境？

我抬头看向屋顶，琢磨着夜风还要多久才能找到我。

"公子，得赶路了。"张德站在我身侧，轻声道。

我深吸一口气，看了张德一眼，起身朝门外走去。外面已站了两排我从未见过的侍卫装扮的人，前面是三辆一模一样的马车，那中年人走上前，撩起中间那辆马车的车帘，我便识趣地上了马车。

照理，狐狸应该知道我被劫，若他知道云府的底细，只看云风的表现，就会想到我的去向，然后下旨层层把守城门，严查出入人员等。没想到一路过去竟出奇的顺利，除了我无意识昏迷不知怎么出的龙州，其余的城门均未设岗严查。真不晓得是那夜在皇宫又发生了什么，还是我们赶路的速度实在太快了？

进了修若，更是畅通无阻。我是第一次到修若，修若给我的第一感觉是山峦起伏，连峰接天，简直就是天然的防御屏障。顺势而下，又是平原绿洲，肥美之地。听说修若的最西边是大漠黄沙，戈壁无垠；而最东边，却是滨海临岸，别有风情。我见识过天青的美丽、天山天湖的神奇，没想到迄今为止我最最不待见最最不喜欢的修若，竟比天青还美丽。

一行人到达修若皇城修州，已是半个月之后的事了。我像是被人遗弃了，除了张德，没再出现一个熟悉的人。进了修州，居然也不去云老头的根据地灏王府，而是直接被送进了皇宫。

"德叔，这是？"虽然我并不愿意去灏王府，但皇宫也不是什么好地方，甚至比灏王府还难应付。

"这是皇上的旨意。时候不早了，公子就先歇息吧。"张德说完，干净利落地转身，还顺手替我掩了门。

我环视了一下房间，典雅大气，摆设别致，而那张木制大床，刻满了类似于图腾的花纹。倒也没人进来伺候什么的，夜已经很深，一路又赶得急，我累得不行，也不作他想，和衣躺在了床上。

梦中小白拿着一道圣旨，冷笑着让狐狸选择一个，是我，还是那道遗诏？狐狸却不说话，只欺身向前，瞬间出掌挥向小白，我来不及惊呼，就被小白拉到身前，眼看狐狸的掌即将落在我胸前，抬头想看狐狸的眼睛，映入眼帘的却是一个白色身影，他正转身对着我微笑，嘴角有一丝血缓缓而下……

"曦岚！"我被惊醒，大叫着坐起身，捂着胸口，抬眼却看到床前站着一个人，一身浅灰棉袍，微白的双鬓泄露了他的年龄。他正兴致盎然地看着我，倒有几分慈眉善目的味道，笑容也还和蔼可亲，可惜眼里却含着审视的意味。

"月儿给皇爷爷请安。"我忙跳下床，理了理衣裳，行了个跪礼。

这里是皇宫，张德应该在屋外守着，能不打招呼就直接进到这屋子里，再结合眼前这人的年龄来判断，此人应该是修若王。看到他，我有些意外，见识过云老头的风采，我以为他老爹更甚，而且会是天青王那一类型的。狐狸是妖艳的，天青王是阴厉的，而眼前的修若王则是笑里藏刀型的。

"起来吧起来吧，小丫头眼倒是挺尖的。"他依旧笑眯眯的，带着好奇看着我，这神情，倒有三分老小孩的感觉。

"多谢皇爷爷夸奖。"我甜笑着起身，把自己想象成超级无敌乖宝宝。

在龙曜皇宫，有狐狸罩着；在天青皇宫，有曦岚罩着；可是在这旮儿，我能指望云老头吗？我又迅速瞄了眼跟前的人，笑得更没心没肺了，心里却是唉声叹气的，想拉皇帝做靠山，这事儿可不容易办到啊。

"可是小丫头，你还没认祖归宗呢！"他笑眯眯地看着我，好心地提醒道。

我想我肯定笑抽了一秒，然后才恢复乖宝宝的甜笑，汗！做皇帝的果然都是这德行！看来套近乎也要循序渐进，才能让人更自然地接受啊。

"皇爷爷可以不承认月儿，但在月儿眼里，皇爷爷就是月儿的亲人，血浓于水，亲情是永远也不会改变的，月儿本还以为这世上只剩爹和哥哥两个亲人了。"说到最后，我的声音越来越轻，颇有伤感之意。

"在这里，可没有永远不变的东西。"他摇了摇头，似喃喃自语，边说边往外走。

我跟在他身后，吐了吐舌头。皇宫是啥地方我还是晓得的，我这不是在您老面前装纯洁博得好感吗。

出了门，门外一众人等跪倒行礼。我跟在修若王身后，正踌躇着该不该跟着众人再次下跪，却见他丝毫没有停步的意思，只径直向外走，我也顾不得这许多，依旧小心地在后面跟着。

"丫头昨晚睡得可好？"我那笑里藏刀的皇爷爷突然停下脚步，貌似关切地问道。

我虽困惑却依然乖乖地答道："嗯，还行。"

"那丫头现在饿吗？"

我摸了摸瘪瘪的肚子，不明所以地点了点头。

他看着我，似有些惋惜地摇了摇头，然后转身边走边道："就让你先吃点东西吧。"

这话听着，怎么那么奇怪？还有刚才这老老头（云老头已经是老头了，那他爹只能是老老头了，汗！）的表情也很奇怪啊……

我心存疑惑地就着丫环端来的热水漱了漱口，洗了把脸，然后梳好头发，又吃了早餐，就跟着老老头出门了。

我做这些事的时候，他一直在一旁打量着我，弄得我都没好意思多吃些。

"丫头，进去吧。"老老头在一幢单独的圆形小城堡型的屋子前停下，转身向我示意道。

我眨巴了几下眼睛，进去？这小城堡门口这么多侍卫，我进去干吗？

"进去做什么？皇爷爷不一起进去吗？"我又瞅了瞅那小城堡，抬头看了眼老老头，状似天真地问道。

呜呜呜，可是一种不祥的预感袭上了心头。

"丫头，你若想在这里得到大家的承认，就必须过这一关。"他还是笑眯眯的，眼里却是不容置疑的坚定。

我颇有种无力感。晕啊，又不是我想来这里的，我也不稀罕你们的承认，把我送回去才好呢。可是眼下的情景，我能这么说吗？当然不行了，云老头也不知死哪儿去了，叫张德把我送到这里来，他倒又不管我的死活了。

"这一关，如何算过？"认命吧，认命吧。

"丫头，你从这北门进，若能从南门出来就算过关。"

"这房子里有什么？"不祥的预感越来越强烈了，总不可能就是让我跑次龙套吧？

"圣灵兽，我修若的圣物灵兽。"

我险些摔倒在地上，整个人都有些哆嗦起来。呜呜呜，老天啊，这玩笑开得也太大了吧？真有圣灵兽啊，我还以为只是传说呢。听说修若的圣灵兽，是活了三百多年的妖怪，它好像会吃人的啊，泪奔！

我的小命可不能丢在这里啊！我也顾不得规矩，急忙跑上前拉住老老头的胳膊，一脸楚楚可怜外加害怕，就差哭着求情了，"皇爷爷，月儿不会武功的啊！"

"丫头，不进去怎么知道自己不行？"他倒意外地没避开，任我拉着他的胳膊，依旧笑眯眯地道，"再说，到了这里，进比退更容易。"

我黯然地松了手，是啊，进了皇宫，又岂是我想退就能退的。

他貌似满意地看着我，向侍卫打了个手势，这才拍了拍我的肩膀道："皇爷爷在南门等你，去吧。"

侍卫引着我走向所谓的北门，我一步三回头地看着老老头，希望他突然良心归位能饶过我这一回，可惜他没有，直到我走到北门前，侍卫打开了门，我都没听见老老头喊停。

我确定我是被推进门的，因为我根本没挪过脚，门瞬间在我身后合上，我伸手去推去拉，纹丝不动。

小城堡其实不大，我站在里面，就能看到对面的那道门——也就是老老头说的出口，三四十米的距离。屋里摆设一应俱无，虽是夏天，却不觉得闷热，地上甚至还铺着薄薄的羊绒毯，中间一个巨大的金色的毛茸茸的东西背对着我，身躯庞大无比，但在听到声响的瞬间，已霍地起身，并迅速转过身直直地盯着呆愣着的我。

天哪！这是什么东东啊？浑身长长的金毛无比亮泽，体积是我的两倍，像狮子又不是狮子，眼睛也是金色的，现在正一眨不眨地盯着我呢！怎么办？我身上没有武器（圣物啊，有武器也不能往它身上砍吧？它的命肯定比我值钱多了，哭），又没武功，看那架势，不用它挥爪捕击，就那身躯，压也能把我压死！

我不自觉地后退，脊背死死抵着门，一时也想不出该怎么办，只是一动不动地站着，屏住呼吸紧张地看着那劳什子的圣灵兽的一举一动。

我与它对视了近十秒钟，它的眼睛比我的大，比我的亮，还比我的凶狠。我一动不动，尽量不去招惹它，它却一步一步地向我走近。

它走过来的动作很慢，却有一股逼人的气势，我怎么看怎么觉得如果我撒腿逃跑的话，肯定会被它一爪子拍死！可是不动的话不是照样也会没命吗？我突然想到了装死，听说有些肉食动物是不吃死人肉的，而且它是这么高贵的圣物灵兽，肯定也不好这口儿。想到此，我立马躺在地上，背对着那一步步靠近的怪物憋着气装死。

虽是闭了眼背对着那怪物，但我依然可以感觉到它站在了我身后，貌似还弯下身凑近我，那浑厚的气息喷在我的耳际，吓得我汗毛都竖了起来。

如此这般僵持了几秒钟，耳畔的气息突然消失，我心中暗喜，没想到这招还

321

真管用。又装了近十秒，感觉危险好像暂时解除，我决定偷偷睁眼瞄瞄形势，再想脱身之计。

眼睛才睁开一条缝，我就看到一个尖尖的爪子已伸向我眼睛正前方，而且距离似乎越来越近。呜呜呜，我的眼睛，我好不容易变成美人的小脸蛋儿……我下意识地抱着头一个翻滚，却撞到两个毛茸茸的东西，我顺势向上看去，原来是那怪物的两条腿！

天要亡我啊！连一只关在屋里的怪物也这么狡猾，如今我被它逮个正着，而且还是自动送上门的，怎么会这样？它的一只爪子就放在我肚子上，稍一用力就能将我踩扁，可是我却连反抗的机会也没有。张牙舞爪地挥舞了半天，那怪物也不用力，就用这种姿势看戏般地盯着我。我终于忍不住，又急又委屈，开始大哭起来，"臭狐狸，死狐狸，还说要娶我，我现在快要死了，你就娶鬼去吧！"

我一边哭一边抱怨，不用照镜子也知道自己有多狼狈，那怪物的一只爪子还放在我身上，我趁机想将它推开，虽说那爪子本也没用力踩我，却任凭我如何使尽全身的力气推，它都纹丝不动。脖子上一抹清凉滑过，我哭得更伤心了，两只手胡乱地抹着眼泪，将云老头的祖宗十八代问候了个遍。

一个温热暖湿的东西在我脸上一扫而过，我吓得一个激灵，竟忘记了流泪，睁开眼愣愣地看着那个怪物伸长舌头来来回回地在我脸上舔了三次。

"要吃就吃，要杀就杀，舔我做什么啊！"我一边擦着脸，一脸怒道。我想我大概是疯了，这个时候居然跟这怪物说话，还发飙，简直是找死。

它倒没一爪子将我拍死，反而收回那搁在我肚肚上的爪子，忽然像个温顺乖巧的小学生，两只爪子腾空，直起身，坐在我身边，金色的眸子盯着我，却没了最初的凶狠劲儿。

我一下子蒙了，手忙脚乱地爬起来，跑出十米远的地方，坐下来，看着金闪闪的庞然大物，怪声道："你能听懂我说话吗？"

那大家伙坐着，看着我，明明眼神好似听懂了我的话，却愣是一个反应也没有。

"英俊潇洒帅气高贵的圣灵宝宝，你让我从那里出去好吗？"我指着那道门媚笑道。

它突然甩了甩头，将它头上、脖子上长长的金毛甩得飞扬起来，金色的眸子异常热烈地看着我。

我晕，难道是不同意？

"圣灵宝宝，你是不是太闷，想有人陪啊？"这大家伙不会是太寂寞，好不容易瞅着有个人进来，就不愿意放人出去了吧？

"那你到底想怎么样？"我一时气极，蓦地站起来，指着它大声问道。

呜呜呜，好像一旦没有了危险，我就又恢复了本性，典型的欺善怕恶啊！那大家伙也跟着我起身，两步窜到我跟前，惊得我一个趔趄，险些摔倒在地上。我好不容易稳住身子，忙用手拍了拍胸口压压惊。那大家伙猛地伸出一只爪子，搭在我的肩头，头凑到我胸前，张嘴照着我的手就咬了下去。

"啊！"我大声尖叫，六指琴魔，不对不对，如果手指被咬掉，是少了，而不是多了，那就要成九指新娘了，哭啊，痛啊！

痛？好像没有预期的痛感啊？我猛地睁开眼，那大家伙根本没咬我的手，只是咬住了我胸前的衣服。该死的色狼！我一掌拍去，它头一歪，刺啦一声，我的衣服就这么被扯破了。

是可忍，孰不可忍！我一声尖叫，也不知从哪儿来的蛮力，就将那大怪物推开，然后闭上眼以百米冲刺的速度拼命往南门冲去。

我闷声撞在一个暖暖的东西上，感觉自己满脸满嘴都是毛。呜呜呜，天要亡我啊！还没跑出十步，就被那大家伙逮了个正着，难道真要命丧于此了？

下部

第三十章·醉月公主

在朕身边，做修若开国以来的第一位女言官吧。

一个温热暖湿的东西又在我脸上一扫而过，不知是吓的，还是气的，我边哭边冲着那怪物大喊："要吃就吃，要杀就杀，三番两次地舔我做什么啊！"

那怪物不做声，也不动，依旧站在我身前，我索性一屁股坐在地上大哭起来。你说哪个穿越女像我这么命苦啊？

一个国家一个国家来来回回地折腾，上上回差点被暗杀死，上回差点被下春药折磨死，这回更离奇了，九成九要死在一个动物的爪子下，这让我情何以堪心又何甘啊？

我哭得差点一口气没喘上来就死过去了，那怪物竟又用舌头舔了我一下，我愤而用泪眼瞪着它，却蓦然看到怪物举着一只爪子到我眼前，上面赫然挂着一条项链，链绳已断，怪物的爪子抓着断绳的两端，链坠垂了下来。

链坠是一把小锁，金色，细看之下质地竟与曦岚的护魂相似。那链子是我的——严格说来，应该是小白给我的。

那日我跟着张德赶路的时候，无意中竟在怀里发现了这把小锁。细细思量，我在参加庆功宴的时候身上并没有这东西，后来小白劫了我将我交给张德后，我已清醒，张德也没交给我任何东西，所以，这小锁应该是小白放在我身上的。

如此看来，他在皇宫说有东西给我，估计就是这个。难道小白说去望州找我有东西交给我，并不是借口，而是事实？可是小白又为何要劫我，这东西又有何用处？

我试探地伸出微颤着的手，去取那条项链，心跳得像在擂鼓。怪物看着我，眼里竟有一抹温驯，见我伸出手，居然将爪子抬到我手的上方，然后松开。我摊开手掌，小锁圈着红丝绳落在我手心里，红色与金色交错，竟隐隐感觉是种极致的辉煌。

我似乎明白了什么。刚才我躺在地上害怕得边骂狐狸边哭的时候，脖子上有微凉的东西滑过，原来是小锁坠滑到了脖子上，然后这大家伙突然就乖乖地收起爪子坐在我跟前，我跟着坐起，链坠又滑回了胸前，所以当我向它大吼的时候，那怪物突然扑过来，还用爪子扯破了我胸前的衣服。

其实它想要的，不是我的衣服，也不是我的命，而是我胸前的小锁坠。

可是小白送我这东西，和修若国的圣灵兽有什么关系？看其质地，这锁坠会不会与护魂也有关系？

我将小锁坠重新挂在脖子上，随意地将红绳在后颈处打了个结，对面的圣灵兽温驯地看着我。

我试探性地伸了一根手指轻轻地碰了碰那大家伙的长金毛，没有不良反应；我又用手指轻轻地戳了戳那大家伙，它金色的眸子看着我，也没有恼意；我微微哆嗦着轻轻地抚了抚大家伙的背，它又甩了甩头，长长的金毛有几根拂过我的脸，惹得我打了个喷嚏。

"圣灵宝宝，我现在还有事，明天再来陪你玩，好吗?"大概猜到了这小锁坠和金毛怪物的关系，又看了它刚才的表现，我一下子安心了许多，边说边往外走。

它一声低吼，突然窜到我跟前，速度之快，害得我险些又撞到它身上。

"我现在真的有事，外面还有人等着我，要不明天、后天、大后天我都来陪你玩?"

我拍了拍胸脯，又拍了拍那大家伙的脑袋，然后绕开它，向南门走去。这回它倒不吭声了，亦步亦趋地跟在我身边。我走到那道门前，发现跟我进来的门一样，我从里往外推也不行，拉也不行，那门也不知是用什么材料做的，我踹了一脚，它纹丝不动，反而弄得我的脚差点抽筋。我只得一边伸手用力拍门，一边大叫："开门!"

好半天我才听到咔嗒一声，门锁似松动了一下，我看着有些红肿的手，往后退了点，看着门被推开一小半，我转身向那大家伙挥了挥手，将胸前被它撕破的衣服整理了一下并小心护着，然后朝外走去。

刚走到门口，我就不由得停住了脚步。天哪，这个排场，也太大了吧! 为啥南门这边有这么多人? 而且大家站在那里的原因好像都与我有关。原来不是只有老老头一个人吗? 看他们一个个衣着光鲜的样子，再反观我自己一身的狼狈，窘!

一个金色的影子突然窜到了我跟前，身后却是咣当一声巨响，我下意识地回头去看，还好还好，我以为门倒在地上了呢，原来只是重重地撞在了墙上。我放心地回过头，那大家伙站在我跟前，倒好像要保护我，那些侍卫想冲上来又害怕丢了小命，只是以半包围之势围着我们。

老老头朝我们的方向走过来，却在云老头躬身说了几句之后停下了脚步，然后云老头代替老老头走了过来，不过也没越过侍卫的包围线，就停在那里了。而剩下的那几个皇子公主打扮的人全都是一副震惊的表情。

"圣灵宝宝，快回去，你出来做什么？"我忙拉了拉那大家伙亮泽的金毛，有些奇怪地问道。它却不理我，半弓起身子，对着身前的那些人怒吼一声，那声音，那气势，啧啧，那叫一个惊人啊。

形势一下子又变了，那些侍卫不再包围我们了，而是突然护在了老老头身前，动作身形那叫一个迅猛。

"月儿，怎么能让圣灵兽跟着你出来？"云老头站在我们对面，臭着一张脸，沉声厉斥道。

晕倒！又不是我让这大家伙出来的，云老头你没长眼睛吗？没看到是你们所谓的圣灵兽自个儿从我身后窜出来的吗？我委屈地走到大家面前，撇着嘴道："你还不乖乖进去？"

它看着我，突然蹲下身低下头呜呜地低吼了几声，又将它的长金毛甩得飞舞起来。看它似是委屈的表情，我突然有些不忍心，毕竟它窜出来好像是为了保护我的嘛，我正待蹲下去好好哄哄它，老老头的声音却传了过来："丫头，你能跟圣灵兽交流？"

我转身，看着渐渐走近的老老头，以及随着他亦步亦趋跟近的众人，有所保留地道："好像可以沟通一点。"

老老头笑眯眯地看着我，貌似赞许欣喜地点了点头，眼睛里却闪过一道精光。我打了个激灵，它不是圣灵兽吗，难道以前都没和在场的人交流过？可为什么我就能跟它交流，难道是因为小金锁？

"丫头，既然你能跟圣灵兽交流，而且它也愿意为你踏出这房子，你就是我修若国最为尊贵的公主。"

公主？有没有搞错啊，人家是你的孙女，你封我做公主，那我叫云老头是爹还是哥啊？

"皇……皇爷爷……"我有些哆哆嗦嗦地想说些什么，刚张嘴就被云老头一瞪，竟说不出来了。

"丫头先去梳洗一下，换身衣裳，等着皇爷爷的封旨，去吧。"他笑着说完，还特意吩咐了人小心侍候，又说去取什么衣裳过来，反正只看那几个人的神色，我就明白似乎又招惹到麻烦了。

"那它呢？"

"就跟着丫头你吧。"

我不再说话，还是先将自己收拾妥当了再说吧。我随着领路的宫女，看着跟在我身侧的金色大家伙，有这样一个伴儿，心里还是有些欢喜的。

我被封为"醉月公主"，其实也算不得破例，在修若皇宫，庶出想认祖归宗须先征得圣灵兽的同意，也就是进那小城堡还能有小命出来的，就可名正言顺地成为金枝玉叶。

如今我不仅活着出来了，还破天荒地让那个大家伙跟着一起出来，又能跟它交流，它也认定了追随我，依照先例，我就是修若国最为尊贵的人了。当然这"最为尊贵"，我想自是除皇上、皇后以外，所以我虽不是老老头子女辈的，但按修若律法，可被特封为公主，而且还是有封地的公主。

我的封地是醉月城，老老头将修州东边据说是土肥人美的一座城池赐给了我，我的封号也就以封地城池命名。我知道这是一项殊宠，老老头的那些女儿虽名为公主，却无一人有封地，此次他将醉月城封给我，我一下子就被推上了风口浪尖，想想又要遭人嫉妒，我宁愿不要这一切。

如此一来，我倒不用再担心回灏王府了，被封了公主，自是住在皇宫里，而且是住在距离老老头寝宫最近的醉月宫。

修若皇家的办事效率远胜于天青，我在天青虽被下旨封了公主，但正式的祭天认祖等相关仪式却因随军出征耽搁了，一直未完成正统的仪式。而在修若，下旨之后十来天，恰逢一个所谓的黄道吉日，这些仪式就在云老头的监管督办下顺利完成了。

我又过了近一个月的公主生活，每日里除了待在醉月宫，就是到老皇帝和老皇后的跟前报到，陪他们聊天，外加每天早上陪老皇后用早膳，偶尔也和她一起享用午膳和晚膳。虽身为公主，我其实连个懒觉也没得睡。不过相比云老头这样的中年人，我觉得还是老年人更亲切可爱一点，虽然我不知老老头心里打的是什么算盘，但至少表面上看起来他是真的很疼我这个孙女。每天陪老皇后用早膳在别人的眼里无疑是天大的恩宠，对我来说却是件苦差事。唉，人与人的价值观总是有这么大的差别。

天气渐渐转凉，几场小雨过后，就有些冷了起来。

我趴在窗台前，望着远处的花园怔怔发呆，画栏桂树悬秋香，本该让人欣喜的那抹嫩黄此刻却刺痛了我的心。为何两个多月了，我却没有收到关于狐狸的任何消息？夜风也从未出现，好像他们从我的世界里突然消失了，一时竟找不到任何痕迹——除了那支墨玉凤簪。凤兰玉佩虽不在我身边，七彩琉璃镯也在庆功宴那晚留在了云府，可是这不是他们音信全无的理由。我在这皇宫里无法与外界联系，难道他们的音信也同样跨不过这四周的高墙？还是被其他什么重要的事情耽搁了？

"夭夭，你真的活了三百多年了？"我转过头看了眼身后的大家伙，继续趴在窗口发呆。

夭夭，金夭夭，这是我给它取的名字。它没吱声，只是凑上前来用舌头舔了舔我的手，又用头蹭了蹭我。

天有些阴沉沉的，好像已经有雨丝飘了下来，不然我的脸上怎么有了些许湿意？我长长地叹了口气，低头，伸手抱住夭夭，叹息道："把自己关在屋里这么多年，以后我走了，可不许这样。"

它转过头在我脸上舔了一下，又呜呜地低声呜咽起来，我将脸埋在它长长的金毛中，然后笑着抬头，拍了拍它的脑袋道："好，我若走了，也将夭夭一起带走。"

夭夭是修若开国皇帝的宠物，听说曾数次救过开国皇帝的命，所以被视为圣物灵兽。自开国皇帝驾崩后，三百多年来，夭夭就一直待在那座小城堡里，不愿生人靠近，也不愿走出那个房间。也曾有人遭遇我这样的考验，不过下场比较凄惨。对于这种传闻，我半信半疑，除非那几个进去的和我一样没武功，不然像曦岚和夜风那样的，上哪儿还不是自由来去？

可是，既然夭夭都这么重情重义，能将自己关在屋里三百多年，狐狸又怎么会说没音信就没音信，说放手就放手了呢？更何况他从未说过放手！那么肯定是狐狸遇到什么麻烦事了。还有曦岚，不知他怎么样了？凯旋天青后，不知他是如何向天青王交代我的去向的？

我正待转身回床上躺一会儿，夭夭却先我一步箭般冲向花园，并伴着一声低吼。

"夭夭！"我大喊着跟出房，见夭夭往北门冲去。

虽到这里一月有余，但我还是不习惯宫女的贴身侍候，所以平时她们只守在屋外，只有夭夭在我身边。夭夭很警觉，一旦有陌生的气息靠近，它就会在第一时间飞扑向目标。当初这醉月宫里的宫女、太监都被夭夭吓得不轻，也是经过大半个月，夭夭才适应了这些人在醉月宫里来回忙碌。

夭夭止步，却依旧朝着北门怒吼。我走过去，将了将它的金毛安抚了一下，它才安静下来，半弓着身，金色的眸子警觉地盯着北门。

"谁？出来！"我朝着北门冷声喝道。北门不是宫女、太监平日进出的地方，所以平常大都是锁着的。醉月宫的侍卫听到夭夭的吼声，早就护在了我身前。

没有回音，我沉声对侍卫道："你们都退下。"

走近北门，我将门缝下露出的几不可见的白色一角慢慢抽出，是一张折成条形的小素笺，摊开，只有四个字：王安可信。

谁是王安？又是谁传来的纸条，竟连个署名或表明身份的提示都没有？这字体我确定自己从来没见过，而且在这修若皇宫，谁会用这种方式帮我？

我带着满满的疑惑回到屋里，将纸条撕得粉碎，然后先替夭夭洗了个澡，自己也泡了个澡，吃完晚饭就休息了。躺在床上，我琢磨了一下白天收到的纸条，还是想不出这送纸条人的立场与身份。

翌日一早又陪老皇后一道用膳，这是我被封了公主以后每天雷打不动要做的事。今天老皇后好像有事，吃完早餐也没拉着我聊天，我心里高兴，忙屁颠儿屁颠儿地告退。回到醉月宫后，我又爬回床上睡了一个回笼觉，午饭后躺在软榻上一边抚弄着夭夭的长金毛，一边出神发呆。

"公主。"门外传来贴身侍女衍儿的声音，"皇上来了。"

我从软榻上一跃而起，惊得夭夭也起身抖了抖毛，然后优雅地进入备战状态。我懒得理它，匆匆走出门，果然看到老老头径直朝我这方向走来。

"月儿给皇爷爷请安。"我忙迎上去行礼请安，老老头突然过来，竟然也不提前通知一声。我搬进来的第一天，他特意过来看望过我。之后就再也没来过，不知今日又是何事引得他亲自动身？

"起来吧。"老老头随口道，率先向屋里走去。

我急急跟上，先老老头一步进屋安抚夭夭。夭夭比我预想中安静了许多，或许是不止一次与老老头有过接触，所以并未飞扑怒吼。老老头在桌边坐下，我亲自泡了壶茶，斟了一杯给他。

"丫头可还住得习惯？"老老头端起茶杯，抿了一口，环视了一下房间，笑眯眯地问道。

"这里是月儿的家，岂有人在家还不习惯的？再说皇爷爷、皇奶奶都这么疼月儿，吃好穿好住好睡好，反正什么都好，呵呵。"

我说得乖巧，老老头脸上的笑容就越发和蔼了，眼睛却一眨不眨地看着我，继续问道："在龙曜，云相的贤名真是丫头成就的？"

"月儿不敢。"我忙答道。

虽说我已被接回了修若，但替兄出仕、出国游说的事，云老头只怕早就跟老老头汇报过。可是一个多月了，我无数次与老老头碰面吃饭，他却从未问及我在龙曜的生活与遭遇，这让我一度很是迷茫，总不可能费尽心机把我劫到修若，就为了封我一个公主当当吧？今天老老头突然到访，还问起这个问题，我明白，我的平静日子又快离我远去了。

"丫头，这不是敢不敢的问题，这是是或不是的问题。"老老头看着我，笑得眼睛眯成了一条缝。

我心里一颤，颇有种头大的感觉，然后讪笑着，似是而非地点了一下头。

"丫头怎么会有这些主意、这些政见和改革良策的？"老老头的笑容更深了，眼睛看着我，一眨不眨。

我脑中警铃大响，直觉不妙，抬眼飞快地瞄了老老头一眼，立马明白他是爷爷，更是皇上，皇上的问题是必须要回答的，所以我不能装傻。我心一横，向老老头眨了两下眼睛，方貌似老实地答道："月儿哪里懂这些，当初都是请教哥哥的。"

阿门，亲爱的云风哥哥，我这样说，应该不会害了你吧！

"哦，是吗？"老老头的目光依旧紧紧盯着我，这话似很随意地脱口而出，既没生气，也不像是相信我话的样子。

其实我这话也是半实半虚，当初我真的是经常跑到南竹苑去找躺在病床上的云风，问一些朝堂之事，他知无不言，而且个人见解颇深，总是细心替我分析利害关系，我才能一步一步安然走过来。所以，哪怕云老头向老老头坦白我替兄出仕，他也不能肯定当初的科举六部以及一系列的政改就是我一个人的主意。一想到此，我就安心了，忙认真地点了点头。

他突然叹了口气，看着我微微地摇了摇头。我一时也不好说什么，话既已出口，主意既已打定，就没什么好后悔的。我执了茶壶，将老老头的茶杯添满，甫一放下茶壶，老老头突然道："既然如此，丫头可知你现在这身份意味着什么责任与宿命，可做好了心理准备？"

他的话意味深长，说完，端起茶杯喝了口茶。

"身份是前提，是一种认可。而责任与宿命，更多的时候是因为你想争取什么、想得到什么、想保护什么而不得已的妥协，所以最终宿命还是掌握在自己的手里，或者说，至少有一半是掌握在自己的手里。"问我公主的责任与宿命是什么？不就是结婚吗？不就是一场关乎政治利益的联姻吗？可是若我根本不在乎这公主的身份，那么即便派我去和亲，我想我也不会轻易屈服，更有法子尽量逃脱吧！

"那丫头倒说说，你的责任和宿命是什么？"他倒不生气，反问道。

"月儿的责任就是平安幸福健康快乐地活着，不让爱我的喜欢我的关心我的人担心难过。至于宿命，若说人的宿命，其实永远只有一个，只是在向这宿命不断靠近的时候，我们可以努力争取过程是悲是喜，是精彩抑或是苍白。"

"人的宿命，其实永远只有一个？"老老头重复这句话的时候，脸色微变。

我看到他微白的双鬓，满是皱纹的脸，猛然想起老老头已经六十六岁了，在这个医疗条件相对来说比较差的地方，这个年龄已是高寿！我慌忙跪下，拜身道："月儿口无禁忌，请皇爷爷责罚！"

我低头跪在那儿，感觉到老老头的视线一直在我身上游移，却不开口说话。良久，直到我的膝盖微微酸痛了，他才蓦地开口道："丫头说的也不是没道理，起来吧。"

他似神色一松，但整个人看起来竟有疲惫之色，更显老态。其实对于这个问题，老老头又怎么能不明白？或许从未有人在他跟前提起过这些，所有的人在他跟前从来都只说万岁万岁万万岁，所以他会下意识地避开这些问题。历史上的君王，能有几个不是在皇位上坚持到最后一秒？但凡在这位置上的人，莫不在心底祈求能长生不老，又能有几个人看得透，能如天青王那样想提早让位给曦岚好让自己再享几年清福？

"丫头，不如从明日开始，你随朕上朝，在朕身边，做修若开国以来的第一位女言官吧。"他突然冒出来这样一句话，而且眼睛微垂，并不看我，脸上的笑容却有一股说不清道不明的意味。

我险些摔倒在地，不敢置信地叫了一声"皇爷爷"。

"撇开大半年的云相生涯、出国游说的经历，丫头不是还被封了龙曜有史以来的第一位女议政吗？还是丫头觉得修若不如龙曜？"我确定老老头说这话做这安排是另有目的的，或许还和我刚才的那番话有关。

"月儿不敢，月儿遵旨。"我忙跪下，朗声道。

老老头似满意地点了点头，起身嘱咐了几句明天需注意的事项，就回去了。我还有些晕晕的，恭送老老头出去之后，才冲着分外安静的夭夭喃喃自语道："怎么办，夭夭？怎么我突然又要去上朝了？"

夭夭突然伸出长长的舌头，在我的脸颊上一扫而过，待我回过神时，脸上徒留下湿湿的黏黏的液体。

"金夭夭！"我一边用衣袖在脸上、眼上抹着，一边怒喝道。

夭夭却一反常态站起身又将长金毛甩得飞扬起来，金色的眸子热烈地看着我，似有支持鼓励之意。我顿时有些莫名其妙，不知我说要上朝它这么激动干啥？转念一想，又突然有了信心，我怕什么呢？若是老老头想设计我，何需这么麻烦？

以我现在的身份与境遇，若想让自己过得好，过得惬意，过得自在，最好的办法要么是逃离，要么就是顺从。逃离这条路迄今为止还不现实，那么我别无选择。

是夜，我略略有些紧张兼兴奋。翌日一早，天才蒙蒙亮，衍儿就唤醒了我，她替我收拾妥当，我就跟着老老头派来的一名公公前往大殿。

我身上的衣服是昨晚老老头命人送来的，月色官样长袍，唯有那条宽腰带竟是淡黄色的——比老老头龙袍的颜色淡了些。假冒云相时金印紫绶的尊宠，如今只这一条腰带，就说明了一切。

我是根据老老头的交代，先在他的寝宫外等他，待陈寿出来传话让我进去，我才敛神进门。老老头已经洗漱完毕，一袭龙袍衬得平日和蔼的笑脸多了几分尊

贵与强势。他满意地看了我一眼，道："丫头，随朕一起吧。"

老老头的寝宫直通修元殿，我跟在他身后，心里嘀咕着：虽说昨天下午有圣上口谕了，但大伙儿都不知道我被封女言官的事呢，我待会儿出现在大殿上，会不会把人吓晕？大家会不会联名上书把我轰下台？真要那样的话，就好玩了，我顺便也可以看清形势。在这儿上朝不似在龙曜，没人提前向我介绍人物与背景，看来是想让我自学成才。

"皇上驾到！"伴随着一个尖细的声音，连接老老头寝宫与修元殿之间的那道门被打开，我尾随着老老头步入大殿，待他坐上龙椅，就遵照他的交代，站在龙椅左侧。

"皇上万岁万岁万万岁！"群臣俯拜，山呼万岁。

修若果然比龙曜强多了，单从这早朝的人数就可得知，下面跪着的竟有三十余人。

"平身吧。"老老头自进入修元殿，脸上的笑容就已隐去。

众人起身，左右两排，为首的正是我的太子伯伯和父王同志，前者一袭杏黄龙纹朝服，后者一袭蓝色绣金龙绘云纹朝服。众人看到我时，眼里都是一惊，太子伯伯和云老头的眼里也不平静，唉，老老头果然啥都没交代，也玩了一出先斩后奏的游戏。

不过他是皇上，做出的决定合不合规矩另计，他做决定本来就是不用跟人禀奏的。所以，他现在直接在这朝堂之上公布了，"今日开始，醉月就是我朝的言官了，就跟在朕身边。"

说完这些，老老头抬眼示意太监陈寿，陈寿出列，当朝宣读早已备好的圣旨，无非就是正我的名，让我兼任言官一职，至于我兼任言官的一应品级俸禄等等不变，依旧保留公主时的待遇，等同于王爷。

满朝文武听完圣旨后一时连个吭声的也没有，既没有谏言哭天抢地、义正词严地说不合祖宗规矩，也没有狗腿地大呼皇上英明，一时间修元殿里的气氛颇有些尴尬。

第一个反应过来的是云老头，也就一秒钟的时差，太子伯伯也反应过来，两人躬身垂首的刹那，众人依样画葫芦地行礼，大殿内复又响起整齐划一的拍马屁声："皇上英明，恭喜醉月公主！"

再抬首时，众人的神色已恢复如常，我站在上方，本想一一打量个遍，结果连太子伯伯都恢复了如常的儒雅高贵，看向我时，脸上甚至还带有招牌式的亲切笑容。至于云老头，唉，我替他造的福真是太多了。

第一天上朝，我这言官自是无话可说，看着下面几人的请奏，也无甚大事。其间云老头的目光似不经意地扫过来好几次，看来他对老老头的这个决定也很意外。

下部

第三十一章·大叶苍

这样上纲上线的，到时候你若配出个骡子来，看你怎么办！

下朝后，我跟着老老头回皇帝寝宫。所谓的皇帝寝宫，我所到过的三个国家都是一样，不仅连着早朝的大殿，也是集书房、卧室、客厅于一体的豪宅。老老头竟没第一时间差我回去，他坐在书桌前，书桌左侧堆着两大摞奏折。

我乖巧地走过去，一边研墨，一边道："皇爷爷，要不先用些早点吧？"

每日五点左右上朝，七八点钟下朝，和我以前一样，上朝前我顶多喝了几口清粥，这时候早已饿得前胸贴后背了，所以我想老老头应该也饿了吧。

"丫头饿了？"

他看着我缓慢地研墨，脸上又有了笑容，不似早朝时的威严。我老老实实地点了点头，问："皇爷爷不饿？"

老老头好一阵乐，也没回答，嘱咐了陈寿几句，他便躬身退下。少顷，两个宫女端着两个大盘子进来，放在书桌左侧的案几上，随后退出去了。

"先吃吧。"老老头起身，我忙屁颠儿屁颠儿地跟上，自那两个宫女进来之后，我的视线就没离开过盘子里的早点。

我坐在老老头身边，心满意足地吃了个饱。他倒没吃多少，不知是年纪大了胃口不好，还是这样的早点他早就吃腻了。吃完稍稍休息了几分钟，老老头就又回到他的工作岗位上去了。

"丫头过来给朕读读这些奏折。"我沉默地站在桌边，看他翻着一张又一张的奏折，没过多久，他忽然放下奏折，看着我，神态间有一抹疲惫。

这是我第二次看到老老头露出这种神色，平日里他笑眯眯的似乎精神很好，可是终究已经是六十六岁的人了，人永远逆转不了自然规律。

我接过奏折，开始一张一张地读了起来。我读完一张，就交给老老头，他就在奏折下批复，然后我继续读下一张，如此这般，将那两大摞奏折处理完，已经过了午膳时间。站得脚酸倒是其次，我说了这么长时间的话，难得地感到脱水——口水！

"皇爷爷……"我的嗓音微微有些沙哑，而且头有些晕眼有些花，不知是没睡足，还是站累了饿晕了，立马开口想闪人。

"一道去你皇奶奶那里用膳吧。"老老头起身，看了我一眼，人显得格外有精神，笑眯眯地道。

我忍不住抽了下嘴角，这所谓的言官，自己的意见还没发表，倒先做了回小

秘。本想着老老头让我做言官，说不定是看在我在龙曜的表现赏识我的才华才做出的决定，原来他是被我昨日那句话刺激到，深刻领悟到自己年纪大了这个事实，人一旦服老，就会多替自己打算。多替自己打算？好不祥的预感啊！

"丫头？"老老头走出三步，回身看我未动，神色微诧。

"呃，来了来了。"我忙收回思绪，屁颠儿屁颠儿地跟着老老头朝中宫走去。

到得中宫，才发现除了老皇后，云老头也在，而且似早就有了安排，这两人都还没吃饭。行礼传膳，四人入座，不过太子伯伯不在倒是让我有些意外。我让宫女给我倒了一杯茶，一饮而尽后又示意宫女满上，根本没理会其他三人的目光。

"皇上，丫头今日第一天上朝，你都让她忙什么了？到现在连午饭还没顾上吃，回来的第一件事就是喝了几大杯茶。"双鬓微白，面目慈祥，和老老头一样，他的正牌老婆也总是一脸的微笑，带着关切与和蔼，两人倒颇有夫妻相。老皇后看着我狼狈的样子，话带微嗔。

"皇奶奶，"我又将杯中的茶水一饮而尽，用衣袖抹了一下嘴巴，这才舒坦了些，道，"月儿第一次上朝，人都还不认识，能忙什么啦，最多是听听看看，心里学习。"

下意识地，我没说读奏折的事，我想或许老老头并不想让别人知道他年老易累，可能视力也有些下降。而且我也没说，读奏折是最快了解修若朝堂现状的途径。

果然，老老头闻言向我点了点头。云老头又适时开口道："父皇，您太宠月儿了，给了她这么多殊荣，会将她宠坏的。"

我听得汗毛一竖，差点一口菜卡在喉咙里下不去就咽气了。我抬眼看向老老头，貌似他与老皇后对我确实优待了点，我也很想听听原因，却见老老头脸一板，声音里破天荒地含着一股怒气道："你还说！这么些年丫头都在龙曜，若不是朕跟你说，你就准备一辈子将她留在龙曜，一年只看她三五回？"

我张着嘴，手一松，筷子夹着的菜在距嘴巴五厘米处落下，恰好掉在碗中。搞了半天，原来是老老头将我"召"回修若的，并不是云老头的本意啊！

"父皇……"云老头的脸上第一次出现尴尬的表情，似有些惭愧，而且只喊了一声，就没了下文。

我的嘴巴张得更大了，手中的筷子也险些握不住。这太惊人了，云老头这张阴暗的脸上居然还能有这种表情——像是一个孩子做错事被父母训话！但这神情也只是昙花一现，他就恢复如常了。

"好了好了，别说了，快吃饭吧。"老皇后慌忙打圆场，于是四人又若无其事地吃起饭来。

吃完饭已是丑时，我迫切想回醉月宫好好补一下觉，于是向老老头、老皇后行礼告退。正待走人，没想到云老头也适时起身告退，本来老皇后差了她的贴身侍女瑾香送我，云老头却开口留下瑾香，说有他就行，无奈之下，我只好与云老头一道走出中宫。

"没想到父王居然和韩家一样，站在龙羽煌这边，是因为他也是二皇子吗？"没办法，我和云老头的单独对话从来都是火药味十足的。

"龙羽煌？"他冷笑，看来他并没被我的话刺疼，"龙曜国谁当皇帝都一样。"

我一惊，如果云府不是和韩家一样，那么小白那样做，难道是互相利用的一笔交易？小白想得到什么？云老头想把我送到修若，何必弄得如此复杂？

"用这种方式带月儿回修若，父王不觉得亏了吗？"

"不用这种方式，难道让你跟那皇帝大婚吗？"他转过头盯着我，我没回视，但能清晰地感受到他审视的目光。

云老头竟知道那晚狐狸会拿那道婚旨征求我的意见！云老头迫不及待地将我劫出皇宫，难道是狐狸打算征得我同意之后，在庆功宴上宣布那道婚旨？

"大婚不好吗？月儿终究得嫁人，即便现在身为修若国第一公主，最终也不过是一场利益联姻罢了。"如果云风是为了娘亲的遗嘱，用一种自以为对我好的方式让我远离皇宫，那么云老头这样做的目的呢？我本以为，我这样一个不被他看重的没名分的女儿能成为龙曜的皇后，他该乐见其成才是。

他不语。我转过头，只看到他的嘴角微微扯出一个弧度，像是正在冷笑。

"醉月公主，在我身上加了这么大的一个筹码，父王的野心可真不小，或者说，修若的野心，真不小。"我猛地惊醒，即便是老老头召我回来，但云老头对我的处境与境遇，可谓是清清楚楚明明白白，他在狐狸宣布我们的婚事前大费周折地将我送回修若，还煞费苦心地让老老头封了我做公主，很显然，他不满足于我只是龙曜的皇后！那么他这样做的目的，是因为我有更大的利用价值吗？比龙曜皇后更吸引人的身份会是什么？我突然有些喘不过气来，醉月宫前面右转便是，我站在路口，向云老头道了个万福，"父王，月儿回宫了，父王慢走。"

也不管他的反应，我说完就朝右走去，直到进了醉月宫，直到夭夭扑到我身边，用鼻子蹭了蹭我的脸，我才突然松了口气，抱住它，蹲下身，将脸埋在它的长金毛里，好半晌才调整好情绪。

第二天上朝，依旧没人对我任言官一职进谏啥的，想起在天青，天青王认了我做女儿，封了我为公主，进谏的人一批又一批，好些天才消停，而在修若，从我被封公主到任职言官，自始至终都没人明着进谏反对，看来老老头这皇帝，当得是相当成功。

不过我也明白，或许大家只不过是表面上平静接受这一事实，心里却是不赞成的。

第三天上朝的时候，我已能识得修元殿里的那些官员。老老头让我读奏折这一招很管用，我不仅记下了那些官员的名字、职责，更对他们现在的工作状况有了大概的了解。

"皇爷爷，这张奏折是孙奉常请旨秋祭的事。"下了朝，我依例待在老老头身边，替他看奏折，我已经从最初的按部就班地读奏折，到了现在看完奏折后归纳一下内容说给老老头听。三天来，我越来越明显地感受到老老头的身体十分疲惫，人前精神，人后疲累，而且视力有明显退步的迹象。

"秋祭？就按老规矩来。"老老头抚了抚额头，第一时间答道。

"依照旧例。"我边说边在奏折下批复。唉，忘了说，从今天开始，不仅要看奏折、读奏折，我还要替老老头写批复。修若国一年春秋两祭，春祭五谷丰登，秋祭国泰民安，这都是几百年的规矩了，真搞不明白这样的事为什么还要专门写张奏折上来，这不是增加老老头的工作量吗？

我坐在书桌左侧，将批好的奏折放在左边，伸手又拿了张奏折过来，仔细查阅。

"呃，这张奏折……"我看着手中的奏折，一时有些无语。

"怎么了？"

"呃，皇爷爷，这张奏折是张太仆奏请向叶苍换取名驹——千里白驹，然后以此配种，试验改良我国马匹品种等相关事宜的。"汗！听说过叶苍闻名天下的宝马——千里白驹的种种风采，但牵匹马配配种这种事也要写一份奏折来请示吗？这么上纲上线的，到时候你若配出个骡子来，看你怎么办！

"丫头，今日初几？"老老头倒没我这么愤愤不平，突然问了个这样的问题。

"初十，八月初十。"我本来也不知道这日子到底过到猴年马月了，可是从上朝开始，我又记起了日子——因为这关系到休假睡懒觉的问题！

"让他等几天，叶苍的千里白驹应该已经起程了，不必特意跑上一趟。"

啊，老老头这话是什么意思？我在心里嘀咕着，还是老老实实地按照他的意思在奏折下写了批复。

"过几天，叶苍的使者就该到了。"他似喃喃自语。

叶苍的使者？我抬头看着老老头，将刚才批完的奏折放在左侧，不明白这时候叶苍的使者来干吗？不过老老头没再多说，我也不好意思细问，反正到时候人来了就知道他是何来意了。如今我每天跟在老老头身边，前朝的一些事，大多都能第一时间了解掌握。

回到醉月宫，我刚吃完午饭，衍儿就回话说内监总管大人拨了个人到醉月宫，这会儿亲自领了人来求见。

我乏乏地斜躺在软榻上，一边把玩着夭夭的长金毛，一边淡淡地道："该走的赏，该留下的领过来瞧瞧。"

不一会儿便有脚步声轻轻传来，我安抚了一下夭夭，抬眼看向来人，他微低着头，三十岁左右，白白净净，看起来倒还老成。

"奴才王安，给公主请安。"

我心里一惊，想起前几日收到的那张神秘纸条，赶忙坐起身，仔细看着眼前的人，王安，他就是王安？

"起来吧。"我压下心中疑惑，闲闲地问道，"你原来是在哪儿当差的？"

"回公主，奴才原来一直在修仪殿当差。"他依旧躬身回话，从始至终都没抬过眼。

那不是老老头平时摆家宴及设宴招待贵宾的地方吗？以他的年龄，在修仪殿应该有不少年头了，如今他被调到我的宫里来，究竟是谁的主意？究竟有什么目的？这样一个人，真的可以为我所用？

"衍儿，你领着王安下去，好生安排一下，以后他就在我跟前待候了。"

"是，公主。"

两人退下，我又靠回软榻，想着那张素笺，想着刚才的王安，该不会又有什么大事要发生了吧？且不管王安是谁费心安插在我身边的，还是让他为我所用的好。

凭感觉，我认为王安不会是云老头安排过来的人。且不说云老头和老老头一伙，按云老头的行事作风，若要在我身边安个眼线，自然也不可能提前通知我。

接下来的几天，我不仅在朝堂上张望，还有意到各个宫里串一下门，一时也找不到那个送纸条的人。他是何身份，又是站在何种立场，我一概不知。而狐狸和曦岚两边依旧没有消息，云风也是音信全无，夜风依旧消失，清林就更不用说了。我看着夜幕渐渐降下，叹了口气：你说这叶苍使者不会狗血地来和亲吧？如果真是那样，我该怎么办？这偌大一个皇宫，谁是靠得住的？那个王安？

和亲这个问题深深地困扰着我，连续几夜都睡得不安稳，这日清早起来我就觉得有些头晕目眩。虽然身体有些微不适，但我依然坚持上早朝，下朝也还是担任老老头秘书的工作，只不过说话的声音比平常小了许多。回到醉月宫，我只喝了点清粥，就躺到床上休息去了。

不一会儿，来了两个御医，说是奉了皇上的旨意来为我诊治，我颇觉意外，这一早的头昏脑涨，难道老老头皆看在眼里？看在眼里也不让我提前"下班"，明明很没人性，却又找了两个御医来替我看病，又显得格外有人性，真矛盾！

两个御医对着我"望闻问切"了好一阵子，额头冒汗地出去写了药方及注意事项，然后就出门向老老头汇报去了。当然，他二人额头冒汗自不是因为我的小病，而是害怕夭夭——从他们还未进门就开始怒吼外加张牙舞爪的修若圣灵兽金夭夭同学。

不一会儿，我的醉月宫里抬进了 N 多珍贵药材，通通都是老老头吩咐了要我好好补身子用的。我满脸黑线地瞄了眼那一大堆东西，心想当饭吃还能吃上半个月呢，当药吃岂不是要吃上一年半载了？

晚饭时，老老头居然亲自过来看我，听御医汇报说是秋寒受了点凉，并无大碍，老老头这才斥责了宫女、太监几句，嘱咐了好生照顾我，又急急地回去了。

晚餐依旧是清粥，衍儿端来的两大碗药我只一闻就偷偷让王安倒掉了。本就没什么病，晚上早点睡就行了，吃那苦药干吗？如此这般，几日之后我又是生龙活虎的一条好汉了。

这日下朝，我正替老老头读奏折，陈寿躬身进来，走至老老头身边一阵耳语。可怜了我这个没丝毫内功的人，耳语的话我一个字都没听清。陈寿刚说完，老老头就起身，边往外走边道："朕有事，丫头今日早些回去吧。"

我放下手中看了一半的奏折，慢腾腾地起身，然后磨蹭着往外挪，心里却十分好奇，也不知道发生了什么事，老老头也不透露点内幕，真是枉对我这个他跟前的大红人了。

下午，王安终于探回来第一手资料，说是叶苍的使臣已经到了皇宫，向老老头献了好几匹千里白驹，外加一堆叶苍的土特产。叶苍的宝马名冠六国，其余五国皆是垂涎不已，只是叶苍是六国中最为强大的，再怎么垂涎那也只有羡慕的份儿，所以这回老老头喜得宝马，当场龙颜大悦。

"王安，可有听说这次叶苍使臣来访所为何事？"我斜躺在软榻上，一手抚着夭夭的长金毛，随意问道。

他第一次抬眼迅速往我这边看了一眼，开口道："奴才不知。"

"不知？那就先下去吧，有什么消息，直接来回话。"我依旧斜靠在软榻上，向他摆了摆手，示意他退下。

叶苍使者来访，弄得可真神秘啊，老老头自从那天说叶苍使者会来之后，就再也没提过这事，我也不好意思细问。现在人也到了，使者的目的却还是一个谜。不过只要不是和亲就好了，别的什么都好商量，嘿嘿。

左思右想，心里还是放不下，我就让衍儿替我简单地梳洗了一下，换了身衣裳，就巴巴地跑去中宫了，希望能在老皇后那里探探口风。若说老老头他们既不同意我嫁到龙曜，或者说既不满足我仅仅是龙曜的皇后，那么被嫁去叶苍倒是很有可能的。叶苍可是强国啊，而且听说叶苍的男人都很野蛮，若真这样，那我可是太不幸了，呜呜呜。

"月儿给皇奶奶请安。"我行了个福礼。

"快起来吧。"老皇后扶了瑾香的手，刚从里屋出来，见我行礼，忙拉了我的手，我顺势起身，替下瑾香扶着她就座，她示意我也坐下，才继续道，"丫头，御医去给你复诊，你怎么就把他们赶出来了？"

"皇奶奶，月儿早就没事了，御医把不把脉都一样啦。"其实，今日午饭后，

那两个御医过来的时候，我刚好在想叶苍使者的事，刚好想到了和亲的种种可能性与概率问题，在这内心万般纠结痛苦的时候他们跑来给我把脉，我哪有心情啊，两句话就让衍儿把他们打发了。

甫一说完，我就发觉老皇后看着我的眼神微嗔，忙撒娇道："皇奶奶，您原谅月儿，也饶了那两个御医吧。您不知道夭夭对那两个御医有多凶狠，他们上回是提着胆子来提着胆子回，明明是秋天，可那脸上的汗珠子下雨般地落，脸色那叫一个差，说话都哆哆嗦嗦的，倒像是他们生病了。这回听说他们刚站在醉月宫门外双腿就已经打战了，进来的话自己还不先晕倒？"

我话音未落，老皇后就轻笑出声，佯怒地瞪了我一眼，又微摇了摇头，嗔怪道："鬼丫头，明明就是你自个儿不愿见御医，倒说成了他二人的不是了。"

"皇奶奶，这也不能怪月儿，您不知道上回御医一看，您和皇爷爷派人送来的东西，都快将我的醉月宫堆满了，现在还都放着呢。今日御医来看，末了再说一句什么体虚气虚的，您又要送，晚上我就得躺在灵芝上，三餐啃人参了！"

老皇后又笑了，边摇头边叹气道："真真没办法，什么事经你这丫头的嘴说出来，都能逗得本宫开心。罢了罢了，也不知你皇爷爷是怎么想的，你这丫头在朝堂上说话不会也这般使坏吧？"

我忙无辜地摇了摇头，然后欲言又止，最后低头黯然。

"丫头可是有心事？"老皇后果然如此问道。

我又摇了摇头，讪讪笑道："皇奶奶，没有的事。"

"丫头的心事，可是与叶苍使臣的来访有关？"她拉过我的手包在自己的掌心里，紧了紧，又放开，轻轻地拍了拍我的脸颊，叹了口气。

我抬头看着她，视线忽然有些模糊。我穿来这里近两年，待在这座皇宫才不过两个多月，眼前的这个人，算是唯一一个我真心愿意在她身边陪她吃饭聊天的女长辈。

"皇奶奶，我……"我用力地眨掉眼中的泪意，话一出口，却不知道该说什么。皇家女人的宿命，我心里明白得很，不是想反抗就能反抗得了的。在这里，印象中似乎唯有天青的三公主天槿瑜反抗婚事成功过，她有母妃德妃娘娘求情，而且她的婚事，并不是两国之间的和亲。若叶苍此次真来和亲，而抓我回修若还给了我别人羡慕不已的尊宠就是为了这一刻，我想反抗的话，那需要付出多大的代价，连我自己都不敢想象。

"丫头，你虽然来得晚，但本宫真心疼你，其实你皇爷爷也是，你要相信他。"

我低头，就算你们真心疼我，也会用自以为对我好的方式替我找一门在你们看来幸福美满的亲事，何况以目前的情况来看，你们必是不会同意我嫁给狐狸的，我又怎能相信老老头？

"皇奶奶，我才与皇爷爷和您相认，月儿不想这么快就离开你们，月儿舍不得。"怎么说着说着就好像叶苍的使者真是来和亲的一样，大汗！

"还没影儿的事，丫头就别担心了。"她摸了摸我的头，安慰地笑笑。

现在没影儿，估计撑不了多久就会有影儿了。我也笑了笑，老皇后能这样说，我就该知足了，她再疼我，毕竟我们相处才两月多，我是不能死缠烂打哭求什么的。

"皇奶奶，都快到晚膳的时间了，月儿先回去了。"我边说边行了个礼，时候不早，是该回醉月宫了，顺便再问问王安可有新的消息。

直到第二日下朝，我都没彻底弄明白叶苍使臣此次来访的目的。下朝之后，由于老老头要陪叶苍使臣，所以早朝后的奏折时间今日暂时搁置。老老头虽破例让我上了早朝，但是在这种关键时刻，我这女子的身份，还是被他想也不想地排除在外了。

我照例先去老皇后那里请安，却意外地遇见了太子伯伯。我向两人分别行礼，本想请完安就第一时间撤退，却没料到老皇后竟开口留下了我。

"本宫昨日说你将御医赶了出来，你皇伯伯说，肯定是丫头你怕喝药。"老皇后示意我坐下，聊家常一般开口。

我侧过脸看着太子伯伯，他华贵儒雅，笑得亲切，一个有魅力的中年大叔啊，不过我是见过年轻帅哥的，自不会被他迷惑，于是转过头朝老皇后讪讪笑道："皇奶奶，哪会有人爱喝药啊？再说那药比黄连还苦，月儿每次喝完，都是一脸的褶子。"

末了，我又加了一句："皇奶奶，这种糗事您也跟皇伯伯说，以后月儿看到皇伯伯，还能好意思？"

"母后，婉茹也喝不惯那些苦药，只是不知江御医用了什么法子，总能将那些药变甜，而且闻起来没了那浓浓的药味儿。月儿这性子倒和婉茹相像，依儿臣看，以后月儿的身子，就交给江御医照料吧。"太子伯伯看着老皇后，这番话说得自然而又亲切。

对了，婉茹是太子妃的闺名。

"本宫昨日想了一下，也是这个意思，丫头，这回你没话说了吧？"

唉，老皇后你都这样说了，我除了点头还能怎么办？可是我的心里那叫一个怨念啊，这太子伯伯来历不明，不对，是来意不明，虽说每每看到他和云老头都是一副兄弟情深的模样，也没听说修若前朝有党派之争，更没发现他们两兄弟不和或暗中较劲的蛛丝马迹。可是我想这种相安无事一家亲的表象，是因为他们伪装得好，他是太子，他的女儿都还没封公主呢，我是他二弟的女儿，倒成了第一个有封地的公主，他能不介意吗？而且云老头明明野心不小城府很深的样子，如果不干掉他大哥，他就永远只有做王爷的份儿。话又说回来，难道云老头不介意这点，难道云老头的野心是放在了其他五国上？

江御医，江御医，看来不保险啊！

我的专属御医就这样被敲定下来了，我虽不乐意却也没办法，只得自己多留个心眼儿。回到醉月宫恰是午膳时间，饭毕，那个江御医便奉命来给我检查了。我虽喝住夭夭，但对夭夭的惊人怒吼，江御医倒比前天那两个人镇定多了，而且为我把脉之后，倒像是个实在人，说是身子早已恢复，无甚大碍，末了还说我身子底子本就好，那些个补药不喝亦无事。

我一听乐了，一时忘了他是太子伯伯派来要小心提防的，咧着嘴看他顺眼了不少，嘱了衍儿打赏，并让她亲自送了江御医出宫，然后躺到软榻上休息。

不知不觉在软榻上睡着了，梦境纠结，我陷在一个未知的迷阵中，想逃离，却不由自主地被引着向更深处走去。前面隐隐有亮光，我一路向前跑，对着那亮光，想冲出这迷雾，脚下一绊，跌了一跤，浑身疼得好像散了架，竟爬不起来。突然眼前大亮，我连忙捂住眼睛，从指缝中往前看，不远处一个金色的影子背对着我，我想叫，出不了声，想跑过去却又动不了，亮光越来越强，那背影似想转过身来，我猛地睁开眼，想看得更清楚，却见夭夭站在软榻边，正探头看着我，金色的眸子离我不到二十厘米。

我一惊，下意识地从另一侧翻身下了软榻，这才发现天色不知不觉已暗了下来。我起身，朝夭夭心虚地笑笑，真是的，反应太快，警觉性太高，我都看到夭夭眼里的那抹受伤了。

"啊，晚上了啊，夭夭吃了吗？"我佯装才发现天黑，还特意跑到门外看了看，回身向那只金毛大怪物狗腿地赔笑建议道，"好饿啊，马上命人准备晚饭。夭夭，今天我喂你吃吧？"

它没理我，蹲下身靠着软榻趴下，眼睛也不看我，随意地四处嗅嗅。我唤了衍儿准备晚膳，犹豫了一下，良心不安地走近夭夭，可是赔着笑逗了它半天，它却仰着头鼻子朝天地摆起它圣灵兽的架子来。我怒，看着几个宫女端着盘子进来，忙起身从她们手中抢过一盘酱大骨，然后拿起一块，朝着夭夭的方向挥了挥。

这圣灵兽果然一点骨气也没有，看到吃的别扭也不闹了，吭哧吭哧地爬到我脚边，金色的眸子热烈地看着我。唉，算了算了，都给它吃吧，我将那盘酱大骨放在它跟前的凳子上，任它吃个痛快。其实夭夭没有骨气也是可以理解的啊，要知这两个多月来，夭夭被我逼着啃了不少蔬菜和水果，每餐的肉食量呈递减状态。我一时太无聊，又见夭夭长得肥，所以为了夭夭的饮食规律营养均衡，就给它搭配了无比科学的营养餐。想当初它不肯吃蔬菜我狠饿了它几顿，事实证明，再骄傲的动物也只能在现实面前屈服，谁能快饿死了还嫌面包太干？

吃完饭，我带着夭夭在醉月宫小花园里遛弯的时候，顺道让王安去修仪殿探了探。他原来不是在修仪殿当差吗，这时候我想知道叶苍使者的事，他就是最好的人选了。

临就寝时，他才回来，带来的消息却是明日一早叶苍使臣便起程回国。虽然感觉此事似乎匆忙了些，不过我倒安心睡了个好觉，估计梦中也是咧着嘴巴的，清早衍儿唤我起来的时候都觉得嘴巴有些酸。这下好了，叶苍使臣滚回国了，和亲的事一点风声也没听到，那就肯定不会发生这样的人间悲剧了，我依旧是醉月公主，没事的时候上上早朝当当言官，哇哈哈哈。

唯一的失落，就是关在这皇宫里，至今无法与外界取得联络。或许是夭夭的关系，夜风也一直没出现。

下部

第三十二章·再次游说

战争，是一场灾难，却也是一个契机。

下了朝，我依旧替老老头读奏折，由于此项工作耽搁了两天，看着书桌上那厚厚的四摞奏折，我颇有些心急，读奏折的速度也比平时快了许多。

"皇爷爷，这张奏折是张太仆奏请叶苍使臣送来的千里白驹能否放养在围场。他说千里白驹性烈，关不住。"汗！我真服了这个张太仆了，就这么点儿破事，他是一天一张奏折，真不嫌折腾。我是没见过那什么千里白驹，但再如何，不也就是一匹马吗？有必要弄得这么夸张吗？

从我提到叶苍的千里白驹开始，老老头就有些心不在焉，不似往日那般认真专注。"围场？"老老头轻轻地重复着，低头沉吟，似在想着什么，半晌却突然抬头看着我，神色肃然，盯着我半天，才问道，"丫头，你可知叶苍使臣此次前来所为何事？"

我心里一惊，摇了摇头，老实答道："回皇爷爷，月儿不知。"

"丫头猜一下呢？"他虽是疑问句，却是肯定的语气。

我晕，老老头如果想告诉我此次叶苍使臣来访的目的，直说不就行了，为什么要玩这种猜谜的游戏？这种问题，猜对不见得是好事，乱猜更可能坏事。比如我说和亲，老老头本没和亲之意，说不定我反而提醒了他。比如我说勾结，那像话吗？于是我故作深思了一会儿，然后老老实实地摇了摇头，声音里透着惭愧道："月儿愚笨，实在猜不出。"

他依旧看着我，脸上挂着招牌式的笑容，似看穿了我的小伎俩，眼里闪过一丝未明的神色，笑眯眯地道："叶苍邀我修若共伐寒星。"

我一下被自己的口水呛着，剧烈地咳嗽起来。好半天我才喘过气来，手抚胸口顺了顺气，看着老老头，不敢置信地道："皇爷爷？"

他的脸上仍有笑意，眼神却是认真而严肃的。我忽然明白，老老头这不是在开玩笑，叶苍使臣来也匆匆去也匆匆的，是为了联合修若攻打寒星，那么理由呢？此前，天青、寒星、龙曜结盟共伐望月，虽然战事已了，但叶苍不管出于什么原因想动寒星，也该顾着三国之间的这层关系，若到时候寒星请求天青、龙曜派兵解围，叶苍哪怕拉了修若，也未必就能胜算。

"皇爷爷同意了吗？"其实只看那叶苍使臣来如风去如电的，就该明白事情应该是很顺利的。所以，不用问，我也该想到老老头肯定同意了。

"丫头认为朕该同意吗？"他不答反问。

我抬眼看着他，他既知我的经历，那我也只能实话实说："天青、寒星、龙曜此前才结盟共伐望月，虽战事方歇不久，于国力有损，但若贸然伐其中一国，另两国必会援助，这场战事也不轻松。"

"所以？"

我突然有些莫名地头疼起来，勉强挂着笑容道："所以，如果真要攻打寒星，必须阻止天青和龙曜施援手。"

"如何阻止？"

我怎么知道？再说我能想到的，老老头你能没想到吗？不明白这些做皇帝的自己心里的想法为什么非要借别人的嘴巴说出来。我只能无奈地道："家国大事非儿戏，只能利诱。"

"利诱？"老老头突然大笑，这一刻的神情霸气而猖狂，眼里的精明与锐利，让他此刻像极了一只老奸巨猾的狐狸，"若四国分羹，这杯羹也委实少了点吧！"

呃，老老头这话是什么意思，难道不是单纯地攻打寒星这么简单？我一时愕然，直觉有种不祥的预感，索性沉默不语。

"丫头可知皇爷爷最大的心愿是什么？"他恢复往日神色，侧过头看着我。

"强大修若。"我毫不犹豫地回答。

"哦？怎么个强大法？"他饶有兴致。

"天下大势，合久必分，分久必合。六国并存几百年，如今这平衡既已被打破，必然会出现另一种全新的格局。战争，是一场灾难，却也是一个契机。"

"合久必分，分久必合。"他轻轻地重复，"丫头继续说下去。"

"皇爷爷自是比月儿更清楚，分久必合，说来容易，做起来却太难，而且需要时间、机遇、谋略等条件。当初三国共伐望月的时候，修若按兵不动，月儿斗胆推测，皇爷爷必是另有安排与打算吧。"

在天青的时候，我非常担心，望月的战事既已惊动了六国中的四国，那么被公认为六国中实力最为强大的两国——叶苍和修若，为何独独没有动静？狐狸的回答是让我不用担心，这两国，他自有办法。而如今，叶苍竟欲联合修若共伐寒星，想起关于龙曜将与寒星联姻的传言，狐狸却信誓旦旦地说这事不必我担心，他自会处理好，难道狐狸早就预料到会有这场战事？这两件事中，必有一些我不知道的内幕与联系，会是什么呢？若我的猜测是正确的，那么接下来的这场战事，龙曜会站在叶苍、修若两国的阵营中吗？可是龙曜才借由与天青、寒星结盟缓解了危机，如今倒伐寒星，岂不是背负了"忘恩负义"的骂名，遭天下人唾弃吗？

不会的，不会的，狐狸不会做这种傻事，即便他有这样的想法，也不会做得如此直接，让自己臭名远扬。

"好！"老老头突然拊掌叫了声好，看着我，微凑过身子，问道，"那丫头说说什么样的安排与打算才能让朕在望月之战中静观不动？"

当然不会是寒星了，那么比望月、寒星更为诱人的是……是叶苍，只有叶苍，六国中唯一比修若更为强大的叶苍国！

我突然觉得有些可怕，更准确地说是不可思议，如果这一切狐狸也早已参与其中，或者更可能是有他的一部分"功劳"，那狐狸的存在真是太可怕了。六国中最小的龙曜国，必然会成为一段历史，或者说，它已经成为一段历史了！

"取叶苍而代之。"答案只有六个字。

老老头显然对我的回答很满意，看着我点了点头，不仅先前允许我上朝，现在更没忌讳我说得如此直白。

"月儿斗胆，恳请皇爷爷给月儿一次机会。"我蓦地起身，屈膝跪拜在地，垂首朗声道。我需要一个机会，回龙曜的机会，没有比这一刻更想看到狐狸，想亲口问他这一切一切的疑问——不仅是关于这即将到来的战事，还包括我离开龙曜回到修若这段时间发生的所有的事情。

"哦，什么机会？"老老头也不急着让我起身，只是疑惑道。

"立功的机会。"我抬头，坦然迎视他的目光，声音平静。

"哈哈，丫头你真的很有意思，朕喜欢。起来吧，起来回话，说说到底是怎么个立功法？"他大笑，神色一松，又是一副慈眉善目的样子，笑眯眯地道。

我慌忙起身，其实还没想好，但有一点是可以肯定的，"皇爷爷既已答应叶苍同伐寒星，届时却又想反伐叶苍，必得暗中秘密与另三国商议结盟对策。"

等等，寒星不用结盟，若叶苍入侵，他们自会抵死反抗，殊途同归的事，又何必自己巴巴地跑上门，反欠人家一个人情？想到此，我立马改口道："是另两国，龙曜与天青。"

"那丫头可有良策？"

"寒星知此消息，必会修书或派使臣至天青与龙曜，请求援助。天青与龙曜碍于情面或其他种种，必不会一口回绝。"我话至此，稍一停顿，方很平静地道，"我们的目的是叶苍，其实天青与龙曜若想增援寒星也无妨，只是到时候增援的方式，不是派兵前往寒星支援，而是，围叶救寒。"

天青与龙曜，也是有野心的，这种时候需要顾及从前的结盟之情，堵住天下人的悠悠众口，断然不能做倒打一耙之事。但修若的目的是叶苍，围魏救赵这一计，无疑是最佳的。结果一样，但大家却是名正言顺，或者说相对而言名正言顺了许多。

战争残酷，大多源于政治家们的野心，但毫无疑问，有个相对站得住脚的理由，远胜于无故起兵。有时候，舆论的导向有着不可估量的作用，而且越是居于高位，越要加倍维护自己的名声。

"围叶救寒？计是好计，可是朕怎么觉得丫头这一计，为天青、龙曜考虑得更多？"

我神色坦然道："若非如此，怎么能打动天青与龙曜？只有让合作伙伴既看到唾手可得的利益，又免了他们的后顾之忧，让他们明白合作是百利而无一害的选择，他们才不会拒绝。"

"那丫头可曾想过修若的后顾之忧？"

"月儿相信皇爷爷早有了万全之策。"我依旧微笑，然后又跪身道，"月儿斗胆，恳请皇爷爷恩准月儿前去龙曜。"

"朕觉得若你担此任，前去天青不是更好？"

我低头笑笑，早就想到老老头会这样问。唉，就知道想回趟龙曜不容易啊，怎么办？掰呗！于是我找起理由来，"相比于天青，月儿觉得前去龙曜更有把握。虽说修若可能与龙曜早有商量，但谁又能保证其中没有变数？此时此刻，又必是不能出一丝一毫的差错，与其选择两个未知数，还不如一个定数来得更为合理。月儿相信皇爷爷必会选择月儿前去龙曜，唯有如此，修若的胜算才会更大。而且以地理位置来说，龙曜的态度尤其重要，这一点，皇爷爷比月儿更明白。"

唉，越说越觉得自己也是有点道理的。尤其是最后一条，多好的理由啊，如果天青攻打叶苍，可是要途经龙曜边境的，到时候龙曜的事若搞砸了，那天青军亦不敢贸然出动，单凭修若与寒星，想拿下叶苍，绝对绝对不是一件容易的事。阿弥陀佛，理由暂时只能想到这些，谋事在人，成事在天，请求上天保佑。

老老头似在细细思考权衡我的话，半晌才盯着我，眼神凌厉，与云老头像极了，声音却依旧苍老温和，"丫头是不是很想回龙曜？"

"是。"我坦然答道，大家都心知肚明的事，我又何必扯谎掩饰？再说，云月从小在龙曜长大，还能对龙曜没有感情？如此一想，我更觉得自己理直气壮了，"龙曜是月儿出生与成长的地方，再说哥哥还在龙曜，月儿却连句告别的话都没有就走了，如今与他数月未见，心中甚是想念。月儿也觉得自己回龙曜办这趟差事，是最不引人注意的。若另派他人，被叶苍发现，必然起疑。而月儿娘亲的祭辰就在下月中旬，月儿此去，祭拜亡母，家人团聚，月儿又是女子身份，不仅名正言顺，更不易让人起疑。"

我与狐狸的事，毕竟不是天下皆知的秘密，这一点与我替兄出仕一样。那道婚旨还没来得及诏告天下，那么我回龙曜，比其他使臣更具隐蔽性。而且老老头和云老头既知个中因由，也该明白，我去了龙曜，差事的成功率比其他使臣大得多。

"丫头你先下去吧。"

没想到老老头直接赶人，连奏折也不用读了，我起身行礼告退，本来心里挺悬的，回到醉月宫，看到飞扑而来的夭夭，又突然觉得人生充满了希望。老老头肯定会好好思考我的话，说不定还会叫上太子伯伯和云老头一起商量。如果我真能去龙曜的话，我想去天青的人选，很有可能会由太子伯伯推荐。

你不要问我理由，只是我的直觉而已。

午饭后，云老头突然找上门来了，这还是破天荒头一遭。对于夭夭的怒吼飞扑，我犹豫了一秒钟之后，昧着良心违背自己的意愿安抚了它。唉，多希望夭夭能将云老头吃干抹净，让他从此不再危害人间。可这也只是希望，我还没那胆儿，再说，他这样子上门，说不定是来传喜讯的呢，嘿嘿。

"月儿给父王请安。"我巴不得走一步退三步地迎上前行礼道。

他略有顾忌地看了我身侧的夭夭一眼，方道："先让他们都退下吧。"

果然有事要谈，嘿嘿。我立马吩咐了王安，让他们都离得远远的，然后与云老头进屋，倒也不用掩门，就由夭夭把守屋门，我给云老头泡了壶茶，斟了一杯递给他，道："父王可是有事找月儿？"

"月儿竟然说服你皇爷爷同意你出使龙曜，真是不简单。"他斜眼看着我，眼神里有我不明白的情感。

"父王过奖了，若非皇爷爷也有这打算，又岂是月儿三言两语就能说动的？"关于这一点，我还是有自知之明的。

一想到真的可以去龙曜，我便心情大好，笑容浮上嘴角，道："父王也该明白月儿此去是最合适的人选，若月儿顺利完成任务，对父王来说也是好事一桩。月儿越出色，父王脸上越有光，不是吗？"

"话虽如此，只怕月儿到时候不想回来了。"他说话比我还直接，不知算是好事，还是坏事。

我听了笑得更开心，讥讽道："父王，您太看得起月儿了，月儿这一举一动，不都在父王的掌控之中吗？当初既能从皇宫劫了月儿回修若，一路顺利得不得了，父王还怕月儿赖在龙曜不回来？果真如此，父王再劫一次就是了。"

"月儿，你真是越来越有趣了。"他不怒反笑，但笑起来比板着一张脸还让人讨厌。我怀疑云老头很有问题，好像我越反抗他，他越开心，还带着某种欣赏。

"谢父王夸奖。"

"明早出发，速去速回，一应准备的东西今日都会替你备妥，至于随行人员，父王也会安排妥当。月儿好好办差事，别跟父王耍心眼儿。"他似笑非笑地看着我，最后这句话虽说得风轻云淡，但我深知话里的威胁之意。

"月儿不敢。"我不以为然，这样说纯粹是出于应付。

"现在先去中宫跟你皇奶奶辞个行吧。"他也不恼，突然这样道。

这礼倒是应该的，我点了点头，起身走两步，扭头看了看云老头，却发现他依旧坐着不动。我有些困惑地看着他，他扯起嘴角，冷声道："难道忘了去中宫的路？"

我转回头大步往外走，边走边恨恨地想：这人倒好，将我赶出门，自己却待在我的醉月宫，保不准又要做什么小动作了，真阴暗，哼，最好被夭夭咬死！

行至中宫，甫见老皇后，我还未行礼，她就破天荒地起身迎了上来，一手拉过我，止住我行礼的身形，开口就道："这才回来多久，就又要赶回去祭母，还安排得这么突然，一路来回折腾，又得一个多月，唉！"

呃，赶回去祭母？老皇后是故意这样说，还是她根本不知道我此行的真正目的?

"皇奶奶,下月中旬是娘亲十年祭辰,月儿如今已是修若的公主,但娘亲依然葬在龙曜,此次回去,还能见到哥哥,所以再辛苦,月儿也心甘情愿。"说着说着,我竟也有伤感之意,可连自己也不明白这伤感所为何来。

"本宫明白,丫头从小就在龙曜长大,可怜你的娘亲,看不到你今日的样子,更看不到他日你风光大嫁,可怜她死了也没什么名分……"说到这里,她就说不下去了,看着我,眼里不仅有遗憾,还有同为女人的那份惺惺相惜。

我本来还好,听她这样一说,想起云风说的云月娘亲临终前的嘱咐,竟越发伤感起来,又想到来到这里将近两年,我二十一世纪的家人与朋友不知怎么样了,眼里就浮起一层泪意。

"唉……"老皇后叹了口气,拉过我的手,轻轻拍了拍我的背,"丫头也别难过,这回就这样安排,过段时间本宫跟皇上商量商量,你既已认祖归宗,你那同胞的哥哥也该接回来才是。"

"皇奶奶……"我无语,这时候也不能说什么,侧身扑到她怀里,一阵轻泣。

老皇后又交代了一些注意事项之后,我就回了醉月宫。云老头已经走了,估计该做的小动作做完了,他自是不会久留。衍儿与王安已经在收拾我出行的包袱,吃的穿的用的,已经好几个大包袱了,还收拾了好些珍贵药材与值钱的物什,弄得就跟衣锦还乡似的。

晚上,老老头和云老头亲自过来嘱咐了注意事项与行程安排,顺便安排好了随行人员,千叮咛万嘱咐之后,才终于放过我。我将最最重要的老老头的亲笔修书贴身藏了起来,其余东西也没多大兴趣,由着衍儿和王安收拾,然后决定与夭夭作个正式告别。

金夭夭同学自是不能随我前往的,风餐露宿的,它还是个招人眼的怪物。

"夭夭,多吃点。"自从我推荐夭夭吃酱大骨以来,它就爱上了这味道。

它咬着大骨头,金色的眸子偶尔朝我的方向瞄一眼,对我的刻意讨好始终保持着一种高姿态。相处两月有余,我也摸清了它的性子,我若热脸,它必冷屁股;我若弱势,它就巴巴地来安慰我,时不时地舔我的脸,典型的吃软不吃硬。

"夭夭,明天开始,我要出门一个月,不对,要一个多……啊!"

　　果然，我话还未说完，夭夭已经蓦地起身，庞大的身躯站到我身前，伸出一只爪子死命扯住我衣袖一角，金色的眸子紧紧盯着我，里面似有火焰在跳动。

　　"哎，夭夭，你听我说，你听我说。"我忙抓过一根大骨，凑到它跟前，拍马屁道，"我去办点事，尽量早点回来，你要待在这儿乖乖地等我，知道吗？"

　　可是圣灵兽金夭夭同学这回是彻底不乐意了，连酱大骨也不动心了，一径拉着我的衣服，只差怒吼了。

　　唉，看到它这样，我也心软了，虽说很想很想回龙曜，但对夭夭，心里还是很舍不得的。此去一别，也不知何时才能回来，想到去天青的经历，加上这一路来的遭遇，我也不能将此行想得太简单，人算终究不如天算。

　　我放下骨头，伸手抱住夭夭，顺便将满手的油腻擦在它的金毛上，深吸了几口气，酝酿了一下情绪，才哀哀地道："夭夭，我真的舍不得你，无奈母祭临近，必得回去一趟，还有哥哥，我也想见他一面，夭夭也不想让我一直心存愧疚与牵挂吧？"

　　果然，它一见我这神色，金色的眸子突然变得温柔，抓着我衣袖的爪子松开了，喉间呜呜低咽。

　　这一餐，夭夭吃得尤其少。我也没什么胃口，只吃了一点就与夭夭出门散步去了。醉月宫里桂树飘香，夭夭安静地跟在我身边，我也有些伤感，可是一想到不久之后就能见到狐狸、清林和哥哥，心里又止不住地激动与期待起来。

　　这一夜，夭夭爬上我的床，占了三分之二的空间，我只好裹着被子缩在床沿儿，一个晚上被它踢下床三次！

下部

第三十三章·交错

哥哥去修若干吗？他这宰相不当了？

第二天清早起床，我有些头重脚轻地向老皇后辞行，老老头还在上朝，又曾嘱我早点出发，我就没跟他辞行。从中宫回到醉月宫时，衍儿与王安已经将一切备妥，我换了身干净利落的衣裳，与夭夭再次道别，就向外走去。夭夭一早上都没理我，独自霸在我床上，连早餐也没吃，我与它打招呼，跟它道别，它根本无视，果然还在生我的气。

出得第二道宫门，就见有二十来个随从打扮的人候在那里，他们躬身行礼的时候，我扫了一眼，竟一个也不认识。这样一来，我这一路过去，身边认识的，就只有王安和衍儿了。这二十来个人，倒也不用名字，直接以代号相称，而所谓的代号，就是数字。但我知道，老老头能派他们护我前行，他们的身手肯定不凡，而且估计在暗处，也会有不少人跟着的。

我坐上马车，让衍儿跟着上了车，一直到出了最后一道宫门，我都没有回头。虽说此去为了祭母，但我这身份能隐蔽就隐蔽，所以公主出行应有的排场一概省去。云老头昨日曾给我一块令牌，说是沿途已安排好一切，若有需要与帮助，拿着令牌找地方官员或守城官兵就行。我掏出令牌仔细看了看，不就是他灏王爷的令牌吗？我也有醉月公主的令牌，难道我拿着公主的令牌去找地方官员或守城官兵，他们就不认人了？我撇了撇嘴，反正一句话，云老头的好意也要当成他是别有用意。

刚出宫没多远，就传来一阵惊慌嘈杂声，马车被迫停了下来，我掀开车帘探头往外，天哪！不会这么倒霉吧，这还在修州呢，就碰到刺客 or 歹徒了？

我刚刚在这混乱的人流中扫视了一遍，一个熟悉的怒吼声就传了过来，是夭夭！汗！夭夭怎么出来了？这下天下大乱了，夭夭竟然也跑出皇宫了，它不会是追着我出来的吧？它刚才不是不理我的吗？哭！

"你们退下，别动夭夭！"我冲着人群大喊，随行之人都是训练有素的，紧紧护着我，而且他们似乎知道夭夭的身份，一时倒不敢动手，但周围的百姓已经很慌乱了，估计是从未见过夭夭，都害怕得紧。不过幸好现在出皇宫不算太远，所以百姓还是很少的。

我忙跳下马车，走至王安身边，夭夭已飞扑而至，到我身前一个急刹车，伸出舌头就在我的脸上一扫而过。

"夭夭你怎么过来了？快回去吧。"只见它身后一片混乱，似又有很多人赶过来，大概是皇宫里的侍卫吧，估计是夭夭疯一般地冲出来，他们一时拦不住，只能一路追来了！

它明显不乐意，将它的长金毛又甩得飞扬起来，拂过我脸颊，又软又痒，而且还让我打了个喷嚏。就是这一个喷嚏的光景，一个我不待见的声音就出现了。

"月儿！"随着这个声音的出现，一干闲杂人等已被屏退，只留下我们一行人与风一般赶来的云老头和一众皇宫侍卫。

"父王也看到了，是夭夭自己跑出来的，与我无关。"我立马撇清关系，就怕云老头跟上回一样，又将这责任算到我头上。说完，我又向夭夭道："夭夭乖，回去吧。"

它金色的眸子热烈地盯着我，突然转过身，朝着云老头就是一声怒吼，并作势欲扑。惹得云老头冰冷阴沉的脸上也有些挂不住，我拼命忍着笑，佯斥道："夭夭，不得无礼。"

说完又觉得不妥，看到云老头微抽的嘴角，我忍笑忍得胃疼，真好啊，可以有很长一段时间不用看到他，还能回到亲爱的龙曜国，见到我亲爱的云风哥哥和结义的狐狸与清林。

"既然圣灵兽这样，就让它跟着你吧。"云老头的声音里听不出情绪。我吃惊地张大了嘴。不会吧？让夭夭跟着我？这可是修若的圣灵兽耶，尊贵得不得了，还活了几百年，万一送回来时少了根毛，说不定我就得挨板子了，若夭夭有个什么意外……汗！估计我就不用回来了。而且这么金贵的东西，老老头会同意它跟着我去龙曜？

"你该明白自己的责任，要保护好圣灵兽，知道了吗！"云老头的声音里有赤裸裸的警告之意。

"啊，父王，那你要多派几个人手过来。"我脱口而出。圣灵兽关系到我的小命，这可马虎不得。

"你身边这些人，可不比云府里的侍卫差，也不比……"他的话说了一半，突然住了口，然后朝我点了点头，话锋一转，"快点去吧，早去早回。"

云老头说完转过身，领了侍卫回去了。我怔在原地，摸了摸鼻子，然后冲着夭夭道："夭夭，那我们一起出发吧。"

幸好马车够大，夭夭坐在我对面，衍儿坐在我身边，一行人复又前行。

十天之后，一行人终于到了修若与龙曜的交界。在修若这一路，倒是分外太平，即使有夭夭在，食宿的都是事先安排好的，也没发生什么不快之事。

进入龙曜之后，我本以为城门一关会是个麻烦，毕竟夭夭看起来太诡异，说不定会被当成妖怪，到时候全民共同讨伐，我和夭夭保不准就要双双落难了。而我身边本来分外有用的宰相令牌还了云风，狐狸与清林的玉佩也夹在信中，让曦岚代劳还给了他们，一时身边也没个信物通关。没想到一路过去却是畅通无阻，我诧异地问王安，才知那日云老头独自留在醉月宫的时候，曾交给王安一块云府的令牌。如今在龙曜，云相这个名号，可以带来无限便捷。

可是，天杀的云老头居然将云府的令牌交给王安，而不是交给我？！

我不得不说，云老头真的很强大。他不仅是修若的二皇子，在修若尊贵而势大，而且在龙曜，他又化身为当朝宰相云风的父亲，拥有许多特许的权力。直到临近龙州，我还有些不敢置信，整个人都有种恍如梦中的感觉，想起去天青游说的遭遇，这也太天差地别了吧，愣是连个小风波小意外都没有。

是夜在明州落脚，想到明日就可以进入龙州了，我突然有些兴奋得睡不着觉，于是拉着夭夭唠嗑儿。对了，这一路我们住的不是客栈，而是银月钱庄，每个银月钱庄的后面，都有一个隐蔽的庭院。云老头的经济观，真是可怕！

"夭夭，明天到了龙州，你就要乖乖地留在云府了，知道吗？"如果去见狐狸，还是别带上夭夭的好，这两个都是妖孽，注定互相看不顺眼，到时候掐起架来，我该帮谁呢？他俩可都是我惹不起的啊，天怒！

话音刚落，夭夭还没来得及反应，门外就响起了敲门声。

"公主。"是王安的声音。

"进来吧，什么事？"

门没上锁，他推门入内，行了个礼，方道："公主，张管家来了。"

张管家？这又是哪一位？

"公主？"王安的声音里有丝疑惑。

我眨了几下眼睛，向他点了点头。他退下，稍后就领来个人，原来是张德。

"德叔快请坐。"我忙喝住夭夭，起身示意。犹记在云府的时候，张德对我颇多照顾，尤其是在我初来乍到的那段时间，云风卧病在床，云老头又是那种态度，而他这总管对我的关照，让我还是挺感激的。

"公主折杀奴才了。"他慌忙行礼道。

久别重逢，开场就是如此大礼，真是让人冒汗。记得最后一次见他的时候，他还是一口一个"公子"。我想张德应该也是修若国人吧，或者早就是跟着云老头，后来云老头在龙曜开了个私家后花园，就留下心腹替他看管了。

"快起来吧。"我也不再坚持，虚扶了一把，问道，"德叔怎么来了？哥哥还好吗？府里还好吗？"

没想到他还特意跑过来，不知道又有什么事？

"少爷去了修若，这时候该到了。"他直接挑重点说明。

"呃……"我一时晕了，半晌回过神来就觉得眼前一黑，不会吧？哥哥去修若干吗？他这宰相不当了？

"公干？"

张德摇了摇头，只道："应该不是。"

这下我更晕了，如果不是公事，狐狸会同意吗？如果不是公事，云风巴巴地跑到修若去干吗？天哪，不会是因为我吧！我哭，如果真是那样，这算什么？我来了龙曜，哥哥却去了修若，这不是又见不到了吗？

"那哥哥宰相的差事怎么办？"

"少爷没交代。"他垂首回话。

"德叔，哥哥不知道我过来吧？你派人通知哥哥，告诉他我现在已在龙曜。娘亲祭辰的事，麻烦德叔依照旧礼操办。"

"是。"

"德叔赶来，就是为了哥哥的事？"

他抬头看了我一眼，复又垂首道："龙州城现在戒严，公主带着圣灵兽，不容易进城。"

"啊？戒严？发生什么事了？"好好的戒严干吗？夭夭一路跟我到此，我总不能将它扔在龙州城外吧，这根本不现实嘛。

"不知何故，只知不仅晚上宵禁，而且白日进出城门，也要严查。"

"云府的令牌也没用吗？"这一路而来靠的都是相府令牌，进龙州就不管用了？

我看着他摇了摇头，方道："德叔，我写封信，你派人替我交给穆将军，一定

要亲手交给他。"

唯今之计也只有如此了。给狐狸送信的难度太高，还不如直接写信给清林，反正效果一样。我让王安取了笔墨来，简短地写了几句，然后折好装进信封，递给张德道："既如此，我暂时留在这里，德叔那边有了回音请即刻通知我。"

他领命退下。

晚饭后，我与夭夭按例在院子里散步。我边走边想着戒严的种种可能性，夭夭却突然怒吼起来。汗！状况来了。

不过我也不是很担心，这是云老头的地盘，再则我身边的那些人按云老头的说法比云辉、云耀还厉害，那应该不会有什么问题。于是我喝住夭夭，示意它跟我回屋。手才碰到门，一道黑色身影疾如闪电般飞掠而来，速度快得我只眨了一下眼睛，他就已到了我跟前，夭夭连怒吼也省了，直接飞扑而上。

"夭夭！"我忙扑向它，天哪，黑衣人居然是夜风！而仅比夜风慢了半秒赶至的，还有云老头指派给我的编号六、八、十二、十七的四位随从。

"住手，通通退下！"我一边拉住夭夭，一边向那四个人道，然后抬眼看向夜风，"小夜，你进来。"

那四个人一时没有动手，也没有退下。我也懒得理他们，将夜风拉进门，然后当着他们的面就将门合上了。想想不对，我复又拉开门，正色道："你们退下，让他们住手，还有，你们虽是奉父王之命派来护我此行的，但本宫身边也不留敢逆本宫命令的人！"

"是。"四个人终于退下。我掩上门，转身就见夭夭与夜风对峙，气氛着实诡异。

不过我也没心情理这诡异不诡异的事了，直接扯过夜风的胳膊，揪起他的衣服，咬牙切齿道："小夜，你死哪儿去了？这都几个月不见影子了！"

"公子……"这小子几个月不见，脸上还是那种波澜不惊的死水相，我这样，他连眉毛也没抽一下，而且他还叫我公子，汗！

"公什么子，快说，你怎么突然来了？这龙州戒严又是什么意思？"我松了抓他胳膊的手，突然很想扁这张脸，这小子，我看到他都激动成这样了，他就不能稍稍表现得热情一点？

"是主子派属下来接公子的，我们现在出发吧。"

我闻言吃惊地怪声道："现在？出发？"

他不说话，点点头，抬眼看了下夭夭，转身就欲开门。本来一直静静待在我后侧的夭夭突然窜向前，身形庞大，速度却快得惊人。夜风闪身避开的时候，顺势护到我身前，揽过我就欲硬闯。

"夭夭！"看到夭夭扑空，转过身又向夜风冲来，张着嘴，金色的眸子异常晶亮，我忙挣脱夜风的手，上前一步伸手就去抱夭夭。我搂过它，一边抚顺它的长金毛，一边安慰道："夭夭，夭夭，他是我的朋友，他不会伤害我。"

它金眸里跳动的火焰还未熄灭，浑重的呼吸喷在我的脸上，良久，才慢慢平静下来。

"夜风，现在出发，龙州城门不是已经关了吗？"

"公子不必担心，主子已经安排妥当。"他看着我和夭夭，波澜不惊的眼眸里有一抹疑惑，语气却是恭敬而平静的。

看来狐狸早已有了安排，而所谓的戒严，自然与我无关了，只是不知为何会这么急，还要摸黑赶路。狐狸这死没良心的，也不心疼咱这身娇体贵的，倒爱折腾我。我向夜风坦然道："夭夭必得跟着我走，还有跟着我来的那些人怎么办？"

既然是夜风来接我，必然是去见狐狸的，可是我一时又不可能撇下这些跟着我过来的人，但要这么一大群人跟着我去，那也太夸张了！

"他们进城之后就去云府，主子在浅醉居等公子。"

既然如此，那就先出发吧。与其待在这里，还不如早点进龙州，至于到时候怎么脱身去浅醉居，再说吧。

我点点头，示意夜风开门，然后攥着一撮夭夭的长金毛，示意它跟我一起走。王安已候在门外，那些随从与狐狸的暗卫分立两边，虽然没有动手，但火药味很浓。

"我们连夜进入龙州。夜风，由你负责安排一切。王安，将马车备好。"我沉着脸吩咐。王安领命下去，我示意夜风先行，然后拉着夭夭跟上。

马车在街道上飞驰，一个时辰之后，就到了龙州城门。城门外一排将士见我们行来，严阵以待，夜风一个飞身向前，不知是说了些什么，还是出示了什么信物，本来关得死死的城门被沉沉打开。一行人入内，马车复又疾驰起来。龙州城

内果然万籁俱寂，连客栈商铺都紧关着门，约莫两个时辰后，马车停了下来。

"王安，你与他们一道先回云府，我还有事。"我掀开车帘，向他们吩咐道。

"公主……"不只是王安，编号为六的这二十余个侍卫随从的小领导也开口叫道。

"去吧。"我放下车帘，不再理外边的人。到了龙州，本来是先要办事的，云老头应该也有交代，除非他暗中跟着，那我也就权当不知。马车疾驰起来，时已凌晨，不仅困倦，还觉得冷，我抱着夭夭取暖，眼皮渐渐撑不住。

梦中狐狸那妖孽居然一袭白衣，风情万种地侧躺在我对面的软榻上，狭长的桃花眼斜斜上挑着我，勾着嘴角，向我意味不明地笑着，那模样，怎么看怎么勾人。我咧着嘴看着他，就差流口水了，这厮居然一手撑着他的狐狸头，一手还向我勾了勾手指，随着这动作，他襟口的衣服微微敞开，这大冷天的，愣是露出一小片雪白的胸膛来。

我正待伸手将自己已然微凉的手送去那看起来又白又暖和的胸膛上焐一会儿，不料耳际突然传来一声惊天怒吼，吓得我猛地坐起身来，眼睛足足瞪了十秒钟之后才找到焦距。我发现马车里只剩我一个了，夭夭不知啥时候又没影儿了，我慌忙掀开车帘跳下马车，前方"浅醉居"三个大字在宫灯的映衬下泛着暗金色的光彩。

"夭夭！"我看到那个金色身影正与几个人混战成一团，慌忙大叫，"住手住手，不许伤它，不许伤到夭夭。"

话音未落，白色身影一闪，我就被拥入了一个人的怀里。

"曦岚！"我惊叫。

"曦岚？"

天哪，居然是狐狸的声音！还有这龙涎香，这白衣人居然是狐狸！本来就应该是狐狸嘛，只不过从未见他穿过白衣服，又对白衣服的曦岚印象太深刻，一见白衣人，又是以这种似飞不飞的方式出场，就下意识地脱口叫出曦岚的名字。这下死定了，几个月未见，开口第一句话叫的竟是别的男人的名字，看来我死定了！

呜呜呜，刚才其实梦到狐狸穿着白衣服的，怎么就没留个心眼儿呢？

"大……大哥……"我结结巴巴道，狐狸已放下我，看这周围环境，应该是我的浅醉小憩，我脚一着地，忙退开三步，保持安全距离。有问题啊有问题，龙州戒严、宵禁，还有狐狸的这身打扮，无不提醒我这一切都太诡异了。

他半眯着桃花眼打量着我，也不走近，转身推开门，不说话，只伸出手往里指了指，示意我进去。

我顿感头皮发麻，支支吾吾地道："大哥，我去看看夭夭，夭夭不能有事，它是修若的圣灵兽，它的命可比我值钱。"

呜呜呜，人家明明说的是事实嘛，为何声音却越来越小？就好像在说谎心虚。

"这点浅浅不用担心，它连根毛都不会少的。"他嘴角勾起一抹笑，桃花眼斜斜上挑看着我，这神情像极了刚才在马车里迷迷糊糊梦到他的样子，我配合着点了点头，然后杵在门外傻笑，正想着怎样才能蒙混过关，狐狸慵懒的声音又慢悠悠地传了过来，"我觉得浅浅应该担心的是自己。"

晴天霹雳！难道真的在劫难逃了？我立马飞扑向狐狸，搂住他哭嚷道："大哥，我好想你！真的好想你，你怎么这么久都不来找我？呜呜呜。"

我说的是事实，心里也有点儿小委屈，但眼泪是绝对没有的，更多的是撒撒娇博同情，希望狐狸良心发现，当刚才什么事也没发生。我知道他对曦岚一向忌讳，而且他的心思又细密，神经又敏感，得小心提防。

他猛地揽着我几步走进屋，回身的时候微一用力，房门就被重重关上。我诧异地仰起头，他却突然俯下身，将唇贴了上来。

我无力地瘫软在他的怀里，大脑不能思考，心里阵阵酥麻。来不及推拒，如有电流瞬间贯穿全身，我的脑中一片空白，只能跟着那眩晕甜蜜的感觉不断飞翔。

狐狸微喘着离开我的唇，又忍不住凑近轻啄了几下，我醉眼迷蒙地看着狐狸，一时根本不知自己身在何处。看着狐狸微醉的神色，我着了魔一般轻唤了声"大哥"，话一出口又发现自己的声音竟似也带着一股情欲的暗哑。

他软软的嘴唇又贴了上来，比刚才更热烈更缠绵。我感受到他身体的变化，心怦怦跳着，一只手下意识地抵在他胸前，唇畔却禁不住溢出一声几不可闻的呻吟。狐狸蓦地离开我的唇，将我的头紧紧按在他的胸口……我努力恢复理智，平复自己的呼吸。不行不行，再这样下去，真的要被吃干抹净，连一丝反抗的力气都没有了。

"浅浅。"狐狸搂得更紧了，我能感受到他也在尽力平复心中躁动的情欲，半晌才似叹息似满足又似隐忍着什么，喃喃地道，"浅浅，我的浅浅。"

我猛地抬头看着狐狸，他的桃花眼里盛满了爱意，深情而坚定，热烈而执著，带着一丝微微的希冀与痛意。那抹希冀与痛意仿佛在一瞬间渗入了我的心，让我的视线渐渐模糊，在泪水滑落前我用力将头埋到他的怀里，开始大哭起来。

我不知道为什么突然想哭，从知道老老头答应我来龙曜的那一刻起，心里无数次幻想着与狐狸重逢的样子：激动、兴奋、欢喜、开心，甚至是大声质问他为何这么久都没有音信。可是很多事，只有自己面对了，才知道自己会有何感觉，会有何反应。一如现在，我在他怀里大哭特哭，想将这些日子以来的思念、牵挂、不安与猜测通通借由眼泪发泄出来，哭完，就只剩灿烂的笑容。

他没有说话，只是牢牢地抱着我。待我终于平静下来，用哭红的眼睛瞪着他，他才松了口气，双手捧着我的脸，脸上是从未有过的温柔，轻声道："累了吧？浅浅先休息吧。"

"大哥……"我叫他，想着该办的事。

"先睡一会儿，醒来再说那些事，不急这几个时辰，乖。"他边说边拉起我的手，走向里屋大床。

"可是夭夭……"

"它不会有任何损伤，会在你身边陪着你。"他的桃花眼里有认真与笃定。我点点头，不作他想，也确实觉得有些累。且不说这一路赶了半月有余，现在已是凌晨，也算是一夜未合眼了，更何况久坐马车，那种疲惫真不是一般人可以忍受的。我觉得自己真的很坚强。

他将我抱上床，在我身边躺下，拉过被子严严实实地盖住我们。

"大……哥……"我的脸又迅速烫了起来。

"睡吧。"他低头凑近我，在我的额头深深印下一吻。我闭上眼，感受到他如羽毛般轻柔的轻吻，双手放在他胸前，很快进入梦乡。

下部

第三十四章·重聚

唉，这娃没救了，虚伪得可以，面子上的事做得可真足。

这一觉睡得格外香甜，我醒来的时候天已大亮。我环视了一下四周，貌似没人。Oh my god！我猛地坐起身，明黄色丝被滑落至腰际，还好还好，衣衫还算整齐。呜呜呜，我居然是在皇宫，而且还是在狐狸的那张与我有过一面之缘的龙床上，难道我失忆了？昨晚不是在我的浅醉小憩吗？我正自纳闷着，就见狐狸优哉游哉地踱着步走进来。

"我怎么在这里？"我一下子跳下床，动作干净利落，看着慢慢走近的人，心一下子跳得很快很快，忙闪身避到床尾。

"因为我得上早朝。"他似很随意却又明明很显摆地坐在床沿，笑看着我道。

天怒！这算什么答案？因为你要上朝，你就将我也顺便扛到皇宫来了？还让人家又一次不明不白地上了你的龙床？呜呜呜，上一次是因为昏迷，我还好意思说自己不知道，这一回居然是趁我睡着的时候做出这等可耻可恶可恨破坏人家名节的事，而且我这当事人居然浑然不觉，呜呜呜，怎么会这样？

"夭夭呢？"我皱眉皱鼻撇嘴，很是看不惯这厮将人家的生活搞得一团乱，而他在我面前却依旧一副怡然自得的欠扁模样。

眼前一花，待我回过神来时，人已经坐在了狐狸的大腿上。狐狸还很不知趣地将下巴抵在我肩窝上，向我耳根吹气道："几个月不见，怎么浅浅心里嘴里就只念叨着那个夭夭了？"

OK，我投降了，温热的气息拂过我的耳垂，实在酥麻得厉害。我垮着脸，心却扑腾得厉害，尽量声音平静地道："大哥，我昨天派人通知二哥，让他今天到龙州城门接我来着，你不会让他跑个空吧？"

"嗯。"他的唇舌已在我耳垂边徘徊，只是抽空含糊不清地应了一声。

"龙翔煜！"我义正词严地喊他，真受不了在对待他的前情人穆清林同学的问题上他也能这样草率与含糊。唉，其实我也只是想在自己沦陷前将该谈的事跟他好好谈一谈。

他突然停下缠绵的动作，我猛然想起这只狐狸是个皇帝，他的名字即便大家知道也不能像俺刚才那样堂而皇之地喊出来。呜呜呜，糟了糟了，难道跟夭夭待久了影响了我正常的智商？还是跟狐狸久别重逢的喜悦让我失常了？怎么办怎么办，该如何补救才是？

"有多少年没听到有人叫我的名字了！"他好像根本没有生气，又或者说根本没有在意我这样叫他的名字是一种“大逆不道”的行径，声音里有一种淡然的伤痛。

我转过头想看他，想伸手去抱他，他却没有给我机会，打横抱过我，起身就向更里面走去。

“大哥！”我揪住他的衣服，顿时有些莫名其妙。而且自打今天凌晨见到他之后，什么正事也没干，就光顾着儿女情长了，这真是太不符合俺一贯的作风了。

他不理我，自顾自往里走，半晌才放下我。我双脚一着地，看着眼前出现的一个大游泳池，呃，不对不对，是大浴池，近二十米见方，还冒着热气。我连忙双手环肩，一脸戒备地看着狐狸。虽然亲也亲了，抱也抱了，而且也同床共枕过了，可是大白天的要来个鸳鸯浴什么的，我还是有些接受不了。

“大哥你抱我来这里干吗？”

狐狸笑得一脸的淫荡，没错，肯定是淫荡没错，突地欺身至我跟前，桃花眼瞬间亮如星辰，紧紧盯着我，将我打量了一遍，然后伸出一只手揽着我，另一只手抚上我的脸，分外暧昧地道：“浅浅说，还能干什么？”

呜呜呜，难道狐狸终于要发春了，终于要撕下他“半君子半色狼”的伪装了？我的脸禁不住烫了起来，身体有些发软，舌头开始打结，“大……大哥，你……你别冲动啊。”

“冲动？看来浅浅和大哥想到一块儿去了。”狐狸笑得一脸的促狭，连声音都是戏谑的。

臭狐狸这种表情这种调调顿时让我清醒过来，清醒之后的第一件事就是恨不得一掌将那张招人嫉妒的脸拍成大饼状，可是一想到如今是在人家的地盘，又只得咬牙切齿地忍住。斜睨了他一眼，挣脱他的怀抱，也不理他，我径直跑到浴池边上，用手试了试水温。温度适中，要是上面再漂满花瓣就更好了，嘻嘻！

“浅浅这么迫不及待？”他的声音里带着些许笑意，将我从浴池边拎起，领着我走至另一侧，那里放着一张软榻，榻上整整齐齐地放着一套衣服和明黄干丝帛。

我将头摇得像拨浪鼓，觉得跟狐狸这种动物交流，只能直接摇头拒绝，不然什么话到了他嘴里，都能掰成他自己的意愿。

“别摇了，也不怕将自己摇晕。”他双手抚着我的脸，轻笑一声，才懒懒地道，“浅浅先洗吧，这是温泉水，不必担心水凉。如果想大哥，就叫一声，我在外边等

着呢。"说罢又亲了亲我，转身就朝来时的方向走去。

"等等！"我忍不住叫住狐狸。

"浅浅这么快就想大哥了？唉，看来大哥今天是躲不过了。"狐狸停住，一脸坏笑地又转身朝我走来，声音却似万分遗憾。

"站住站住，别过来，没你什么事，我只想确定一件事。"我忙向后退了几步，指着狐狸大叫。

"浅浅想确定什么事？"狐狸倒真的站在那里不走了，双手环胸，好整以暇地看着我。

"那个，"我咽了咽口水，略有些紧张地问道，"你不会偷看吧？"

"偷看？"狐狸的桃花眼蓦地半眯起来，站在那里仔细打量着我。

我将头点得像小鸡啄米。

"浅浅。"狐狸突地又欺身至我跟前，仔细看着我，眼里有疑惑，脸上有探究。

我忍不住打了个冷战，糟糕，多此一问了，狐狸这种人，既然让我先洗，才不会偷看呢，若他想饱眼福，定会不顾我反对，堂而皇之地把我扔下水，就是死端他都不会离开的。

"嘿嘿，开玩笑开玩笑的啦，我相信大哥君子着呢。"我立马堆满笑容，一边说一边将狐狸往外推。

狐狸在门口站住，桃花眼盯着我，唉，这厮真是太精明了，没办法，只好牺牲一点点了。我踮起脚尖，双手环住狐狸的脖子拼命往下拉，重重地亲了他一口，趁他迷惑之际，迅速将他推出门，然后顺手掩了门，开始洗澡。

我洗完澡，换上一袭宽宽大大的白衣，大小合适，只是一时倒弄不清这是男装还是女装。我擦着头发往外走，然后示意狐狸也去洗澡。他倒也没嫌弃那浴池的水是我洗过的，没一会儿就洗完澡出来，头发湿漉漉的，身上是一袭月色长袍。

"李福。"狐狸向门外轻叫了一声。

"奴才在。"李福低着头躬身出现在门口，也没进来，恭敬地回话。

"午膳准备好了吧？让他们都退下吧。"狐狸也不避讳，拿着梳子替我梳理头发，懒懒地吩咐。

"是，皇上。"李福应了一声就退下了。

狐狸替我梳完头发，伸手就将梳子递到我跟前。我撇了撇嘴，起身拿过梳子，走至狐狸身后，然后替他梳头发。臭狐狸，真是一点亏都不肯吃啊，我一边梳，一边龇牙咧嘴地向他扮鬼脸，却一点儿也没发现我们前方不远处正是一面大铜镜。

饭毕，我终于有了机会将老老头的亲笔盟书递到狐狸跟前，结果这厮看都不看一眼，直接扔在他的书桌上，起身牵了我的手，边向外走边道："去看看你的那个夭夭吧，它不肯吃东西。"

我一听，立马拉着狐狸急急往外走。一出门看到李福特别平静特别坦然特别镇定的神色，我才惊觉自己的举动实在太诡异，慌忙松了狐狸的手，轻咳两声，顺手理了理衣衫，这才目不斜视地继续往外走。

"方向反了。"狐狸的声音怎么听怎么觉着邪气十足。

我满脸黑线，机械地转身，双手握成拳，这才没冲上前去将那个笑得一塌糊涂的脸揍扁。我哀怨地坐在马车里，看着对面那个笑得一脸风骚的男人，扯着嘴角道："哥哥回修若，是大哥同意的吗？"

"每个人都有自己该做和想做的事，那是个人的选择。"

"呃……"他说得理所当然，就这么简单？狐狸这么开明这么好说话？看着不像啊！我微微有些哆嗦道，"大哥都没意见吗？那相位是空着，还是依旧挂着哥哥的名头？"

"一样。"他懒懒地飘出两个字，长手一伸，就隔着小案几，将我抱在了怀里。

一样是什么意思？不过看他这个样子，倒是对哥哥此举没多少反对之意。不仅不反对，我都怀疑他和哥哥商量过，不然狐狸怎么看都不是这种好说话、肯吃亏的人。

"那和修若结盟的事……"绝色美男当前，我却丝毫不被迷惑，完全符合一个国家大使臣的职业标准。

"这些都是以前谈好的，所以不会有问题，浅浅不必担心复不了命。"狐狸的头发早已用玉扣束起来，而我的头发，他就用那支墨玉凤簪帮我盘了个小髻，大半还是披着的，像极了庆功宴那晚我的发型。想起那晚他说了句"浅浅真美"，这是他唯一一次赞美我的容貌。而现在，他的手抚着我大半披散着的长发，好像那里有让他着迷的东西。

"早在望月大战的时候就谈好的？"我的声音已经无法保持平静了，虽然已经猜到了这种可能性，但听他亲口说出，心里还是很震惊的。这该死的阴险的狡诈的奸猾的龙狐狸！

"那什么'围叶救寒'的主意你也早就想到了？"说这话的时候我咬牙切齿。

"没有。这不是浅浅想到的吗？"狐狸侧转过我的身子，表情难得的认真，可那双桃花眼里泛着浓浓笑意，泄露了一切。

我眼前一黑，顺势栽到他怀里，整张脸都埋在他胸前。天理不容，天理不容啊！俺想的主意那还是剽窃先人的，狐狸这厮凭他那个狐狸脑袋就想出来了，那档次，我不止差了一点两点啊！这太打击人了，我不要活了，呜呜呜。

他不再说话，揽着我，轻拍我的背。我靠在他胸前，却明显感觉到他胸口起伏不定——这厮居然在偷笑！我张口狠狠咬下，也不管还隔着衣服，牙齿左右磨了磨，听到他微微的抽气声，这才舒坦地松了口。

"清林也在，我们下车吧。"很快马车停了下来，我还埋在狐狸的怀里打瞌睡。

直到今天才知道，原来浅醉居到皇宫是有近路可走的，只不过那条路都被狐狸那厮独占了，又隐蔽还守着人。怪不得以前三人在浅醉居留宿的时候，明明狐狸和我们差不多时间起来，但他愣是能在我们赶到皇宫时，已然换好了他的龙袍优哉游哉地出场。我那时候还奇怪呢，就想着可能他的马跑得比我们的快，原来是有捷径，直通皇宫侧门的捷径。

一听二林子也在，我身手无比矫健地跳下马车，抬眼就看见那颀长的身影，午后的阳光下，脸上的笑容比秋阳更让人觉得温暖。

"二哥！"我飞扑向那道身影，双手环住他，抬头咧着嘴朝着他笑。

"三……"啧啧，很奇怪啊，这小子本来俊朗阳光泛着浓浓笑意的脸蛋突然有些泛红，明明有些兴奋，却似有什么问题困扰着他，张嘴只蹦出一个"三"就没了后话。

我忍不住用手在他眼前晃了晃，诧异地道："二林子？二林子？"

这小子闻言挑了挑他那两道英挺的剑眉，别开脸去，却只说了一个"三"字，又没了声音。我说我亲爱的清林哥哥一直不开口，不会是在犹豫叫我"三弟"好还是"三妹"好吧？原来如此啊，哇哈哈，二林子还是那么可爱啊。

"二林子，许久不见，怎么突然不会说话了？"关于称呼问题，我决定再让穆清林憋一会儿，嘿嘿。

他果然又憋了一小会儿，终于忍不住地抽搐了几下嘴角，蓦地转过脸，冲着我叫道："不许再叫我那个鬼称呼！"

我咧着嘴捂着肚子大笑，笑完又眨巴了几下眼睛，装乖巧装甜美地轻声道："是，二哥！"

清林的脸不意外地又红了，唉，果然还是老样子啊。

"咳咳。"狐狸的声音终于出现在我身旁，还装模作样地咳嗽了几声，不知是警告我不能再逗二林子了，还是警告我不能再靠近二林子。不过不管是什么，都不关我的事，嘿嘿。

我是没把狐狸当回事，不过清林就不一样了，忙敛了敛神色，狐狸虽示意他免礼，但他依然态度恭敬。

"二哥，叫我浅浅吧。"我正色道。狐狸和清林都知道"浅浅"的事，何况最初清林曾屡次帮我解围，后来更是真心相待，我没有理由在这方面将他与狐狸区别对待。

他抬眼看向狐狸的方向，似乎得到了肯定的回答，方才看着我，叫了声："浅浅。"

狐狸第一次叫我浅浅时是试探的，而眼前这人第一次叫浅浅，没有试探，没有置疑，自然而然。

"浅浅先去看看夭夭吧。"狐狸开口，又向夜风道，"夜风带路。"

"是，主子。"夜风领命。我看了眼狐狸，又看了眼清林，跟着夜风向前行去。

夭夭被关在浅醉居最北面的一间屋子里，四面都有侍卫把守。难得浅醉居里还能找到这样一间独立的屋子，我还没进屋，夭夭的声音就从里面传来，似已感觉到我的到来，门内清晰传来它抓门的声音。

"夭夭！"我从侍卫手中夺过钥匙，一开门，夭夭就扑了过来，我连忙搂住它，问道，"饿了吧，夭夭，怎么不吃东西？"

它呜呜地低咽起来，伸出舌头在我脸上来回舔了几遍。

"夭夭，我喂你吃饭，走吧。"我摸了摸它的头，笑道，"夭夭只跟着我，这里的每一个人若无伤害我的行为，夭夭就无视他们好吗？"

它金色的眸子定定地盯着我，最后用鼻子蹭了蹭我的手心，我知道夭夭这样，

就表示它已同意我的话了。我领着它回浅醉小憩，吩咐夜风备好夭夭吃的大骨，少顷，夜风就亲自端着一大盆骨头进来了。我一根一根递给夭夭，它没再理会夜风，而夜风站在一边，面无表情地看着我冲着夭夭说话、喂食。

哎，看什么看？夭夭听得懂我说话，这有什么好奇怪的？

"小夜，大哥他们呢？"小山似的一堆骨头眨眼间就没剩几根了，我问夜风。

"主子在微眠别苑。"

我将最后一块大骨头塞进夭夭的嘴巴，拿过桌上的湿布，使劲地擦干净手，又拍了拍夭夭的脑袋，道："我有点事要办，夭夭你是跟我一起去，还是留在这里？不管做何选择，你都要静静地乖乖地。"

我起身的时候，夭夭也跟着起身，我冲它笑笑，然后向屋外走去。夭夭和夜风在身后跟着，光想想我就觉得万分诡异，这一点待我到达微眠别苑，在狐狸与清林看到我时那微微思虑的表情中得到验证。

"浅浅……"先开口的是二林子，同时警觉地起身站在了狐狸身前。

而狐狸则万般悠然地坐在那里，桃花眼看向夭夭时，眸内深不可测。我找了空位坐下，拍了拍夭夭的脑袋，它听话地坐在我的身边，我有一下没一下地抚着它的长金毛，问道："大哥、二哥在讨论什么？"

"叶苍的事。"狐狸简洁明了地回答。

切，扯谎！盟书都还没有看呢，就谈这件事，狐狸你不像是会做无用功的人啊。我也没点破，抽了下嘴角故作天真道："那大哥说说戒严是怎么回事吧？我真的很好奇呢，龙州发生什么事了吗，还需要戒严？"

"那个纤绘公主跑到龙州来了。"狐狸嘴角勾起一抹慵懒的笑，闲闲地道。

我下意识地点了点头，点完头突然想到龙曜国好像没有公主啊，而且那个纤绘公主怎么听着有些耳熟？"听说我们未来的皇后是寒星国的纤绘公主。"不会这么狗血吧，这劳什子的公主"跑"到龙州来了？啥叫"跑"，莫不是偷偷溜出来的意思？天哪天哪，这是什么人哪？看来天下要乱了。

"就算她跑来找大哥，也用不着全城戒严吧？"看狐狸的样子，倒不担心什么，那我就别自找麻烦了，反正已跟他坦白过我的意思与要求，他也全然明白，那现在这纤绘公主属于他的麻烦范畴，当然得由他自己解决了。话虽如此，我心里还是有点异样的感觉，可这感觉又不是吃醋，真怪！

"寒星王传书，说是纤绘公主已经到了龙州，让我尽量包容，然后将她送回寒星。不过她还没找上我。"他说得云淡风轻。

这算什么话？意思就是那个笨公主真到了龙州，却没办法见到狐狸，可是很显然，狐狸已经找到她了。这阴险的狐狸，摆明了玩人家嘛。

"所以你戒严，既不让人家出城，也不让人家有吃喝玩乐的机会，还将皇宫大门牢牢地关上，想把人家在这里晾上多久？"我的声音蓦地拔高，不能怪我啊，这狐狸太欠扁了，怎么可以这样对待美眉呢？呃，不过，我的声音拔高更多的好像是因为开心，真的，看到他这样对别的女人，心里真是开心啊。这个什么纤绘公主狐狸不仅找到了，而且肯定知道她爱玩得要命，不然也不会疯跑到龙州来。如今龙州一戒严，那她待在龙州，还有什么兴致啊？哇哈哈，真好玩！

"浅浅怎么这么想大哥？戒严是因为现在是非常时期，而且最主要的原因是，戒严了，昨天晚上浅浅的马车才能又快又安全地到家。"他伸出手，万般优雅地执起桌上的茶壶，斟上一杯茶，递至我跟前。而说话的时候，神情声音慵懒而随意，让人一时辨不清真假。

我一阵恶寒，接过茶杯的手都有些发抖。狐狸怎么能这样呢？说谎也不打个草稿，还说戒严是为了我，信他才怪。

"寒星的使臣明日就到龙州了。"清林看向狐狸道。一如以前，并不忌讳我在场。

"那明天就找到那个纤绘公主，然后取消戒严吧。"狐狸的话是对清林说的，桃花眼却半眯着看向我，双眸幽深中带着一股莫名的火焰，声音温柔得一听就是假的。对了，你问我在干吗？我很体贴地想到夭夭啃了一大盆的骨头还没喝过水，就将狐狸"御赐"的那杯茶在他眼皮底下直接倒进了夭夭的大嘴巴。

他看着我，我也朝他翻了几个白眼。唉，这娃没救了，虚伪得可以，面子上的事做得可真足。

"是。"清林简短地回答。

我将茶杯放回桌上的时候，突然想到一件事，噌地起身，一直安静乖巧的夭夭也跟着猛地起身。我瞪了它一眼，它委屈地坐回原地，我两步走到狐狸跟前，仔细地在他腰部打量了个遍，复又跑到二林子身前，依样在他腰的位置上来回打量。

"你……你干吗?"

说这话的当然是二林子了。狐狸那厮就算我扒他的衣服,估计他都会是这种享受外加勾人的表情,坦然得很,但二林子就不同了,下了战场的二林子就是这么纯洁啊!想起在汜州城门远远看到他的样子,那时候的他,真是又帅又威风,天生的大将之才。

"玉佩呢?我还给你们的那两块玉佩,不是说是你们的贴身之物吗?怎么没带在身上?"这个问题我好像困扰了很久,一直想确定一下,却没有机会,或者有了机会又忘了问。我说这话的时候眼睛是紧紧盯着清林的,我知道他的眼睛不会骗我。他眸里一丝异样快如闪电般划过,下一秒,眼前一花,我已被人拥入了怀里。敢这样做的,当然是狐狸了。

下部

第三十五章·夜风

天哪，狐狸的脑袋是馒头做的吗？怎么会想到小白将我劫去天青？

"浅浅不会是将东西送回来了，又想要回去吧？"在我挣扎着还没来得及开口的时候，他懒懒的声音在我耳后响起。我闻言怔住，再看一边的清林，他眼里早已恢复如常，俊朗阳光的脸上泛着温暖的笑容。

"呃，不是。"我只是想确认一下罢了，既然送回来了，总不可能再自己开口要回去吧。当然，如果你们主动要求再送我一次，那我当然不会拒绝啦，嘿嘿。

"所以，为免你睹物伤心，那两块玉佩我们就不戴在身上了。"狐狸说得很有道理，而且好像非常了解我，因为我真的会睹物伤心的，如果他们决定不再送给我的话。当然如果狐狸更了解我一些，应该双手将玉佩再次奉上。

不过狐狸既然这样说，那么玉佩应该是收到了。我的心放下了些，又挣扎了一番，狐狸终于放开我，我坐回到原位，继续问道："那寒星的使臣过来，可是为了叶苍的事？"

"未必。"他笑得慵懒，坐在椅子上的身姿比他脸上的笑容更慵懒，微微地冲我斜挑了挑眉，道，"是与不是，不都一个样吗？"

这倒是，我点了点头。于是三个人开聊，从开始的游说，到后来的昏迷，再加上在修若又是几个月，说起来，其实相聚的时间，远比分开的时间少。特别是清林，算起来，除了皇宫庆功宴见过一面外，其实我们有近一年没有像现在这样在一起聊天了。

我对三军共伐望月的事一直比较感兴趣，当初自己沾了点边就被送到了安全地带，算不上亲历这场战事，醒来之后也没机会听听坊间的传闻。只是后来到了修若，无意中听老老头聊家常时提及那场战事，言下之意，似乎清林的表现尤其出色，每每提到龙曜的穆将军时颇有一种惜才爱才的味道。

当然，我亲口问二林子，这显然是错中之错。小穆同学还是很低调很谦虚的，在场没外人，他也没好意思说他的光辉事迹，我挖了半天内幕，结果嘴巴都干了，他还是一个字也不肯透露。我遭遇前所未有的惨痛失败，想不到自己也有搞不定穆清林的一天，再观狐狸，但笑不语，一副看好戏的样子，我撇了撇嘴，起身牵起夭夭，就朝外走去，边走边扔下一句："我回趟云府。"

云府自是得回去一趟的，看看大家过得怎么样，顺便再问问张德云风的事。他二人倒没说什么，只不过狐狸在最后关头飘过来一句"晚饭一道"，然后身边就突然冒出了夜风。我愣是连个白眼儿都懒得给他，便径直向外走去。

坐上马车回云府，夭夭很听话，一路都很安静。到了云府，下车，夭夭也没对云府的一干侍卫仆人有什么不良反应，只是坚定地走在我身边，亦步亦趋，金眸却是警觉的。

我直直向西枫苑走去。云府的人都不简单，我一会儿男装，一会儿女装，一会儿失踪，一会儿又出现，这些人看到我时却连点惊讶的神色都没有，只规规矩矩地上前行礼，不过将称呼自觉改成了"公主"，然后一板一眼有条不紊地做自己的事，没一句废话。

"翠儿！"我看到那个背对着我在西枫苑园子里来来回回忙得不可开交的人影叫道。

"小姐！"她似乎浑身一震，扔下手中的东西，转身就朝我飞扑而来。

夭夭蓦地窜到我身前，对着翠儿就是一声怒吼。翠儿本来眼里只看到我，如今被夭夭一吓，双腿一软，一屁股坐在了地上。

"夭夭。"我忙喝住夭夭，拍了拍它的脑袋，示意它退下。它回头舔了我一下，又对坐在地上的翠儿怒吼一声，终于乖乖听命。我忙走上前，伸手正待扶起翠儿，她却突然跪下行礼，"奴婢翠儿给公主请安。"

我被自己的口水呛到，咳了好半天，才一把拉过她道："翠儿，你也这样？"

"公主……"她起身，看着我的眼里有泪，神情激动。

"你这样叫我，我还真不习惯。翠儿，还是老样子吧。"我的眼也有些红，拉着她的手，向屋里走去。此刻才看清刚才被她扔在地上的东西，竟是我住在西枫苑的时候特意让红儿给我缝制的大抱枕。

翠儿跟着我没走两步，一下子松开手跑过去将大抱枕拎起，又跑回来跟在我身边，念叨着："我看太阳不错，就拿出来晒晒。"

"我知道。"我伸手接过大抱枕，抱个满怀，脸往上面贴了贴。路上与西枫苑的浣娘、厨娘打了声招呼，示意云耀、云辉也跟着我进屋。王安与衍儿已被张德安排在西枫苑，此时早已迎了上来，我让衍儿将我随行带的礼物拿来，一一分送给他们。

"礼是最虚的，可是我不知道还有什么能表达我的心意，都收下吧。"我起身走到云辉身前，被我戏称百年不老的娃娃脸此刻却已成熟稳重了许多，想起他挥剑断臂的那一幕，我的心一阵揪痛，手不由得轻触那空空的衣袖，道，"云辉，对

不起……"

我当然知道说对不起根本无济于事，但不说心里更难受。

"公主，小的现在挺好的，而且这大半年来练了左手剑，不比从前差，一样能保护公主。"他倒坦然，脸上更无一丝悲痛，许是早已接受了这一事实，毕竟距离他断臂已经过去近一年了。

我只能点点头，勉强笑道："那什么时候有机会看看云辉新练成的左手剑。对了，既然这么厉害的武功，要取一个拉风一点的名字。"

我的脑中第一反应就是杨过的黯然销魂掌，但一想剑和掌毕竟不同，遂不能盗取这拉风的名字。众人又聊了几句，云耀、云辉就告退了，我遣开王安和衍儿，独留下翠儿说话。

"小姐，就让翠儿跟着你吧。你不在的时候，翠儿每天看着这些东西就想小姐。小姐，你就答应翠儿吧，让翠儿在你身边侍候你。"还没开聊，翠儿突然掩了门，扑通一声跪在我跟前，眼里似有晶莹的泪花，看着我恳求道。

"翠儿？"我一时有些莫名，反应过来时就想到了红儿，"翠儿，你跟着我会吃苦，会受委屈，会受罪，更可能会……"

当初我没有保护好红儿，如今也没强大到可以保护好自己想保护的人，若贸然再让翠儿跟着，不知可会让悲剧重演？

哪知我的话还未说完，翠儿已跪上前来拉着我的衣摆道："小姐，我不怕，只要能跟在小姐身边，翠儿什么都不怕。"

"翠儿，"我蓦地落下泪来，连自己都未觉征兆，声音哽咽道，"红儿她……"

"小姐，红儿的事是意外，她不会怪小姐。而且翠儿知道，翠儿也和她一样，只要能跟着小姐，侍候小姐，就是最幸福的。如果能有机会保护小姐，这是幸运，绝非劫难。"

她此刻的眼眸因泪愈显清亮，眸底的那份坚定让我的心猛地一颤，我弯身去扶她，自从我上次从天青回来就知道她成熟了，更懂事更体贴人了。

"小姐……"她不肯起身，依旧在坚持。

"翠儿，我还得回修若皇宫，皇宫不是个好地方，也不是我想带个人进去就能进去的，一切到时候再说吧。"

我执意将她拉起。她闻言没再坚持，只道："那小姐在这里的时候就让翠儿跟着你吧，到时候翠儿再去求张总管。"

我笑笑，没再说什么，催着她将我假扮云风时常穿的男装都找出来，挑了套换上，又将七彩琉璃镯套在手上，顿时觉得一身舒坦。

我交代了王安与衍儿几句，就让翠儿跟着去找了张德，问他有无哥哥的消息，还有云月母亲十年祭的相关事宜。之后就回了浅醉居，翠儿跟着我上了马车，满脸的欢喜。

"翠儿，哥哥突然去了修若，你可知有什么原因？"我坐在马车里，问一身小厮打扮的翠儿。此情此景，恍若回到了替兄出仕的日子，一想到此，我不由得浮起笑容。

话一出口，就觉得不合适。连张德都不知道哥哥因何回修若，那么翠儿更不可能知道。

"少爷肯定是为了小姐。"翠儿答得分外肯定。

"呃？"这个可能性最大，但翠儿答得也太肯定了吧。

"那日小姐去皇宫赴宴，晚上回来的时候只有少爷一人，我问少爷，少爷说你被接回修若了，然后他在西枫苑待了整整一夜。第二天去上朝的时候，他让我跟着他，在马车上问了我很多小姐上朝以来的事。"

我心中莫名一动，继续问道："之后呢？"

"少爷每天下朝后都会来西枫苑坐坐。"

我忙问道："翠儿，你想一想，哥哥去修若的前几天，可说过什么奇怪的话？"

"奇怪的话？"翠儿一脸莫名，并陷入了深思。

我满怀期待地看着她，可是直到到了浅醉居，她都没有想出个所以然来。扶着我下车的时候，她还愧疚地向我摇了摇头。我叹了口气，哥哥这么内敛的人，每天跑到西枫苑去坐坐已经是极限了，哪能跟翠儿交心！

坐在饭桌前的时候，一应人等都被遣到了外面。夜风自从我到了云府就失了踪影，这会儿倒突然出现在了门外，我对他来无影去无踪的作派早已见怪不怪，只是突然想到一件事，冲着狐狸道："大哥，你将小夜拨给我吧！"

狐狸正端着茶杯，貌似优雅地喝着茶，看着我的桃花眼里满是慵懒的气息。可是我话一出，他破天荒地被水呛到，任他再狡猾，任他那皇家风范再绝然，待他敛了神色恢复正常时，也已经咳了好几下。

"大哥你不会这么小气吧？夜风武功好，话不多，长得也不赖，他在我身边，我觉得分外有安全感，你就将他拨给我吧。"我再次挖墙脚，越来越觉得身边应该有个可靠的武功又超好的人，那样办起事来也方便。若说狐狸因此身边少了个得力的人，那就再培养一个呗，反正狐狸那厮身边的人那么多，夜风走了，别人才有机会得到提升啊。

狐狸却不看我，移开视线转而向门外的夜风道："进来说说你自己的想法吧。"

夜风闻言入内，表情平静，看不出悲喜。他抬眼看向我时，我已经起身走到他跟前，拉住他的衣袖，微仰着头一脸期待地看着他，道："小夜，如何？如何？"

他眼里有一抹惊慌闪过，立马甩手向狐狸恭敬地答道："属下全凭主子吩咐。"

狐狸将球踢给了夜风，结果夜风又将球踢回给了狐狸。没想到男人也这么腻歪，我顿时感情受挫，胸中憋闷着一口气，转身回到座位，看着清林道："大哥不肯就算了。二哥，你将暗中保护我的一吹镯子就出现的那几个人拨给我吧。二哥你总不会这么小气不答应，或者推托我说要去问问当事人的意见吧？"

说到最后我都有些咬牙切齿了，完全忽视狐狸和夜风的存在，连看都懒得看他们一眼。

"好！"二林子果然爽快，一口答应，看着我的眼里满是包容与宠溺，道，"先吃饭吧，吃完饭我就让他们到你跟前报到。"

他神色暖若春阳，说话的神情慈如兄长，却又带着一丝难以察觉的宠爱。我的脸微微一热，突然觉得二林子好像已经不是那个愣头青了。虽说以前的清林也很爱说话，但绝不会是现在这种神情这种口气。

狐狸倒没跳脚，也没说什么，只挥了挥手示意夜风退下。桃花眼扫向我时，啧啧，忍不住让我抖上一抖。不过我这人皮厚惯了，直接将他的眼神屏蔽掉，一顿饭吃得分外舒坦，并直向二林子大献殷勤。

可是饭刚吃完，我就强烈地感觉到不祥的预兆。狐狸居然都不让人喝口茶，直接下了逐客令："清林，既然答应了三弟，你就回趟穆府，将那几个人带过来正式交代一下吧。"

"呃。"我下意识地看向穆清林，用眼神向他求救，示意他坚定地留下。

可是每到最后关头，或者说是紧要关头，清林同学总是特别遵循君臣之礼，所以他无奈地看了看我就退下了。我当场气闷，唉，这世上只有我敢将狐狸不当一回事啊。二林子退下，狐狸又拿眼扫了一下门外的夜风，那小子眼也不眨地从外面将门合上。

"干吗?!"我立马从椅子上跳起来，退到安全距离，看着一步一步走向我的狐狸，那厮脸上的笑容怎么看怎么像狐狸，怎么看怎么欠扁。

他闻言停下，双手环胸，身子斜斜地倚着身后的桌子，好整以暇地道："过来。"

"过去干吗?"我也双手环胸，不对，是双手护胸。

"浅浅可以想干吗就干吗。"他笑着，一脸坏意。

我作势抖了抖，然后扯着嘴角道："谈正事吧，修若的盟书什么时候可以给我?"

"等明日寒星使臣来了，到时候再交给浅浅吧。"他说得风轻云淡，脸上的笑容却越发深了。

也有道理，我不由得点了点头。虽说这等大事越快敲定办妥越好，但为保险起见，还是等狐狸见了寒星使臣，摸清了寒星使臣的来意，再来一五一十地告诉我，然后商量好一切，将盟书交给我最好。而且寒星使臣明日就到了，这一两天的时间，我还是等得起的。

"既然如此，"我看向狐狸，冲着他露出一个特大特真诚特迷人的笑容，然后趁着他桃花眼半眯之际，边向门口飞奔边道，"我先回浅醉小憩啦……"

"啦"字还没出口，人已经"投"入了一个怀抱。狐狸不知怎的跑到了我前面，已挡在了门前，我就这么直直地扑入了他的怀抱。我摸着鼻子抬头，他一手揽着我，一手轻而易举地抽掉我发髻上的凤簪，长发顺势披散，他伸手挽了一束，在他指间缠绕。

"大……大哥。"我发现，狐狸特爱把玩我的头发，特爱看我披头散发的疯样儿。

"真想念这一身打扮的浅浅。"他的话似喃喃自语，眼眸却紧紧锁着我，饱含赤裸裸的痴意。

我心中一动，狡猾诡诈的狐狸，深藏不露的狐狸，却在这一刻，卸下所有的伪装，坦白自己的感情。话只一句，却已经足够。如此一想，就有些头脑发晕，

身子也有些轻飘飘的，脚下微浮。我朝他灿烂一笑，伸出双手钩住他的脖子，轻轻踮起脚尖，心一下子跳得好快好快，微合上眼，第一次主动将嘴凑了上去。

事实证明主动跟被动还是有区别的，第一次主动，等到我终于喘着气回过神之后，才惊觉自己不知何时已与狐狸双双滚在了里屋的大床上。

"狐狸。"我有些紧张又有些害怕地轻唤，天哪，根据我几近为零的生理常识，外加以前看言情小说遇 H 则跳但偶尔不小心瞥到的经验判断，狐狸的身体好像有反应了。我的心一下子提到了嗓子眼儿，听说男人都是欲望的动物，有兽性的一面，狐狸不会忍不住兽性大发吧？

"狐狸？"狐狸的眼睛瞬间眯了起来，俯下脸，对着我吹气道。

天要亡我啊！大脑秀逗了不成？这时候居然将心里的称呼叫出来了，看来狐狸的生理反应真的把我吓坏了。

不管了，怎么也不能让他吃干抹净。我一把搂住狐狸的脖子，将自己的脸埋在他的肩窝，嚷嚷道："大哥，我错了，我错了，你不能骂我，不能怪我，也不能对我兽性大发。"

耳际传来狐狸的轻笑声，然后他抱着我一个翻身，我就趴在了他身上。

"那个寒星使臣还有那个纤绘公主，大哥躲得过吗？"我趴在狐狸胸口，无聊地在他的衣服上画圈圈，状似随意地道。

叹气声在头上方响起，我的手被握在另一只温暖的大手中，"只要浅浅信大哥，再给一点时间，这一切就都不是问题了。所以接下来，不管听到什么都不要当真，不要胡思乱想，浅浅只要相信大哥就行了。"

"那我可以叫你狐狸吗？"我的下巴抵着狐狸的胸膛，眼睛眨巴眨巴地看着他，问道。

"不行！"他断然拒绝，脸上有怒气想爆发又隐忍的纠结。

我一边滑下他的身子，一边闲闲地道："这爱称既然你不要，那我送给曦岚好了。"

"你敢！"狐狸一伸手，将我死死纳入怀中，低头便又将我的嘴堵上了……

其实整个晚上都没睡好，不知为何，一闭上眼睛心就扑通扑通地狂跳个不停，数羊数鸡数狗都没用。天蒙蒙亮狐狸就起床赶去早朝，我闭着眼睛佯装睡着，然后微皱眉头小手握拳，当做什么也不知地任由狐狸在我的额头、眼睑、鼻尖，最后在唇上烙下轻吻，当自己也感觉到脸颊发烫时，狐狸流连在我脸颊上的手终于离开，我心跳声大如擂鼓，似乎听到他轻笑着推开门出去。

我迷迷糊糊又睡着了，再醒来时天已大亮。起床，其实除了外袍，衣服都还在身上，只是看起来有些凌乱。唉，虽然昨晚也很不纯洁，但最后关头还是没有被吃干抹净。开门，却见夜风守在门外，不远处还站着几个青色人影，看身形相貌，微微眼熟，又盯着那几个人看了几秒，方记起他们是清林派来暗中护我去天青的。

"小夜，你怎么在这儿？你不跟着你的主子走吗？"我走到夜风跟前，死死盯着他的眼睛，咬牙道。臭小子昨晚不是挺不乐意跟着我的吗，这会儿还守在门口干吗？

"属下现在就是跟着主子。"

他撇开眼不看我，说的话让我听晕了。什么叫现在就是跟着主子？狐狸现在不是应该还在上朝吗？难道……我一把拉住夜风的袖子，惊问道："小夜，大哥已经同意将你拨给我了？"

"是。"

"耶！"我拉着他的衣袖兴奋地跳了几下，然后凑到他跟前，贼贼地道，"小夜，你心里是不是不乐意听命于一个女人啊？嘿嘿。"

"属下不敢。"他话虽如此，那声音与神情还是有丝怪异。

不过我知道，夜风这样的人既然同意到我身边来，既然认了我做主子，自然是最忠心最可靠的人。所以，我立马问道："小夜，你告诉我，我在修若的这段时间，这里都发生了什么大事？"

"回主子，属下不知。"他回答得干净利落。

"小夜……"我才不信呢，夜风也不老实啊。

"属下确实不知。"他依旧肯定地回道，并不像是说谎的样子。

"你不在龙曜吗？不在大哥身边吗？"

"是的，主子，那夜主子在皇宫失踪，属下连夜就去了天青。"

我心里一惊，脱口问道："去天青干吗？难道你们以为我是被劫去了天青？"

天哪，狐狸的脑袋是馒头做的吗？怎么会想到小白将我劫去天青？

"不是。"

"那是什么？原因呢？理由呢？还有我哥哥跟大哥有没有过什么私下交流？小夜，你能不能一次性给我说说清楚？"我先跑到那几个青衣人跟前，确定了他们的身份与来意，就让他们该干吗干吗去，然后示意夜风跟着我进屋，问道。

我问得急切，这小子却面有犹豫，半天不开口。我来回在他身边转了三圈，他还没被我转晕，我自己倒有些晕了，扶着桌子抚着额头坐下的时候，他才良心发现地吐出四个字："凤兰玉佩。"

我顿时有些莫名其妙。反正今日那什么寒星使臣要来，还有那什么纤绘公主的事，狐狸肯定忙得脱不开身，索性拉了夜风好好了解了解情况。他若不愿说，咱多的是时间，嘿嘿。

"去天青是为了凤兰……"我的话说了一半，猛地想起将凤兰玉佩及另外两块玉佩分别放在给狐狸和清林的信中，又将信塞在曦岚怀里，托他交给狐狸和清林。我当时如此做，是以为自己从此将会在这个时空里消失，而做这决定的时候，是瞒着外边的云耀、云辉，又怕到时候被送回云府，狐狸的凤兰玉佩跟着云月的身体回了云府被云老头发现，所以才交给曦岚。我相信曦岚醒来后看到信，一定会替我将东西交还给原主的。后来陷入昏迷，再醒来时已是几个月之后的事了，醒来后恰逢望月大定，大军凯旋，喜讯连连的时候我难得有机会见到狐狸，他却扔出圣旨求婚一事，我根本来不及问他有没有收到玉佩。直到昨天，我才问狐狸和清林玉佩的事，他二人不是说收到了吗？

"夜风，凤兰玉佩取回来了吗？是你取回来的吗？"我惊问，心中的疑团却越来越大。

"是皇上亲自取回来的。"

"是什么时候知道凤兰玉佩不在我身上的？"

"主子昏迷被送回云府的时候。"

凤兰玉佩对狐狸意味着什么，我知道，若被有心人拿去，会给他带来多少麻烦与不便，不难想象。我当初交给曦岚，是因为全心信赖他，我知道曦岚必会醒过来，看到他怀里的东西，看到我的信，他必会明白我的意思，然后将东西交还给狐狸与清林。可为什么，为什么事情会变成这样？曦岚，发生什么事了吗？

凤兰玉佩既然是狐狸取回来的，狐狸必定去过天青了。那是什么时候？该是我失踪后不久，他安排好一切就起身了吧？我闭上眼，深吸一口气，心里又惊又痛，还有一份感动。就在我暗暗抱怨狐狸怎么迟迟没有音信的时候，其实他正忙着收拾我丢下的烂摊子。

第三十六章·棒打野鸳鸯

事实证明，挖墙脚挖来的人才，某些时候是有后遗症的。

"该拿的都拿回来了吧？我是不是惹了很大的麻烦？"我看向夜风，声音里有满满的自责与愧疚。

他撇开视线，沉默，脸上的神情虽无波无澜，但我知道，我肯定惹了不小的麻烦。从我昏迷被送回云府，到三个月后醒来，这么长的时间都没有办法将事情解决，后来我被劫失踪，狐狸顾不得找寻我，亲自到天青拿回本属于他的东西，必是因为事情太严重，已经到了拖延不得的地步，还是小白劫我去修若之事有一些我不知道的内幕？

我黯然低头，久久不语。自从被劫，心里就存了太多的疑问。再见狐狸，心中自是激动万分，早忘了先前的疑问，难得想到提及，又总被狐狸三言两语打发了，我从不细究，也乐得如此。如今一层一层剥开，发现心中的迷雾越来越沉重，已经解决的事情不去想它，但那些没找到答案的问题，却横在心头，竟压得我有些喘不过气来。

这场诡异的战事，或者说从望月欲伐龙曜开始，天下形势的变化；小白劫我的动机与目的；曦岚为何没有依我所托替我送了那两封信；哥哥为何在这时候突然又回了修若；老老头召我回修若的目的，此次又同意我回龙曜的理由……

"其实皇上曾派暗卫前往修若，但主子住进皇宫，身边还多了圣灵兽，恐打草惊蛇反连累了主子，暗卫就没联系主子。"

我闻言抬头，见我看他，他又微微移开视线，我不自觉地笑了笑，听他这话，倒像是在替狐狸解释，难道他以为我刚才的黯然不语，是在感伤狐狸的音信全无？

可是不管怎样，夜风肯主动为狐狸说话，还真是叫人大跌眼镜。我还以为夜风这性子能少说一句就少说一句，更不会管这种不关己的"闲事"，可是他刚才这番话，啧啧，难道狐狸给他下了什么迷药吗？

"那我哥哥呢？那日我失踪之后，可与大哥有什么不对劲的地方？"我还是觉得奇怪，哥哥突然去了修若，好像短时间之内不打算回来的样子，而狐狸也同意了，这两人之间肯定发生了什么或者达成了某种协议。

"属下确实不知。"他看着我，坦然而恭敬。

赶在午饭前，我拉了翠儿又回到云府。原先是睡在微眠别苑的，翠儿只能留在浅醉小憩，狐狸的那一亩三分地，没经过他的同意，别人是进不去的。虽然浅醉居挂在我的名下，但谁让里面的人都是狐狸和清林找来的呢？我是料定狐狸今天脱不开身，所以回了云府倒也不急，先喂了夭夭吃东西，它从昨晚开始就安静地待在我的西枫苑，由王安进去送食。云府里的人自然是不敢对夭夭怎么样了，它是修若的圣灵兽，云府又是云老头的家业，张德应该早就交代过了。

吃罢午饭，张德来回话，说明日就是云月娘亲云夫人的祭辰，相关事宜已办妥。只是云夫人的墓园位于龙州城东的龙巅山山腰，因为吉时问题，明日需一早赶路。我点头应允，又问了云风的消息，这么短的时间，估计让张德给他的信他都还没收到，更遑论赶回来了。

是夜我没有回浅醉居，翌日一早带上夭夭，一行人就向龙巅山而去。路况出奇地好，不知是张德安排得好，还是我跟狐狸提过祭母的事，反正路上一个行人也没有。

我一袭素衣，为了方便，还是男装打扮，到了龙巅山脚，下了马车，执意辞了轿子，坚持自己走上山。龙巅山并不险峻，夭夭跟在我身边，另一边还有翠儿和夜风，四周是一大帮侍卫。天气不错，出门虽早，但此时日已高升。秋高气爽，我捧着一大束黄菊，这是早上在云府剪下的，我不是云月，与云夫人素无感情，甚至未曾谋面，但不知为何，此刻却心有凄凄，似一种本能，自己也不知原因。

到得半山腰，微汗，我还微喘着气。云夫人的墓园竟是一个半山花园，墓地坐落在墓园东侧，整个墓园还有专人打扫与看管。可是即便如此，我依然觉得，这仅是因为云府有钱，并不表示云老头有多爱云月的娘亲。

一切按程序进行：迎魂，初献，祭祈，撤馔，送魂。四周静穆，我在心底替云风与云月虔诚祈祷，借此遥寄思念之情于二十一世纪的亲人朋友，于是眼泪不期然落下。我跪在云夫人的墓前，静静流泪，没有人上前劝说或打扰。

礼毕已是响午，张德竟已安排好了午餐，询问我何时用膳。我因为刚才的祭礼，并没有什么胃口，又想着我若在此地用餐，跟来的这一大帮人又要多饿一些时候了，于是示意张德还是先出了墓园下山吧。

出园不久，夭夭的怒吼声突然响起，比身边的那些侍卫早一秒发现行迹可疑的人。夜风护身至我跟前的时候，一旁的侍卫已有人飞身向左侧掠去。

"放肆！放手，放开我……"当编号为小四和十二的侍卫拎着一个小男人过来时，那小男人嘴里正嚷嚷个不停。除这小男人外，还有两个大男人被几个侍卫押着过来，估计是被点了穴，不仅行动不便，而且一言未发。

"放开她。"我拉住夭夭，从夜风身后缓缓走出。这小男人不是男人，而是个假男人，和我一样女扮男装，其声音清晰可辨。

"放开他们两个，替他们解穴。"那假男人一旦自由，打量了我一眼，好像对我的男装女声并不惊讶，说话的口气却比我高姿态多了，出口就是命令的语气，好像我不仅欠了她银子，还是她家的使唤丫头。

我懒得理她，虽然自己就是一个女扮男装的主儿，但不表示我会对眼前同样女扮男装的人有好感。

"站住。"她倒也不客气，见我不理她，径直往前走，竟几步冲过来挡在了我身前。幸好我第一时间拉住夭夭，不然她早被夭夭一口咬死了。

我抬眼看着她，带着一丝怒气，她似丝毫不觉，看到夭夭想扑她，只是脸色微白了一下，待夭夭安静下来，又鼓起勇气大声道："给他们两个解穴。"

"时间到了，自然会解。"我懒得理她，肚子好饿，只想快点下山填饱肚子。

"云月！"我径直从她身边走过，她却突然叫道。

我停步，侧过身，半眯着眼仔细打量她。即便穿着男装，她依然明艳动人，一看就是十指不沾阳春水的富贵人家出身。可是她竟然知道我的身份，那么她出现在这里，是有意而为之喽？

我不想多惹麻烦，虽然这一路来的情况处处显示云府早有安排，闲杂人等是不可能会出现的，但想着祭祀已经顺利结束，如今就要回去了，没想到这假男人还没完没了了。

"你是？"

"云相胞妹云月，不过如此。"她不表明自己的身份，倒说了这样一句话。

我闻言反笑，看来她会•出现在这里，是预先安排好的。只是不知为何要这身打扮，我又抬眼看了看另两个男人，三十岁左右，面相精干，双眼深邃，一看就知不是普通人。

"本就是一普通人，你该不会听信传言，以为我有三头六臂吧？"我笑答。从我昏迷醒来，到了修若，关于云月的种种传言我可听了不少，大抵不出狐狸封旨里的内容，概为国难当头，不仅献策，还前往天青游说，后被封为天青的汐月公主，倒一直没有言及替兄出仕。

她似一愣，估计没料到我会如此说，脸顿时涨红了。

"现在该见的都见了，我这人比较怕麻烦，等我们走远了，我会让人解了他二人的穴。"我说完转回身继续往前走。

"等等！"

又来了又来了，有完没完，要把人饿死吗？不过我干吗要听她的啊？汗！继续往前走。

"我让你站住！"声比泼妇，真没形象。

"有话就说，有屁快放！别考验我的耐性。"我今天也疯了，居然一而再、再而三地与这假男人纠缠。

"就你这样，居然还要当龙曜的皇后？！"

她声音不轻，众人闻言皆是一惊，我忍不住走到她跟前，半眯着眼睛，轻声道："你刚刚说什么？"

"若非那一旨婚姻，我又怎会居于你之下？"她讥笑道，又看了我一眼，眼神中满是轻蔑，"不过婚旨已下，却又久未完婚，看来龙曜王亦是不乐意的。"

我实在忍不住，扑哧一声笑了出来，自己也吓了一跳，本来还以为自己该生气郁闷的，再一想反倒觉得很可笑。她见我如此，怒瞪着我。我抚了抚胸口，顺了顺气，好半晌才敛神，侧过头斜斜看了眼沉默不语的夜风，又回头冲她微微点了点头，道："纤绘公主？"

"你知道本宫？"她说这话，不知是意外，还是讥讽。

"公主这般千里寻郎，可不合规矩。且大礼未成，名分未定，甚至连婚旨都还没影儿，公主说这番话不觉得羞煞人了吗？"我不答反问，话说得风轻云淡。

"你！"她没料到我会如此说，一时脸白，气得只说了一个字，就没了声音。

"德叔，派人好生将公主送回皇宫，以免大家担心。"

"放肆！你凭什么决定本宫的去向？本宫若要回去，自己会走。"她倒好，将我的好心当成驴肝肺，浑然不领情。

"你一口一个本宫，就该明白，你这样跑到龙州，若发生什么意外，对两个国家都不是好事。不是每个人都像我这么善良好说话，你带来的那两个侍卫也不一定能护得你周全，所以，任性也应该有个底线。"她似想反驳，我不容她插口，继续道，"你这样跑过来，无非是想看看心上人，想争取一下自己的幸福。人你昨日已经见过，接下来就是两国商谈的事，你虽贵为公主，既做不了这主，就不应再多生事端。你该明白，你刚才这样出现，就算表明了自己的身份，我也完全可以不理会，或权当什么都不知，让你吃些苦头那是最容易不过的事。"

"你敢！若真如此，你就不怕被追究？"她的口气又恢复了高高在上的姿态。

"追究？"我边笑边道，"不知者无罪，现场没旁人，只听你片面之词，或只听我片面之词都定不了罪，但苦是你受的，我只要不受罚就行了。所以，见好就收吧，你也是，我也是。"

说完我不再理她，看了眼张德，他向我点了点头，我就径直向山下走去。

"小夜，你应该早就认出她是纤绘公主了吧？"狐狸早就知道纤绘公主跑到龙州，还掌握了人家的行踪，那么小夜不应该不知道。可这臭小子，从始至终一句话也没有，不第一时间暗示就算了，看我和那公主差点儿掐架还一张波澜不惊的脸。

"是。"他答得干脆。

"那你怎么不早点提醒我？"我怒。

"主子没问。"他这话说得理所当然。

我险些气晕，咬紧牙半晌才忍住没上前揍他一拳，恨声道："你明知她的身份而不提醒我，若我刚才做了什么冲动的傻事，这不是自找麻烦吗？"

"不会有麻烦。"

"晕，小夜你哪来的自信？"

他侧过头看着我，神色有些惊讶，我反瞪了他一眼，他才转过头继续直视，声音稳稳传来："属下会保护主子。"

我回到云府已是下午。张德回话说纤绘公主已被安全送回皇宫，我在心里将狐狸叉叉了好几回，想着那假男人不是昨日便被他"找到"了吗？照理假男人该乖乖待在皇宫，和寒星使臣在一起才是，也不知她是怎么逃出来的，狐狸真是逊毙了。

临近晚饭的时候，闲来无聊，突然想起我第一天上朝与清林偶遇的邀月楼，想起邀月楼里那些垂涎欲滴的美食，我便决定出去走走。反正狐狸这会儿忙得不可开交，听夜风回报说，寒星使臣要到后天才起程回国，这两天只怕他都没空搭理我了。唉，还想问问寒星使臣的来意呢，看来还得憋一天。

可是一天之后呢？狐狸修好给修若的盟书，我是不是也该起程了？

下了马车，我摇了摇头，将心中让人郁闷的想法通通暂时屏蔽。我走进邀月楼，夜风跟在我身边，自从狐狸将他拨到我身边之后，他就成了"白风"——就是一直跟在我身边，不似从前，人总不见影，叫了他才出现。我想，这可能是因为我不会武功的缘故吧。

我挑了二楼一个包厢，没有靠窗的绝佳位置了，但好歹可以看到一楼大堂来来往往的人，这也不错。夜风是不肯入座的，完全忘了在天青的时候，我还跟他并肩战斗过，我也不好勉强，吃了一半趴在包厢窗口无聊地东张西望，心里却想着是不是该叫人去请一下清林。

狐狸可能很忙，但清林应该不会啊，这小子是将军，使臣来访这等事，应该与他无关吧。反正我来得早，吃到现在也就是正常的晚饭时间，邀月楼里还不断有客人进来，到时候将这些吃了一半的菜通通撤掉，也算是非常有诚意的，嘿嘿。正待发话让夜风跑腿，我的眼睛却被刚进入大厅的看似两个男人实则是一对男女给吸引住了。

那不是假男人和真狐狸吗？可是他们这样双双走进邀月楼，是怎么回事？

我下意识地起身就欲往外冲，没办法，我虽然觉得这假男人对我构不成威胁，中午意外碰到她时也没把她当回事，但如今看到他二人出双入对，虽然狐狸的手中规中矩，眼睛也中规中矩地直视前方，但那假男人边走边扭头看狐狸，嘴里似乎还在说着什么，脸上的笑容就像油菜花开，整个人从我这角度看过去，简直就是螃蟹横行嘛。

是可忍孰不可忍！然而我冲到一半的时候却被夜风拦下。

"别拦我，我要去棒打野鸳鸯！"我拼命掰夜风的手，边掰边发飙。

这小子闻言，眉毛大幅度地抽了一下，然后才撇着嘴道："他是皇上。"

"皇上怎么了？皇上就可以给我戴绿帽……"话未完，自己就先止了声。

没错，狐狸确实想娶我为后，有那圣旨为证；没错，我确实跟狐狸说过"愿得一人心，从此共白首"，狐狸当初也是同意了的；没错，那假男人有可能是狐狸去寒星的时候一眼看上了狐狸，然后就巴巴地跑了过来。可是，狐狸和她这样来到邀月楼，肯定有猫腻，肯定有问题啦，呜呜呜。

"主子。"或许是我苦着脸长吁短叹的，夜风终于忍不住叫了我一声。

"没商量，我一定要在暗处监视他们！小夜，你去看看他们坐在哪儿，我们换位子，换到可以看到他们一举一动的地方去。"我当机立断，理智对待，拉着夜风就凑到窗前，继续观察狐狸的动向。

更邪门儿了，狐狸这厮竟然不领着千娇百贵的纤绘公主去包厢，只在大堂里随便找了个位置坐下。等等，这位子，貌似是我初来邀月楼坐的无比角落的位置啊。

如此一来，我倒不用换位置了，由我所在包厢的窗口望出去，恰好可以看到那一桌的动静。我半开着窗，双眼冒火地看着那假男人挨着狐狸坐下，然后狐狸向小二说了些什么，小二屁颠儿屁颠儿地领命走开的时候，狐狸恰好抬眼往我这方向看来。

我下意识地闪身躲到窗口旁，不想让狐狸看到。背靠墙的时候我皱眉思索，然后向一脸黑线的夜风问道："小夜，大哥发现我们了？"

不应该啊，狐狸怎么可能知道我会在这间包厢里，他应该也没发现我啊？夜风看着我，平静地吐出两字："不知。"

这小子，就会说不知，那到底是狐狸不知我们在这里，还是你不知狐狸有没有发现我们？算了算了，我摇了摇头，不能指望他了。我再次从窗口探出脑袋时，一楼的狐狸与假男人已经进入了浑然忘我的交谈境界，连小二端着菜过来，他二人都没稍作停歇。

狐狸彬彬有礼地伸出手将那些菜通通堆在假男人跟前，而假男人则执了酒壶侧身给狐狸斟了满满一杯酒。我双眼冒火，就差飞扑下去将那只可恶的臭狐狸压成馅饼了。而狐狸呢，从刚才天外飞仙般的一眼之后，就再也没往我这边瞄过了。

我突然想起来，这包厢是我曾与狐狸、清林一起坐过的包厢，也就是在这里，狐狸拿出一支发簪说是犒劳我某段时间的出色表现，想起那支墨玉凤簪，唉，只怕那时候他早就知道了我的身份，不然谁会拿女人的首饰作为犒赏男人的礼物？怪只怪那时候的我也是个愣头青，光顾着想那发簪值不值钱，浑然不觉它出现得诡异。说不定狐狸一早就知道"云相"身为女人的身份，却依旧不动声色地让人家上朝奉献有限的青春，真是阴险啊！

所以，刚才狐狸的那一眼，应该不是发现了我的行踪，而是对他曾经坐过的包厢下意识地看了一眼。

在假男人突然伸出"魔爪"扯住狐狸的胳膊，然后指着某个方向，抬起头仰起脸笑得一脸欢愉地说着什么的时候，我终于忍不住再次向包厢门口冲了过去。

"主子。"夜风又将我拦在了包厢门口。

"你埋单，我们走人。"这回我的态度很坚定，坚决不再让夜风拦着。事实证明小夜同学拦我也不敢硬拦，我瞪了他一眼，然后硬去掰他手的时候，他忽然自动将手缩回了。

我走向楼梯，故意将木楼梯踩得咚咚响，转头看向左侧的时候，最角落的那两个人依旧过着二人世界，完全不被外界所打扰。我顿觉万分委屈，似有一股气沉沉压在心头，闷得难受。直到我下了楼，走过掌柜的柜台，那两人都对我视而不见。

即使他二人的位置比较隐蔽，但我都到出口了，如果有心，从刚才下楼梯时就该注意到我了。我心中如是想，更不愿久待，也不管身后的夜风还在埋单，在眼泪落下前就急忙往外跑去。

"啊！"我痛叫，眼泪顺势滑下。呜呜呜，人倒霉的时候就是这样，刚刚让我亲眼看到那只狐狸"红杏出墙"，为求个眼不见心不烦，我匆匆走下邀月楼大门台阶的时候竟一脚踩在台阶边缘，不仅扭了脚，人还一屁股坐在地上。若非已是最后一个台阶，只怕还得滚几圈。

"主子?"夜风的声音在耳边响起，在我伸手揉向脚踝的时候，已被他拦腰抱起。

"痛。"我流泪抬眼看向夜风的时候，却见眼前人影一闪，我负气地别过头不去看他，伸手扯住夜风的衣服，吸气道，"我们回云府。"

事实证明，挖墙脚挖来的人才，某些时候是有后遗症的。比如抱着我的这个人，自从成功挖来他这个人才之后，我开心得连晚上做梦都能笑出声。可是现在，当我揪着他的衣服让他送我回云府时，他却犹豫了，原因是，他以前的老板挡在了我们面前。

夜风稍作犹豫，就将我交给了狐狸。我噙泪看着他，他却视线上移，看向抱着我的狐狸。我的手松开了他的衣服，转而瞪向狐狸，却一眼瞥见从大堂里快步赶过来的假男人。想起刚才的一幕，我条件反射地挣扎起来。

"别动。"狐狸话是对我说，眼睛却看着夜风，点了点头，抱着我的手紧了紧，然后毫不避讳地转过身面向那假男人，却是柔声道，"抱歉，看来欠公主的这一顿饭，只能下次有机会再补请了。"

"等等！"见狐狸说完就要转身走，那假男人慌忙开口道。

"痛。"我一时恶向胆边生，虽然脚踝和先着地的屁屁好像没有刚才那么疼了，或者说已经疼得有些麻木了，但一听那假男人的话，我就决定暂时撇开狐狸的"政治问题"，先对付眼前的假男人再说。

狐狸闻言，一只手紧抱着我，另一只手抚上我的脸，轻轻拭去我的泪痕，柔声安慰道："我们马上回家，再忍一忍，忍不住了就咬一口。"

说罢，他将手凑至我跟前，脸上带着难得一见的温柔浅笑，桃花眼里却隐隐闪着让我脸红的热烈火焰。我当然不客气了，我现在这么狼狈可都是这只臭狐狸造成的，所以我毫不犹豫地张嘴咬下去，牙齿还左右厮磨了几下。他好像丝毫不觉得疼，面带笑容，也不理假男人，径直抱着我向早已候着的两辆马车之一走去。

"站住！你怎么可以就这样为了她而扔下我？"那假男人或许是没受过这种待遇，竟然几步跑上前拦在了马车前。

我清晰地感觉到狐狸抱着我的手有刹那的僵硬，身上的怒气瞬间迸发却又突然消失于无形，强烈而又短暂。在他开口前，我轻轻扯了扯他的衣服，故作温柔，大方得体地道："那就一同回宫吧，纤绘公主是我们龙曜国的贵宾。"

他的桃花眼看着我，几乎是条件反射地半眯了一下，然后眼中含笑地看了我一眼，望向拦在我们跟前的假男人时，双眸复又幽深如潭，慵懒地笑道："公主请上车吧。"

下部

第三十七章·情定

这早就设定的连环计，都是为了浅浅。

三人坐上了同一辆马车，我不知道那假男人是什么逻辑，来的时候明明她和狐狸一人一辆马车，如今看着狐狸前脚抱我上马车，她后脚就跟了进来。我坐靠在狐狸身边，拉住他的衣袖，他反手握住我，突然笑得无比妖媚，看着假男人道："公主切莫见怪，朕来介绍，她就是先前朕一再提到的有了婚约却要苦等到她满二十岁才能娶进门的云月。"

　　假男人的脸上红一阵白一阵，也不说话，伸手给自己倒了一杯茶，似深吸了口气平复了一下情绪，方微笑着端起茶杯貌似优雅地抿了一口。

　　"月儿，这位是寒星国的纤绘公主。"他也不介意，侧过身向我介绍道。

　　我白了他一眼，向坐在对面的假男人微弯了弯身，一时间也不知该如何打招呼。她是公主，其实我也是，我还是两国的公主呢，让我向她行大礼，让她做老大，我实在不甘心。那假男人更差劲了，别说打招呼，连点头致意都没有，脸上虽勉强挂着笑，但看着我的眼睛直将我千刀万剐了个遍，本来端着茶杯的兰花指，如今已是紧紧握着茶杯，指关节都有些发白。

　　阿弥陀佛，你手中的茶杯可是值不少钱的，慎重慎重啊，可别一个用力捏碎了，想叫你赔钱也不好意思开口吧。

　　可是已经这样了，狐狸的戏还没有演完，他也不理我和假男人之间诡异的气氛，突然关切地向我问道："疼吗？忍得了吗？"

　　我皱眉摇了摇头，他轻叹口气，然后无比温柔地看着我，伸手给我倒茶的时候，动作那叫一个自然。这下子，不是别人看着受不了，而是我自己也要受不了了，接过茶杯的时候，我拿眼狠狠地瞪了瞪他。诡异，真的很诡异啊！

　　就在这种诡异的气氛中，马车驶进了皇宫。狐狸抱着我下车的时候，还是很有礼貌很有风度地让人侍候那假男人下车，命人将她送回寒星使臣住的聆风宫。然后不顾假男人在原地不甘心地跺脚，就抱着我疾步往他的寝宫走去。

　　狐狸将我抱到他那张龙床上，扶着我坐下，我龇牙咧嘴地吸气，刚才专心对付假男人没发现，如今脚踝是痛的，屁屁也是疼的。狐狸的桃花眼里明显闪过一抹心疼，然后竟然屈膝动手脱下我右脚上的靴子，又将我的袜子也脱掉了。我本来全力忍痛不说话，这会儿不得不开口问："呃……不等御医？"

　　"我就是御医。"他低着头，用手轻轻地碰了碰我红肿的脚踝，我倒抽一口气，他忍不住抬眼看我，几乎下意识地叫了声"浅浅"，然后起身走至外间，返身回来的时候，手上已经多了一个小药瓶。

"你……你干吗？"我一只脚晾在空气中，紧张地问道。无奈现在坐在床沿，一只脚又受伤了，逃跑是不可能的，往后退那就是整个躺到龙床上去了，那下场不是更凄凉吗！

"浅浅若是想就这样一直肿着脚走不了路，让大哥抱来抱去的话，大哥倒是很乐意的。"他轻笑，语调轻松，桃花眼却紧紧盯着我的脚踝，走至我身前的时候，手中的小药瓶已经打开了。

"大哥你懂医术吗？干吗不叫御医？我需要专业人士！"我看着他将药瓶里的药水往右手食指中指上倒了些，然后指腹贴着我的脚踝，轻柔而缓慢地抹了起来。

他的脸上有心疼，更有小心翼翼，像是怕不小心碰坏了某件珍爱的物品，嘴里却调侃道："不懂，可是也不甘心让另一个男人做我现在正在做的事。"

呃，怎么会有这么变态的人？怎么会有这么变态的想法？可是为何我听了这么变态的话，心里却有一丝甜蜜蜜的感觉？没救了，我发觉自己没救了，呜呜呜。

对自己的感情不愿意承认，或者不愿在当事人面前承认的时候，我当然得找理由反驳。于是我脑中灵光一现，边抽气边撇嘴道："这有什么？这是大夫的职业特殊性，不能平常而论。再说我上回替你挡了一剑，御医不也来看过了？伤口重不重，深不深，清洗上药，应该一样都不少吧？"

而且伤口是在胸口呢！唉，幸亏当时那御医和宫女是云老头的人啊，不然云月的身份不是早就被曝光了吗？我正自感叹庆幸，却听到狐狸轻笑出声。我抬眼瞪着他，他的手依旧在我的脚踝上忙碌，微低着头，桃花眼角斜斜上挑，嘴角微微上扬。

"你笑什么？"我晃了晃另一条腿，对狐狸笑得这么风骚很有些莫名其妙。

"浅浅以为那时是谁给你检查伤口的？"他停下来，盖上小药瓶，似乎已经完工，脚踝处有微凉的感觉，带着一抹清香。

"呃，不就是上回那个御医吗？"我醒来后不是有个御医问诊的吗，那时候我刚来，现在回想起来，不知不觉已在这里待了快两年了，时间过得真快。

"不是。"他回答得干净利落，起身将药瓶放在一旁，然后将那袭金灿灿的被子挪到床头，又伸手扶了我斜靠在被子上，脱下我另外一只靴子，小心翼翼地将我的两只脚搁到床上。

我由于太震惊于他的回答，压根儿就没发现自己已被狐狸抱上了床，只怔怔地盯着他那张妖孽般的脸，看着他那桃花眼因掩不住的笑意而黑亮得如星辰。我脑中瞬间闪过一个惊人的想法，然后如遭雷击，舌头打结道："我……你……是你?!"

天哪！如果那时候是狐狸"亲力亲为"的，那不是从我穿来这里的第一天他就已经识破了云月的身份，知道又不戳穿，而且刚来的时候貌似他的态度又是冷淡又是深沉的……

"不过为朕受伤之前的浅浅，我可没有多大兴趣。"他说这话的时候，人已经跟着爬上了床，侧身面对我靠在锦被上，一只手托着他的脑袋，另一只手却已经不老实地抚上了我的脸，话音刚落，整张脸已经凑至我跟前，嘴唇便贴了上来，桃花眼里跳动着我不懂的火焰。

本来我的脑子就已经是一团糨糊了，现在又被这只色狐狸欺负，更是失去了思考能力。别说这些身份啊政治啊复杂的事，刚刚还在愤怒怨怼的情敌，自从我进了狐狸的寝宫，都被抛到了九霄云外。

"浅浅……浅浅……"他低声轻喃，声音带着柔腻，唇上的温度越发烫人，从眉到眼，一路顺势而下，滑过脖子，在我的锁骨处留恋不已。

我沉溺在他的细吻中，直到胸口处传来微凉的感觉，才惊觉身前的衣襟不知何时已散开。我心慌意乱地抬眼看向狐狸，伸手便欲抓回松开的衣襟。

"大……大哥……"脑子虽勉强只存有一分清醒，但这时候狐狸在做的事，以及接下来会发生的事，我还是能第一时间想明白的。一想到此，我心慌得舌头都有些打结，声音也有些微哑，不只是脸，整个人都发烫起来，心口如鹿撞。

"浅浅愿意吗?"狐狸的脸上有隐忍的表情，声音因着暗哑越显慵懒，桃花眼此刻却成了一汪温柔春水。只有胸口那强烈的起伏，以及紊乱的呼吸，泄露了他此刻所有的心思。

我根本无法思考，一想到如果说愿意接下来会发生的事，我便紧紧闭上眼睛，条件反射地伸手捂住脸。

金纱帷帐缓缓垂下，天色已暗，却没有人进来点上宫灯。"痛！"激情是一种浮在表象的感觉，因为在疼痛来临时，它脆弱得不堪一击。

"哪里痛？怎么会痛？"或许是我喊痛喊得太强烈，狐狸慌忙抬头，捧着我的

脸，紧张地问道。

"脚痛，你刚才压到我的脚了。"我眼睛雾蒙蒙地看着他，边抽气边龇牙道。该死的臭狐狸，光顾着自己享受，就忘了我的脚刚扭伤了。

他神色蓦地一松，桃花眼斜斜上挑，嘴角勾起一抹摄人魂魄的笑容，声音低沉，带着一股慵懒的磁性，道："还想着这疼痛怎么提前到来了，原来是脚痛。"

"浅浅，我的浅浅。"他声音里竟带有一种宁静而幸福的味道，凝神盯着我，仿佛我是他遗失千年而重得的珍宝，又仿佛这一生的守望在此刻终于实现，整个人散发着一种柔和的气息。

我有些动容，伸出手，学着他的样子，把玩他的一缕长发，无意识地问道："你准备拿纤绘公主怎么办？"

话一出口不禁有些懊悔，我不是不相信狐狸，他既已答应我只许我一人，那么我没理由怀疑他。只是这纤绘公主不远千里地赶过来，这样的身份、这样倒贴的热情，多少给我造成了一点困扰。可是眼下的光景，正是你侬我侬的时候，突然说起别的女人，真是太煞风景了。不过后悔也没用，话既已说出口，坦白一下还是好的。

"希望她能在龙曜多做几天客。"

"呃，什么意思？"我怒道，"说，你去寒星的时候，是不是顺便勾引了人家公主，用美男计让事情完成得更顺利？"

咦，这话虽是下意识说出，但说完一想，越想就越有可能，越想就越是这么回事，不然那纤绘公主千里迢迢地偷跑过来图什么呀？可是，外界传言不是云相出使寒星的吗？而哥哥那时候还卧"毒"在床，那么只有两种可能了：第一种可能，这臭狐狸假冒云风出使，易个容什么的，瞒天过海，但这种可能因为身高等因素，似乎不那么完美；第二种可能，便是找个和哥哥身形相似的，让他易个容假扮云风出使，然后狐狸扮成假云风的随从，实际上却真正是第一时间做主的人。相比之下，我觉得第二种可能性比较大，可是这样一来，结合那纤绘公主的表现，莫不是狐狸假扮随从的时候以色勾搭假男人，虽然最后事情是分外顺利地办成了，但有可能他的身份也因此暴露了。而且从寒星使臣之事上表明，知道狐狸身份的应该只有那假男人，不然寒星王知道狐狸假扮随从的事，肯定有心结，而现在狐狸坦然招待来访的寒星使臣，只怕那时候他假扮云风随从也是易了容的。

如果真如我所想，那么狐狸也有不小心失手的时候啊，嘿嘿。等等，狐狸这么老奸巨猾，理应没这么菜吧？除非，他假扮随从的时候还顺便探了什么结盟之外的事，比如皇宫的秘密？我脑中浮现这个想法的时候，突然莫名地心慌了一下。

　　狐狸却突然很开心的样子，桃花眼里满含着笑意，伸手抚上我胸口，懒懒地道：“怎么有股酸味呢？”

　　我一把拍开他不老实的手，跷着右脚便欲爬下他身子。他伸手，紧紧环着我，不让我脱身，叹息般说道：“她还有用。”

　　有用，有什么用啊？我继续挣扎，他凑到我耳边，蛊惑般轻喃：“浅浅还疼吗？”

　　怒，摆明了想转移话题嘛！但我还是不明所以，乖乖地点了点头，又摇了摇头。

　　“累吗？”他继续在我耳边轻喃。从刚才开始，狐狸就展现了我平时做梦都想象不到的温柔，这么温柔的狐狸，一时半会儿还真让人有点不习惯呢。

　　正自想着，他的唇却又压了下来……

　　再醒来时，天已大亮，我睁眼的时候恰好看到一身明黄龙袍的狐狸掀开床帐坐到床沿。

　　“醒了？”一样的桃花眼，一样妖孽的脸，一样懒懒的笑，却让我感觉他脸上有一抹异于平常的神采。

　　我伸手拉过被子，将自己遮得严严实实的，点了点头。他笑看着我，也不再说话，那眼神却让我觉得自己身上的被子白裹了。

　　“下朝了？”我被他看得面红耳赤，只得没话找话打破这暧昧的气氛。

　　“今天休朝。”他依旧看着我，犯花痴似的，嘴角的笑容却有些小人得志的满足与得意。

　　“呃……”今天是难得的半月一休？那狐狸这么早起床干什么去了？其实我迷迷糊糊的只感觉到他起床，然后在我眉心印下一吻，似乎还说了句话，但我根本睁不开眼，耳朵也似听非听，然后又蒙着被子睡大觉了。

　　“寒星使臣起程回国。”他看出我的疑问，和衣躺在我身边，将我连人带被子抱在怀里，继续道，“纤绘公主留在这里，她可真不是一般的刁蛮任性。”

我撇了撇嘴，心里一时也说不清楚到底是酸还是不酸，声音里却绝对有丝醋意道："她不刁蛮任性，能巴巴地跑过来被你利用吗？"

"饿了吗？"他也不反驳，伸手将我的头发捋至耳后。

我老老实实地点了点头，昨晚吃得早，体力又消耗得多，现在都快日上三竿了，我能不饿吗？他轻笑出声，伸手来掀被子，我吃惊地双手死死攥住，将自己想象成一只绝世无辜的小兔子，万分惊恐地看着眼前的大灰狼。

"吃东西前，浅浅不觉得应该先起床洗漱一下吗？"他索性起身，双手环胸，站在床前好整以暇地看着我，一脸的欠揍。

我的脸一下子烫了起来，朝他怒吼："转过身去，转过身去。"

他笑得越发阴险，意味深长地看了我一眼，依言背过身去。我慌忙坐起身，一只手紧紧攥着被子遮着自己，另一只手在大床上搜索自己的衣服。

"在找什么？"身后响起一道慵懒的声音。

"衣服。"我下意识地回答，话音刚落，就觉背后一暖，我跌入一个人的怀抱。

"好汉饶命！"我忙讨饶，才一醒来，又饿又酸又累。眼下，若还做那事，我直接口吐白沫装死算了。

"看来昨晚将浅浅累坏了。"他轻笑着，落下一个缠绵的吻，然后心满意足地叹息一声。

我嘴角一阵抽搐，在心里张牙舞爪地将他那张妖孽的脸拉扯了一番，脸上却带着含羞带怯的笑容，乖乖地点了点头。没办法，现在人在他手上，我还是不要太放肆的好。

他将我胸前的被子扯下，远远地扔至床一角，变戏法似的拿出一件明黄披风，将我裹住，伸手环住我的时候，突然猛地坐在床沿，一手指向一侧，视线跟着转移，脸上是一种难言的表情。

我顺着他的手望过去，赫然是明黄床单上的一滩暗红血迹。我气血上涌，忙伸手蒙住他的眼睛，大声抗议道："不许看，不许看！"

天哪，羞死人了！

他却蓦地大笑出声，打横抱起我，就向龙床后的浴池走去。

只抹了一次药，右脚踝就已经恢复正常。我真的有点身子散架的感觉，趴在温泉池沿上，认命地让狐狸给我洗澡。唉，反正该做的不该做的事都做了，难得他一个自恋的皇帝肯为民服务一次，我又何乐而不为？不过为了打破这种暧昧的气氛，又或者说是为了分散这只色狐狸的注意力，我只能没话找话地聊聊天。

"大哥，寒星使臣回去了，他这次来是为了叶苍的战事吗？"温泉池里依旧没有花瓣。

"不是。"

我扑哧一声笑出来，打趣道："咦，寒星王真菜，怎么就没想到在叶苍或修若安几个暗人，然后养几只暗鸽呢？"

话说当初若不是狐狸有暗人密报，等到人家军队驻扎在龙曜边境才知战事将近，现在这世上，或许已经没有龙曜这个国家了。

他身子蓦地贴近，在我耳后轻喃了一声："浅浅。"

"微臣知错了，皇上是前无古人后无来者最最英明最最神武的皇上。"我连忙拍马屁，毫无诚意地拍马屁。

不过狐狸同学显然心情特别好，竟然也没再挑刺。

"大……大哥，那纤绘公主有何用？"

"时机到了，送给修若。"

"呃？"我转过头，奇怪地看着他。

"她会刁蛮任性，那是太得宠所致。寒星王的掌上明珠，太子的胞妹，母后又是寒星大将军的妹妹。"他娓娓道来，早就将人家的老底摸得清清楚楚。

"然后呢？"确实，老爸是皇上，老妈是皇后，哥哥是下一任皇帝，舅舅官拜大将军，这样的家世的确了得，但我想知道，狐狸将她送给修若是什么意思？

"你父王或许觉得与天青联姻对修若更有利，但我会让他明白，并让他乐见其成，浅浅只会是我的皇后。"

"不懂。"我回答得很干脆。我是真的不明白，留下纤绘公主，或者说将纤绘公主送给修若，这跟我与狐狸的婚事有什么关系？跟云老头又有什么关系？

"浅浅在修若待了几个月，后来还在修若王身边任言官，难道看不出修若王的野心，可不仅仅只是取叶苍而代之啊。"他笑得慵懒，桃花眼却越变越深。

"叶修伐寒，围叶救寒，想取的可不止叶苍。这早就设定的连环计，都是为了浅浅。"他的声音消失在我唇畔，我脑中残留的混乱的思绪只余一片空白。

第三十八章·皇陵

这算是隆重的浪漫的感人的正式的求婚仪式吗？

我和狐狸坐到外膳食间吃饭。一边让他喂我吃东西，一边听他说话。那纤绘公主也好打发，狐狸有事要忙，就由沉谙陪着她到龙州各处走走，她虽不乐意，但也没负气回国。真是不知道这只臭狐狸是怎么把人家摆平的，没名没分的，她堂堂一个公主就是铁了心暂时不回国了。听说那使臣被骂得狗血淋头，最后她连公主令牌都拿出来砸人了，还威胁使臣是想逼死她云云，直叫那倒霉的使臣慌忙回国，一来复命，二来派个更强大的使臣来将公主接回去。

一山更比一山高，一个更比一个牛啊，我叹了口气，继续享受狐狸的超白金五星级服务。饭毕，狐狸见我实在困倦，就抱着我睡了会儿。我醒来时，太阳快要落山了，难得过了一天一夜的二人世界，他却似还有安排，亲手给我挽了头发，整理了衣裳，拉着我就往外走去。

寝宫外候着李福，还有平日侍候狐狸的宫女太监，见我们出来，齐齐下跪，对我竟是以皇后之礼相待，而且口中称呼赫然是"皇后娘娘"。我转过头看着狐狸，他向我慵懒一笑，桃花眼里却是认真与坚定，我也不再固执己见，任由狐狸拉着我往左侧行去，不远处早有马车在候着。

想来不过就是浅醉居、邀月楼、龙泽湖。我也不多问，吭哧吭哧爬上马车，然后实在无聊就将头枕在狐狸的腿上，继续打瞌睡梦周公。

"浅浅，醒醒，浅浅。"不知睡了多久，似乎有人轻拍我的脸，而且听声音似那只狐狸。我费力地睁开眼，看着眼前那张妖孽的脸，大脑有几秒钟空白。

"浅浅，到了。"他又伸手轻轻拍了拍我的脸颊，笑道。

到了？我终于回过神来，左右环视了一圈，立马拉过狐狸，躲到他身后，怪声道："来这里干吗？"

Look，太阳都快要下山了，狐狸带我来这公墓干吗？不对，不是普通的公墓，是极尽豪华极尽奢侈极具气势的公墓。

"来看母后。"他紧紧地握住我放在他腰际的手，将我拉到他身边，认真道。

我心里一颤，这里竟是皇陵！抬眼又打量了一下四周，陵园外有侍卫把守，陵园内高碑林立，上刻龙纹，一座墓穴就是一座小宫殿，殿匾上分写着葬着的龙曜国历代皇帝与皇后的名字。按龙曜国的皇家典制，皇帝皇后合葬一个墓穴，而妃嫔是没有资格葬在皇陵主墓园的。

"走吧。"他将我的手又紧了紧，抬脚往前走去。

　　我用心细数，行至第十七座墓前，也是这皇陵主墓园里最新最靠里的一座墓，墓碑上赫然写着龙曜明德皇帝与纯惠皇后墓。狐狸敛神，一撩衣摆，双膝跪下，我依样跪在他左侧，从始至终，他的手都没有松开我。

　　"母后，儿臣来看您了。"他拉着我一起叩首，直起身时看着我道，"母后，这是儿臣的皇后，您的儿媳，她叫浅浅。"

　　他依旧是"母后"、"儿臣"的称呼，仿佛他的娘亲还是皇后娘娘，而他依旧是少年太子。他的声音平静，看着我的眼里一片安然。我心里一暖，敛了锋芒的狐狸，让人觉得安全可靠。

　　"浅浅拜见母后。"我跟着他弯身伏地叩首。

　　他拉起我，与我并肩站在纯惠皇后墓前，两人都没有说话，狐狸也没有示意我向他父王行礼。

　　太阳渐渐西沉，那一轮浑圆火红低低地挂在天上，似将这皇陵染上了一层金色。

　　"大哥。"我将头轻轻靠在他的肩上，他顺势环上了我的腰，我轻声道，"大哥，我姓林，叫林浅浅。"

　　他放在我腰际的手紧了紧，然后侧过头在我发顶上轻轻印下一吻。脖子上微凉，我知道是凤兰玉佩。他不语，径自松开了我，在我颈后打了个结。我眼眶微湿，他却拉过我的手，看着我轻声道："我们回去吧。"

　　我点点头转身，整个人蓦然一颤，身子不由得靠向狐狸。我们身后不远处，不知何时站着一个妇人，衣着简朴，神情狼狈，却不难看出她姣好的面庞与玲珑的身材。

　　这样一个妇人怎么会出现在守卫森严的皇陵里呢？狐狸安慰地向我笑笑，看向那妇人时，桃花眼变得很凛冽，浑身上下都散发出一股迫人的气势，却又在瞬间归于宁静，拉着我的手，继续往回走。

　　"你……"

　　"她……"两个声音同时响起，我才说了一个字，便惊觉自己已经被人拦腰抱了起来，晕乎乎地似转了个圈，待双脚着地时，赫然看到那个妇人手抚胸口斜斜地坐倒在地上。

　　狐狸身上的杀气早已隐去，取而代之的是慵懒与随意，拉着我缓缓踱步至那妇人跟前，居高临下，声音冷冷地道："再说一次，你要称呼朕为皇上，行三叩九拜之礼。这几年待在陵园，你竟还没绝了出去的妄念吗？"

话到最后，声音里已有明显的嘲讽之意。那妇人轻咳了几声，嘴角已有鲜血淌下，神情清冷，眼神中却带着怨毒狠狠地盯着狐狸，张了张口似想说话，一字未语，陡然喷出一口鲜血。

狐狸不再理她，拉着我转身继续向外走去。我脑中反复浮现妇人清冷的神色与怨毒的眼神，似曾相识却又想不起来，徒然让自己心惊。直至上了马车，我还是理不清思绪。

"你怎么了？她只是一个不可饶恕的罪人，浅浅不要多想。"他将我圈在怀里，伸手抚平我微皱的眉头。

我拉过他的手，闷闷地道："大哥的武功是不是很好？"

从他夜入天青皇宫就知他武功肯定了得，不过这还是我第一次看见他出手，而且很明显的是，他没用多少功力就让那个妇人口吐鲜血。

"如果是，不好吗？我还以为浅浅是希望大哥武功越高越好。"他的桃花眼灿若星辰，打趣道，"莫不是浅浅怕大哥什么都好，自己有些惭愧心虚不成？"

"去去。"我连忙伸手，滑下他膝盖，赶苍蝇似的挥了挥手，方低头愧疚道，"凤兰玉佩的事，对不起。"

他深深地看着我，认真道："浅浅是因我去的天青，历经那些苦与痛、生与死，又何来抱歉之说？"

我怔怔地望着他，忍不住扑到他怀里。忽然想起小白，我忙抬头问道："小白……"

狐狸眼里的锐利一闪而过，快得让我怀疑只是幻觉。

"大哥，"我忙握住他的手，哀求道，"你和他之间的是非恩怨我不管，但求你原谅他劫我出宫这件事。他曾救过我，帮过我，这一次虽存心骗我，但并没有伤害到我，我也不怪他。此事之后，我再不会与他交心，只求大哥切莫因此事而打乱了以前的计划。还有，我曾答应过他，关于流言的事，我自会还他一个公道。"

如果当时我没有被劫出宫，或许现在我已与狐狸成婚，而不是像现在已有夫妻之实却无夫妻之名，才相聚却又要别离。一想到马上又要赶回修若，我便黯然低头。

"没想到皇宫里，还藏着大秘密。"狐狸不回答，一只手突然抚上我左手的小

指，在那道护魂留下的疤上来回打圈。

皇宫里的秘密？难道龙曜皇宫里也藏着不为人知的秘密？这秘密可与曦岚说的天青皇宫的秘密有关？若有，狐狸一直都不知道吗？难道老皇帝只将这秘密告知了小白？如果真是如此，那么小白口中的遗诏会不会是……

"浅浅在想什么？"他低头凝视我，略有些困惑。

"没有。"我急道，话音未落，连自己都觉得自己否定得太快了，忙掩饰地笑笑，脸色一沉，怅然道，"修若的盟书定了吗？我还得赶着送回去。"

他突然轻笑出声，伸手，取下我头上的发簪。我的头发瞬间披散开来，他又习惯性地将头发绕在手中把玩，微一用力，拉着我贴近他的同时，嘴唇已贴了上来。辗转缠绵，在喘气的间隙他似含糊地道："盟书早已派人送过去了。"

在我的强烈抗议下，狐狸好歹允了我回云府，不过那厮居然恶劣地说晚饭后会来接我回宫。我拍拍屁股跳下马车，然后愤愤地踹了马车一脚，顾不得云府门外侍卫的行礼问候，就急急地向西枫苑走去。

唉，云老头不在，哥哥也不在，我就成了没人管的孩子了，所以我夜不归宿做了出轨的事，也不能全怪我，如此一想，顿感安心了许多。或许是夜风交代过翠儿，所以我回到西枫苑的时候，翠儿那话唠竟少见地没有问东问西。我牵挂着夭夭，第一时间跑去看它，刚推开门，我就被它扑倒在地，脸还被它当成肉骨头舔了个遍。

"夭夭，夭夭……"我抱住它，亲昵地叫它。

我问了王安，还好夭夭没闹脾气，除了窝在屋里不搭理人，一切正常。我放下心来，一边与它玩闹，一边问王安我不在的时候可有事。

他看了我一眼，探手入怀，将一封信双手递到了我跟前。我接过一看，信封上书"月儿"两字，竟是哥哥的笔迹！我忙打开，果然是云风的信，大意是他进入修若国境，才知我回了龙曜，无奈既已成行，就算即刻回来也赶不上娘亲的十周年祭了，所以索性留在修州，只说他一切都好，让我不要担心，催着我祭祀之后尽快回修若。

信中只字不提他的相位及一应交代，和狐狸一样，对于这件事，两个人似都不愿提及，可又不像有过争执的样子，所以我下意识地认为，这二人之间肯定有我不知道的内幕，或者说是交易。

张德与那编号为四的小头领试探地问我何时起程回修若，我只道差事未完，他俩也就不敢多话了。晚饭后没多久，夜风就提示说狐狸已经在云府外了，我撇了撇嘴，瞪了他一眼，虽说现在我是他的主子了，但他对狐狸的行踪依然比我清楚，那我心里就相当不平衡了，只是不知这不平衡是因为夜风比我更清楚狐狸的行踪，还是因为夜风清楚狐狸的行踪胜过清楚我的行踪。我郁闷地摇着头往外走，没走几步，就动弹不了了。我诧异地回头看身后，原来是夭夭咬住我的衣摆不松口。

"呃，夭夭，我有事出去一趟。"我好言好语，心里微微有些愧疚。

它松口，一声怒吼，身子已窜到我跟前，拦住了我的去路。

"呃，我真的有事啊，夭夭乖。"我伸手拍了拍它的脑袋，哄道。

它理也不理，兀自甩起了它的长金毛，狂吼着，一双金眸热切而固执地盯着我，丝毫不管我软的硬的哄的骂的磨的，结果我使尽了十八般口才，依然不能换回它一个点头同意。

我最终叹了口气，问道："难道你要跟我一起去？"

这怪物竟还真的点了点头，没推辞，更没有半点不好意思。点完头转身，趾高气扬地走在前头。我顿时有些哭笑不得，夜风早已满脸黑线，却硬是强忍着没吭声。当我出现在狐狸眼前时，他难得地皱了皱眉毛，抽了抽嘴角。

夭夭如愿地跟着我，倒破天荒地没对狐狸发飙，夜风又回到了神龙见首不见尾的状态。我与夭夭、狐狸坐在马车里，想着自己身边是两只绝世大怪物，想着狐狸与夭夭其实是一伙，我笑得越发没形象了。

"晚饭陪纤绘公主一起吃的？这么快？"在狐狸的桃花眼半眯着盯了我有两分钟之久，而且越盯眼眸越深邃，脸上的笑容却越慵懒的情况下，我不得不收敛一些。唉，每当狐狸现出这副表情的时候，可比出口警告更让人有危机意识。

"嗯，有沉谊在。"

也不知道这公主是怎么想的，狐狸摆明了是在敷衍她，她怎么就不知难而退？当然狐狸陪她吃饭我还是可以理解的，毕竟他想将她多留在龙州一些时日，好歹给那纤绘公主一些幻想的空间。

"其实那纤绘公主也是个美人呢。"我中肯地评价，并努力想象那假男人穿女

yunzuiyueweimian

411

装的样子。

他却不答，转而打量着我身旁的夭夭，若有所思。我示威地搂住夭夭，突然觉得有夭夭在身边，狐狸的手和嘴好像就不敢使坏了，哇哈哈哈。

到了宫里，我先安抚了夭夭，将它安置在狐狸寝宫最左侧一间闲置的房间里，才掩了门走出来。

狐狸坐在书桌后，正在批阅奏折，我走到桌旁，替他研墨。

"浅浅。"他突然放下奏折，伸手抱过我，让我坐在他怀里。

"嗯？"

他伸手将书桌正中的抽屉打开，里面赫然是一块红缎布。我心中大概明白，伸手掀开红缎，下面是一道圣旨。不用看我也知道，就是那道我来不及盖上玉玺的婚旨。我心里有种说不出的感觉，微颤着手打开，眼睛望向圣旨左下角，赫然看到那枚大红的玉玺印。

"大哥……"

他突然将我转过来，用鼻尖轻触了触我的鼻端，脸上浮现出那抹熟悉的慵懒笑意，道："那日浅浅来不及亲手盖上，只能大哥代劳了。"

我闻言轻笑，转身将那道婚旨放回原处，然后关上抽屉，环着他的脖子，撒娇道："你还欠我一个隆重的浪漫的感人的正式的求婚仪式。"

他但笑不语，抱着我起身，然后拉着我一径往里走。我使劲甩了甩他握着我的手，疑惑道："还有那么多奏折没批呢，不批了吗？"

话音刚落，他站定，我转过头，一下惊呆了，用手捂住嘴，才没惊呼出声。狐狸这妖孽不知哪根筋搭错了，偌大一张龙床上，竟铺满了一种不知名的红花，形似兰花，却热烈似火，竟有碗口大小。仔细一看，竟铺成了两颗交错的心形。

"这……这……"呜呜呜，这种浪漫的伎俩，这妖孽是从哪儿学来的？

"这算是隆重的浪漫的感人的正式的求婚仪式吗？"他满意地看着我惊讶的表情，桃花眼里是满满的笑意。

"嗯。"我头点得似小鸡啄米，呜呜呜，这该死的臭狐狸，一准儿是狐狸精变的，不然哪有他这种会讨女孩子欢心的皇帝啊！

"那浅浅愿意嫁给我吗？"他双手环胸，懒洋洋地问道，好像一点也不担心我会拒绝。

或许是我被那浪漫的气氛迷晕了，竟然想也不想地就点了点头。转念一想，不点头能怎样？昨晚就等于点头了，今天再矜持，那就显得太假了。

　　"浅浅。"他轻呼我的名字，我侧过脸看他的时候，已经被他打横抱起，平放在床上那两颗心形的花丛中。我被周围似有若无的清香迷惑，触目所及的火红映红了我的脸，灼烫了我的心。

　　缠绵之后，听他说着安排。盟书已派人快马加鞭地送回修若，至于我暂时不回修若，他说他自有安排，老老头和云老头都不会怪我，也不会执意派人将我送回修若。我虽觉得不可思议，但想着狐狸自有打算，就安下心来。寒星如今还蒙在鼓里，只怕要等叶苍和修若兵临城下才知此战事，那时再派人向天青与龙曜求救，到时候就算天青与龙曜同意出手相助，待两军"围叶救寒"时，叶苍、修若已攻打寒星，说不定还攻下了几座城池，届时叶苍发现不妙若想撤兵护国，修若恰好断其退路，甚至如果天青、龙曜攻打叶苍不利的话，修若还可以加派兵力一起攻打。

　　至于狐狸说的纤绘公主的利用价值，应该是在顺利攻下叶苍后的下一步棋子——顺取寒星，又或者早在叶苍、修若攻打寒星的时候，就会利用她来更快地攻破寒星。

　　我打着哈欠，无聊地在他胸口画着圈圈。暂时不回修若，对我倒是一件乐事，如果永远不用回修若，那就更是一件大乐事了。

　　"还欠浅浅一场婚礼。"

　　他看着我微微失神，半晌方怅然道："我不想浅浅心有遗憾，而且也想名正言顺地娶浅浅为后，接受天下万民的祝福，所以这场婚礼，只怕还需时日。浅浅会怨大哥吗？"

　　我摇了摇头，这两日的蜕变，是身体的蜕变，是心灵的蜕变，更是两人关系的蜕变。也只有这样，才能更深刻地了解狐狸，看到他温情的一面、热情的一面以及偶尔无奈的一面。

　　他侧过身拥着我，一只手在我背后轻抚，这一次无关欲望。

　　我刚入睡不久，耳边就传来怒吼声、尖叫声、求饶声，等等。我迷迷糊糊地睁开眼睛，看到狐狸已经起身穿好衣服，似感觉到我醒来，回身在我眉间落下一吻，轻声道："你继续睡吧，我去看看。"

我乖乖地点头，待他离去，慌忙起身穿衣。如果我刚才没听错的话，怒吼声应该是夭夭发出的，尖叫声分明是女声，汗！夭夭不会行凶吧？

我随便找了件狐狸的衣裳套上，虽然衣服袖子哪儿哪儿都长，但我也管不了这么多了，反正他的寝宫里一般无人，我来了之后更是连鬼影子都没见过，索性赤着脚跑到外面，反正我也是偷偷观察一下外面的形势。

一路往左，在关夭夭的屋子前我止步，趴在窗口向里看去。

下部

第三十九章·试探

任何时候，任何情况，任何理由，都不可以利用我！

我晕，这是什么情况啊？那该死的假男人此刻竟窝在狐狸怀里一把鼻涕一把眼泪地痛哭，貌似受了不小的惊吓，身子还一颤一颤的。顿时，我有种过去将这章鱼般缠着狐狸的假男人扔到南极去的冲动。

假男人身着玫瑰红轻罗绸缎，此刻头发微乱地靠在狐狸胸前，一副梨花带雨惹人怜的娇弱模样。不过她这身打扮，这个时辰，怎么会突然出现在狐狸的寝宫？而且还出现在最左侧这间临时关了夭夭的屋子里，太诡异了吧？

狐狸轻轻地拍了拍她的背，似凑近安慰了几句，然后不着痕迹地将那假男人推开了。此时屋子里只余狐狸、假男人、李福，还有夭夭。对了，夭夭！刚才的怒吼声不是夭夭发出的吗？怎么现在这么安静了？

我抬眼立即搜寻夭夭的踪影，赫然看到它躺在一旁，似感觉到我的气息，朝着我的方向，呜呜低咽，竟有委屈之意。我心里一慌，顾不得其他，一脚踢开门就向夭夭跑去。

"夭夭！"我一下子扑到它跟前，然后手忙脚乱地检查起来，头、脖子、身子、四肢，一直检查到它的左后腿，才发现问题的所在——夭夭的左后腿竟然不停地流着血！我心一痛，蓦地起身，几步走到假男人跟前，在她还来不及反应时，扬手狠狠地甩了她一个巴掌。

啪——声音响起的时候，在场的人都怔住了。

"浅浅！"狐狸拉住我轻喝的同时，假男人已经醒悟过来，捂着脸大哭起来。她看我的眼神明明带着憎恨与暴怒，却没有冲上来反手回我一巴掌，这倒是难得。我冷笑，看着狐狸转过脸看向假男人，猛地甩开他的手，几步走回夭夭身边，一边大声叫道："夜风，夜风！"

"主子。"夜风闪电般出现在我眼前。

"帮忙看看夭夭的伤口，有毒吗？严重吗？"我一边说一边弯下身，小心地扶着夭夭的腿，示意夜风。我知道夜风这般武艺高强的人，总会懂些医学常识的。

他没有丝毫犹豫，更没有看狐狸，弯身伸手，将夭夭腿上的毛轻轻挑至一侧，察看长金毛掩盖下的腿伤。我紧张地看着夜风与夭夭，丝毫不理会狐狸与假男人。

夜风给夭夭检查伤口的时候，血还在汩汩地流着，仔细一看，夭夭的腿上竟有个血窟窿，不大，却很深，仿佛用某种类似发簪的利器刺穿过。

"夭夭，"我心疼地抱着它，眼泪猝不及防地落下来，一迭声哽咽道，"是不是很疼？是不是很疼？夭夭，对不起，对不起……"

"主子，没毒，伤口深了点，但没伤到筋骨，不碍事。"夜风边说边伸手探怀，摸出一个小药瓶，然后在夭夭的伤口上倒了些药，又从自己的衣摆上扯下一条布，给夭夭包扎起来。

"龙曜王，这只怪物袭击本宫，您不替本宫讨回个公道，竟还由着她掌掴本宫，本宫不依，本宫这辈子都没受过这种屈辱。"

假男人的哭声传来，还有她那不甘心不情愿而又委屈难过的不平，却闭口不提她深更半夜出现在夭夭的房里所为何事。我理也不理她，轻抚着夭夭的长金毛，只在一边小心哄着夭夭："夭夭，还疼吗？不疼的话，我们回家。"

夜风已经包扎完毕，我跟着他起身，依旧背对着身后的人，只看着夭夭，鼓励道："夭夭，能起来吗？站起来试试。"

夭夭直着左后腿，似有些费力地站起身，晃了晃它的长金毛，伸出舌头舔了舔我的脸。我擦干眼泪，一步一步后退，引着它一步一步向前。

身后蓦地有温暖的气息，我只顾着后退，不小心竟跌入了那个熟悉的怀抱。我来不及挣扎，他已搂着我转过身，向那假男人道："公主不该深夜进入朕的寝宫，因着皇后仁慈与喜静，朕才下旨撤了寝宫的侍卫，不然公主这样跑来，只怕早被侍卫当成刺客就地正法了！"

狐狸的声音彬彬有礼，却有种疏远的气息。

"你……"刚才还哭得花枝乱颤的假男人似没料到狐狸能这样说，一时语塞，回过神来却是指着我道，"还未大婚，你竟然做出这等不知羞耻的事来！"

我闻言不怒反笑，往狐狸的怀里靠了靠，方懒懒地道："公主半夜爬窗，不就是想着能发生一些不知羞耻的事吗？"

我明显感受到靠着的胸部强烈地起伏了一下，然后归于平静。而那假男人已经气得说不出话来，指着我的手轻颤了颤，蓦地一甩手，转身就向外跑去。

"李福，好生送公主回去，再不可发生今晚之事。"狐狸向李福低声吩咐，然后一弯身打横抱起我，就朝里屋走去。

我在他怀里挣扎，他微一用力就箍紧了我，轻叹道："秋凉了，出来也不穿鞋子。"

"放开我，我要回云府！"我继续挣扎，抗议。

"浅浅……"他将我放在床上，声音里微有丝无奈。

"龙翔煜，你明知那纤绘公主心怀不轨，明知她对夭夭有所图，你为什么不阻止？"我猛地从床上坐起，抓起他的手狠狠咬下。

有一抹痛楚缓缓蔓延至全身，狐狸不可能不知道那假男人的底细，不可能看不出她会武功，不可能看不出她晚上跑到他的寝宫是为了夭夭而来。那么假男人会留在龙州，是不是因为夭夭——修若的圣灵兽难得地出了修若皇宫，来到了龙曜？

他任由我咬他，待我哭着说完，方拥我入怀，一边轻轻地拍着我的背，一边安慰道："浅浅，夭夭是你带到皇宫的，我先前不曾得知。我曾怀疑纤绘公主的动机，但直到刚才，我都不敢肯定她的目的究竟为何。浅浅，你不可以因此怀疑我，不相信我。"

我的眼泪流得更凶，头埋在他怀里，半晌方闷闷地道："大哥不可以利用我，任何时候，任何情况，任何理由，都不可以利用我！"

他的身子似轻轻一颤，双手更加用力地将我的头紧紧按在他怀里，下巴却在我的头发上来回磨蹭。

好半晌，我才止住哭，费力地抬头，嘴唇不经意间触到他的下颌，似有一抹微湿的感觉。我伸出舌头轻舔了舔，微咸微涩。

这应该不是我的泪，或许，也不应该是他的汗。

两个人，谁都没再开口说话。

第二日一早醒来，他已去上早朝。我起床，洗了个澡，换了身干净的衣裳就急急跑去看夭夭，却意外地看到了夜风。

"它不肯吃东西。"夜风看到我的第一眼就急急说道。

"小夜，麻烦你将东西端过来，我来喂它。"我向他点头致意，然后跑到夭夭身边，抱着它问道，"夭夭，伤口好些了吗？还疼吗？"

它舔了舔我的手，然后摇了摇头。我接过夜风端来的大骨头，一根一根喂着它吃，又让它喝了点汤水，这才洗了手给夭夭换药。

伤口已不流血，但窟窿还清晰可见，遥想我初来的时候还是个晕血的人，到如今我已能坦然处理夭夭的伤口，清洗，换药，包扎完毕，这才拍了拍手，冲着它笑道："夭夭，闷坏了吧？今天我们出去走走。你腿上有伤，我们就在门口，不走太远。"

它起身，金色的眸子热烈地看着我，身上又有了那种圣灵兽独有的高傲的姿态。

"主子，纤绘公主在寝宫外等你很久了。"

这是哪门子的事，假男人在寝宫外等我？还等了很久？

"夭夭，以后不管在哪儿，不管我交代过什么，若有人想伤害你，记得一定要不顾一切地保护自己。"我弯身向夭夭叮嘱着，然后起身示意它慢慢地跟着我往外走。

它有些趔趄，金色的眸子却是坚定的，微仰着头，姿态高贵。

我与夭夭走出狐狸的寝宫，夜风紧随身后，寝宫外守着的一应人等早已跪身行礼。我抬眼看向不远处的假男人，那假男人显然是等了不短的时间，脸上已有不耐烦，而寝宫外的侍卫、宫女、太监却无一人进来通传。

她看到我明显一愣，继而迎了上来，脸上浮现出过于亲昵的笑容，竟向我盈盈行了一礼，起身方道："说起来，纤绘还得称您一声汐月皇姐呢。"

我抖落一身鸡皮疙瘩，干笑着回道："客气了。"

她不说，我差点忘了自己还是天青的公主。唉，你说能跟天青王扯上关系的，除了曦岚是我喜欢的人之外，咋就没一个人能让我觉得亲切呢？偏生这天青王又硬收了我做义女，上哪儿都能冒出一个我不待见的亲戚，真让人恶寒。

说起曦岚，也不知如今他怎样了，一直没有他的消息，而凤兰玉佩的事一定有蹊跷。曦岚，发生什么事了吗？

"皇姐，昨晚的事是纤绘不对，还望皇姐大人大量，莫再生纤绘的气了。"她看了看夭夭，又打量了一下夜风，施施然道。

我心中警铃大响，脸上依旧是虚虚的笑容，"若是为这事，你便退下吧。"

她的眼里闪过一抹怒色，复又没事人一般，上前欲挽我的胳膊，我轻松避开，她却忽然笑道："纤绘向皇姐示好，也不过是想以后好好相处罢了，皇姐又何必这么绝情？"

"以后好好相处？"我笑得更开心了，话却不留情，"公主真想好好相处，昨晚又何必如此？久闻公主文韬武略皆不输男儿，昨晚竟为何这般冲动？"我抚了抚夭夭的长金毛，盯着她，"公主冒着生命危险取圣灵兽的鲜血，究竟是想做什么？"

夭夭腿上的伤口那么深，那假男人手中又没有利器，想必是早就藏起来了，而她身上甚至连滴血都没有，显然是蓄意为之。她有备而来，又不取夭夭的性命，只怕那件利器也是特制的。

她的眼里有一丝慌乱快速闪过，脸上的笑容却丝毫不减，状似无辜道："纤绘不懂皇姐在说什么，昨晚纤绘受到惊吓，只不过下意识地保护自己而已。"

"不管你是真不懂还是装不懂，从这一刻开始，若胆敢再打夭夭的主意，我可不管你是什么寒星的公主。你是他的贵宾，对我来说，却只是个麻烦。"我说完也不理她，示意夭夭跟着我向小花园走去。

"等等。"她几步跑上前，伸手拦住我的去路，急道："纤绘真心想和皇姐和好，日后我们共侍一夫，就是一家人，皇姐又何必拒纤绘于千里之外？"

"共侍一夫？"我嗤笑，纠正道："你若想与我共侍一夫，我们便注定只能是情敌，又何来一家人之说？"

我示意夜风拦下她，自己继续与夭夭向前走去。

回来的时候假男人已不见了，我轻声嘱咐夜风，让他派人时刻盯着假男人，不让她有任何使坏的机会。

我提笔给曦岚写了封信。本来想着曦岚醒来，我就转身离开，我既然无法回应他同等的感情，那么从此不再联系也不是一件坏事。可是凤兰玉佩的事处处透着诡异，我心里还是有些担心的，将信交给夜风，交代他让穆默（穆清林派来保护我的那几个侍卫之一）将信送到天青，顺便打听一下曦岚的情况。

临近中午的时候狐狸才回来，他的脸上微有疲惫，不知是休了一天的假致使今天朝堂之事较多，还是昨晚没睡好。

我心中向来放不下事，也没有记隔夜仇的习惯，再则仔细说来昨晚的事也不是狐狸的错，我甩了纤绘公主一巴掌，他并没有指责，已是对我的宽容了。

于是，我立刻迎上去，挽住他的胳膊拉他坐下，小心地给他捶着背，一边唠叨："大哥是不是累了啊？要不先去睡一会儿，醒了再吃饭？"

他见我如此，神色稍霁，将我抱在他腿上，又一手解开我的头发，挑了几缕来回在手指上缠绕，脸却埋在我的肩窝，半晌方抬头直视着我，正色道："浅浅一定要相信大哥。"

我想起昨晚说过的话，心中不由得一软，点了点头，轻声道："对不起。"

"只要浅浅相信大哥，跟大哥一样，不管遇到什么事都不会放弃、不会逃避就行了。至于其他，浅浅想做什么爱做什么，都不必说对不起。"他的手抚上我的脸颊，轻声道。

"嗯。"我应允，许下自己的诺言。

一连几天，夜风回报说假男人那边没什么大动静，不闹也不吵，更不计较狐狸天天陪着我、偶尔才理理她，只缠着沉谙在龙州城到处闲逛。

算时间盟书也该送到修州了，只是不知老老头和云老头是否真像狐狸说的，不计较我暂时留在龙州。倒是云风后来又写信过来，催促我尽快离开龙州回到修若。

这三方我都没太当回事，念叨着穆默何时回来，夜风只说还未归。如此又过了几日，无聊得我都快闷死了，一天十二个时辰不离狐狸寝宫五十米，简直就成了狐狸"金屋藏娇"的女主角。

"晚上去曲苑，或者龙泽湖。"我撅着嘴道。

唉，一失足成千古恨啊。

我一直以为狐狸是个自恋狂，自恋狂一般都很骄傲，骄傲的人一般都很爱自己，爱自己的人一般花在自己身上的时间远远多过别人。可是没想到啊没想到，这臭狐狸就是一块牛皮糖，自打粘到我身上就怎么也甩不下来了，又甜又腻，与我的预期差了一个筋斗云的距离。

"我对浅浅在天青表演的艳惊四座的孔雀舞比较感兴趣。"才吃完饭没多久，他就又躺到了龙床上，托着脑袋看着我，道。

"你不跟我去，我找二哥陪我。"说起二林子，我都有多久没见他了啊？

"好啊，看清林会不会答应。"他笑得越来越暧昧，声音慵懒。

"呃，此话怎讲？"印象中的清林可是有求必应的啊。

"我想可能是因为浅浅的身份变了吧。"他懒懒的语气活像个偷腥成功的懒猫。

"呃，身份变了？没道理啊，我还是我啊，他跟你都是兄弟相称的，没道理对我就区别对待了。"我想不明白了，一屁股坐到床上，困惑地道。

"自然不一样了，浅浅可是要母仪天下的。"他斜挑着桃花眼看着我，神情说

不出地暧昧。

呸！我在心里暴了声粗口，话到嘴边，好歹又含蓄了点，"母你个大头！你别跟我说，从此跟清林就是君与臣，后宫与朝廷了啊。"

"我倒希望如此。"他学着我最爱的样子，身子靠在被子上，双手交叉环在脑后，还跷着二郎腿，优哉游哉的。

"臭狐狸，你太可耻了。"我噌地站起身，指着他，颤巍巍地道。可耻啊阴险啊狡猾啊奸诈啊，前几天还说我爱干吗就干吗，现在不仅不让我出宫，还想让我当贤妻良母一代贤后，男人的甜言蜜语果然只能打一折听听。

"唉。"他也从床上一跃而起，揽着我，一手贴近我的肚子，佯装紧张道，"浅浅，小心点，现在你的肚子里说不定已经有了我们的骨肉。"

我怔怔地呆了足有十秒钟，终于猛地推开他，就急急往外跑去。天哪，狐狸这娃疯了，才几天啊，就想着有小狐狸了？！

"浅浅，跑慢点，其实重点是你得说服清林，他的思想有时候挺顽固的。"他的声音从身后传来，我停下，转身，看着他慢悠悠地踱步过来，一脸欠扁的笑容。

"我现在就去给他洗脑，让他从此脱胎换骨。一句话，你去还是不去？"

"去，怎么能不去？难道让自己的妻子与别的男子单独幽会？"他说得一脸坦然。

我险些当场吐血，满脸黑线，待他走近，抬腿就是一脚，却被他轻松避开。我撇了撇嘴，再次怨恨自己没武功总是吃亏，转身向前走去。

刚出寝宫大门，就见李福急急迎上来，对着狐狸一阵耳语，我一句也未听见，只看到狐狸的脸色微微一沉。唉，一准儿又有事了，我顿时没了兴致，一天十二个时辰接触狐狸后，才发觉做一个皇帝其实还挺忙的，特别是在这个多事之秋。

"浅浅……"

他甫一开口我就打断他，"知道了，你忙你的吧，今天晚上不出去了，行不？"

"我派人送浅浅回浅醉居吧？"他面有犹豫，终于开口。

我耸耸肩，表示同意。说过相信他的，那对他做的安排自是不疑有他。这几天我也在皇宫待闷了，去浅醉居散散心也好，"可以找二哥聊天吗？"

"我与清林有事商议。"

"哦，那你们忙吧，等有空再给二哥洗脑。我和夭夭先走了，有夜风在，大哥不用担心，派辆马车送送我们就是了。"

我有些好奇，难道狐狸说的事与这皇宫有关？不然送我回浅醉居干吗？

马车出了皇宫就向浅醉居的方向驶去，我犹豫了一下，掀开车帘示意驾车的侍卫回云府。浅醉居既没狐狸，也没清林，云府好歹还有翠儿、王安在。

下部

第四十章·再见曦岚

本王不喜欢被人直呼姓名，还请姑娘自重。

刚踏进西枫苑，耳边就传来翠儿和衍儿唧唧喳喳的声音，她们正背对着我坐在苑子里说得兴致勃勃，似在讨论某一个人，连我进来都未发觉。我示意云耀、云辉别出声，边向里走边听她们在说些什么。好像是晚饭时翠儿带着衍儿去吃龙州小吃，回来的路上，翠儿似乎看到一个神仙般的人物，而可怜的衍儿由于人生地不熟，所以两只眼睛光顾着看街两边的商铺，待翠儿回过神来拉着她一起看的时候，那仙人已只余一抹背影。

翠儿直将那人夸得天上地下绝无仅有的英俊潇洒，好像连神仙看到他都要惭愧得羞红脸。唉，明明翠儿也是见过世面，或者说是见过狐狸的人，怎么还能有人让她只一眼就花痴成这副模样的？

等等，神仙？我一下子跑到她二人跟前，一手拉住翠儿，急问道："那人穿什么颜色的衣服？"

翠儿和衍儿这才看到我，又见我这般紧张，慌忙跪在了地上，还以为在一边说三道四没看见我进来惹我生气了，直喊"公主恕罪"。我松开手，缓了缓神色，向她们摆了摆手，示意她们起身，微笑着温和地道："我只是想问问那个人穿什么颜色的衣服。"

翠儿见我笑了，似才有点反应过来，摸了摸头，讪笑道："小姐，那人一身白衣飘飘，骑着一匹白马，好像仙人下凡。"

曦岚！难道是曦岚来了？除了他，还能有谁是这身打扮有这种气质，能得如此评价？

我的心没来由地慌了一下，一时间矛盾极了，脑海里闪过无数个念头，最后只剩一个：曦岚是为何而来？狐狸突然让我回浅醉居，与曦岚的到来可有联系？

"夜风，你去打探一下曦岚住的客栈，还有，穆默怎么还没回来？"如果真是曦岚，他都到了龙州，穆默怎么还不回来复命？

"他刚回来。"这小子眼睛眨也不眨地回道。

"呃，快让他进来。"我忙道，夜风倏地消失，没过几秒，穆默就出现了。

我开门见山地道："曦岚到了龙州？"

"是，刚到。"

"我让你交给他的信呢？可有回信？"

"属下将信交给天青六皇子，可他看了并没有复信。"他据实禀报。

"呃，怎么会这样？天青那边可有什么变故？关于汐月公主，可有什么传闻？"曦岚看了我的信，竟一句话也没有，这一点颇让我奇怪。好像自从他重伤昏迷醒来后，他身上发生的事处处都透着诡异。

"并没听说什么传闻，只是天青六皇子的前朝势力突然变得很强大，而天青四皇子似乎被禁足在王府。"

我心里一颤，曦岚一向是不理朝政的，怎么突然有了自己的前朝势力？还有四皇子被禁足在王府又是所为何事？我心里的疑云更重，无奈再问穆默，却依然没有有用的消息。本来皇宫里的消息就是最难探听的，他又要赶时间，这一来一回，掐指一算，留在天州的时间也不超过两天，我只好作罢。

夜风很快来回报，说是曦岚住在揽才阁。我心中一惊，安抚了夭夭，就示意夜风跟我走一趟。

揽才阁位于长安街尾，闹中取静，离云府不远。我站在揽才阁门前，心里忽然涌起莫名的不安。这里曾住过龙曜国的第一批科举学子，当时我与狐狸、清林在殿试前几天特意来此看看，竟没想到那时的一次小辩论不仅识得了现为尚书的沉谐、慕醉和陆程里，还引起了曦岚对我的注意。回忆，好像很近，又仿佛已很久远，但我依然记得初见曦岚时他那双清澈的眼眸，虽然易了容但依然脱俗的气质。

夜风站在我身边，并没有出声，倒是掌柜的看到我，竟然迎了出来。虽一年多未见，我又穿着女装，他看到我依旧下意识地迎出门，脸上的笑容微微僵硬了一下，似乎才发觉认错了人，讪讪地道："客官，里边请。"

我深吸一口气，抬脚入内，心里的不安却越来越强烈。

"夜风，曦岚住在哪里？"我径直往里走，低声问夜风。

"后庭独院。"

我往二楼走的脚步又折回，转身向大堂最左侧走去。

"客官，客官对不住，后院已被人包下，不能再住客了。"掌柜的慌忙跑到我跟前，小心地赔着不是。

"小夜。"我轻声道，抬脚继续往前走。

夜风心领神会，身边就再也没有了声音。我低头径直往里走，穿过弄堂，视野突然开阔起来。一条小径，两边桂树飘香，雏菊半放，小径彼端，楼宇亭台，错落有致。我沿着小径往前，心里一时有种说不出的感觉，期待？不安？犹豫？害怕？突然下意识地抬眼看向左侧，一个白色身影背对着我站在一棵银杏树下，恰有一片银杏叶飘落，回旋翻转，至他身侧，却被他两指轻轻夹住。

"曦岚！"复杂的心情在看到他的背影后突然消失无踪，只剩激动与开心。左右无人，我提起裙摆跑向那个白色身影。

他转过身，手里依旧把玩着那片碧绿的银杏叶，仔细看了我一眼，声音温和，却有丝疑问："你？"

"曦岚！"我根本没留意他的疑问，声音突然哽咽，眼眶湿润，忍不住扑向他怀里，"曦岚，你没事就好，没事就好！"

没有温暖的怀抱，我扑了个空，曦岚竟避开身，只礼貌地伸手扶住我，避免我因扑空而摔倒。

"曦岚？"我的眼里满含泪水，一时有些手足无措。

"不知姑娘是如何得知本王的名字，但本王不喜欢被人直呼姓名，还请姑娘自重。"他松了手，眉峰微蹙，神情中有丝几不可察的厌恶。声音是惯常的温和，却没有了那份温柔。

我第一次感觉到，那么温和的声音，竟能说出这么冷淡疏离的话。

"曦岚，我是微眠啊！"心里的不安与疑问似乎有了答案，我颓然坐在地上，眼泪忍不住流了下来。曦岚不记得我了吗？如果是这样，我是不是应该感到开心，应该替他感到开心？我应该明白，如果他真的忘了我，从此再也不会想起我是谁，对他应该是一种幸福，可是为何表明身份的这句话，还是脱口而出了？

"微眠？"他轻声重复，又喃喃了几遍，眼里闪过一丝混乱。

我压下心头纷乱的情绪，起身用衣袖擦干泪水，尽量笑得自然，"不知可否看一下六皇子的右手？"

他手中的银杏叶飘落，转而紧紧盯着我，眼里半是困惑，半是探究。沉默半晌，他终于开口："姑娘不仅知道本王的名字，竟还知道本王的身份。但本王初到龙州，理应不会有故人，且与姑娘素未谋面。如今姑娘只身出现在这里，直呼本王名讳，还说要看本王的手，姑娘不觉得你这样做有失体统吗？"他声音清润，笑容温和，但话里却满是生疏。

不是曦岚，他不是曦岚，他不是那个温润如玉总是温柔待我的曦岚！为什么会这样？曦岚是不记得我了，还是将过去的记忆都遗忘了？听说三军攻破望月皇宫的时候，天青元帅功劳显赫，那个时候曦岚的身体应该已经恢复，可他清醒之后就失忆了吗？所以当初昏迷中的我被送回了云府，曦岚却一直音信全无，最后一次与我说话的时候，他是那样坚持，坚持要我许诺，许诺在战争没结束前，不能离开他的保护。原来他是失忆了，不记得我了，所以，对于一个陌生人，他又岂会挽留，岂会挂念？

"听说三军共伐望月的时候，六皇子曾受重伤昏迷，我就是想来看看，看看六皇子的身体是否恢复了。"

"汐月？难道你就是父皇口中的汐月？你果然是第一时间跑来找本王的。"说到最后，他忍不住轻笑，笑容温暖，声音里的嘲讽却是那么明显，"或者现在该称你为醉月公主，修若的第一公主。"

我摇了摇头，不敢置信。曦岚为何会说出这样的话？我想开口辩解，想问他何出此言，可是又怕这样问了，会将他平静的心扰乱。遗忘我，或者恨我，好像都比记起全部的往事、将自己毫不保留地交给我要好得多，心中如此想，眼泪却猝不及防地落下来。我低下头，牙齿紧咬着下唇，不让心里的揪痛变成眼前的哭泣。

"公主当初就是用的这一招，将本王玩得团团转吗？"他右手猛地扣住我下巴，逼着我与他对视，黑亮的眼眸盛满怒意，脸上的笑容却依旧温和，好像那样的笑容是与生俱来的一种烙印，"本王就是被这样的一个你迷惑，可以为了你不顾一切，甚至连命都不在乎？今日看来，倒真的有点难以想象与理解了。"

我的眼泪落得更凶，心里分不清是痛、是愤，伸出双手用力扯下他握着我下巴的右手，视线也跟着移至他右手上。

"曦岚！"声音还来不及出喉，就被淹没在痛意中。我看到那圈圈缠绕在他小指上的护魂，更看到他右手背上，那一条触目惊心的疤痕——虽早已退了痂，但那抹深红清晰印证了当初那道疤的深刻！我忍不住轻触那道伤疤，又被灼烫般缩回。

他不说话，也不缩手，凝神仔细打量着我，脸上的笑容蓦地变深，揽过我，一个纵身，就到了银杏树上。

"曦岚！"我被扔在最上边的树杈上，下意识地抱住并不粗壮的树干，害怕地叫了声一身白衣站在另一个树梢上、坦然得犹如站在平地上的人，一时忘了落泪，也忘了问他手上的深疤是怎么来的。

"本王还有事要办，公主既然如此急着跑来找本王，该不会介意留在这里等本王回来吧？"他看到我害怕的神情，似乎很开心地笑了笑，然后又补充道，"不如醉月公主命你那侍卫停手吧，不然以他一人之力，结局只会是两败俱伤。"

在我开口前，他翩然而下，不一会儿，却见一身随从打扮的无印出现在我眼前，我侧过头看了看，身后没有曦岚。

"无印，你放我下去。"

话音刚落，眼前人影一闪，抬眼，却是曦岚，他不知从哪儿冒出来的，清亮的眼眸紧紧盯着我，闪着我看不懂的兴奋光芒，一只手轻抚上我脸颊，嘴角浮笑，叹息般道："你还认识无印？看来本王当初真的对你一往情深啊！"

他说完也不理我，只飘过来一句话，就消失无踪了，"无印，好好看着她。"

"夜风，住手！"我坐在树杈上，终于看到后院入口处纠缠的身影。既见无印，只怕曦岚此行带了不少高手。当初在芷兰宫，小夜欲闯而不得，就是因为芷兰宫的侍卫武功了得，以夜风之力根本不可能轻易摆脱他们来去自如，而眼下的情况，仅凭小夜一人，若要对付无印他们几人，只怕结果也真会如曦岚所说。

话音刚落，那纠缠的身影蓦地分开。我继续大声道："夜风，你在院外等着，我回头找你。不许硬来，也不许回去搬救兵，我不会有事。"

他远远地听着，终是没多说什么，朝我的方向看了一眼，然后回身往外走，很快消失在后院门外。

夜幕越见深沉，我坐在树上，抱着树干，战战兢兢地一动也不敢动。只好找无印聊聊，谁知他只是看着我，并不开口说一个字。

抬头望天，却是一轮弦月。揽才阁大堂隐隐地似有人声传来，想来外边还挺热闹，而我被扔在这树上，一时除了等曦岚回来，不知还能做些什么。时间慢慢过去，我迟迟未归，不知翠儿王安他们可会担心？张德应该不会派人来找吧？毕竟在最近这段时间我夜不归宿也是常有的事。想来真是惭愧，到了这里，生活倒是比以前更大胆了，以前在家里，十二点之前必是要回家的，没有提前申请，是不许在外边过夜的。

时间越久，夜越寒，我的心里越不安，也越急着想回去。

"无印，让我回去吧，晚了云府的人找上门来，大家都麻烦。"当时我一心想来看看是不是曦岚真的到了龙州，想来问曦岚我的疑问，想问问他还好吗，不承想竟是这样一种状况。

"公主这么怕麻烦，又何必跑过来找本王？"

曦岚的声音！无印迅速退下，我抬眼，就见那个白色身影站在了眼前，揽过我，抱着我坐到另一个看起来粗壮不少的树杈上。

"曦岚？"这一声呼唤自然滑出口，刚才问无印曦岚都经历了什么，可是无印只字不答。曦岚为何会变成这样？为何对我是这样的一种态度，或者说对我有这样的误解？

"为何听你唤我的名，我的心都会变软？"月光下，他的脸色微红，身上沾了些酒气，眼神迷蒙，"既然忘了你，既然知道你曾经那样利用我，对你，我的心里应该只剩下恨才是。"

我一时无语。"利用"这两个字尖刺一般地刺在我的心上。他的心里只剩下恨我了吗？恨，曦岚恨我？如果此刻曦岚真的只剩下恨我，是否也会和他的另一份恨一样，埋在心底多年，逃避远离，却从不曾忘记，终会在某一天某一刻爆发？

"你真的就是父皇收的义女，我们天青的汐月公主？"他看着我，眼里有我读不懂的感情。

我确定曦岚是不记得我了，今日重逢的一切都说明曦岚已经不是我认识的那个曦岚了。即便如此，我也不能向他说谎，所以我点了点头。

"怪不得皇嫂病逝未满周年，皇兄就急着求父皇要娶你为新太子妃。"他的嘴角现出一抹嘲讽，双手依旧拥着我，声音里带有一丝讥讽，继续道，"原来真的是旧情未了，父皇果然没有说错，你当初只是利用我来达到自己的目的，你的心，从不会放在一个皇子或者一个王爷身上。"

我有一刹那的眩晕，觉得眼前漆黑一片，等到缓过神来，就只剩下笑的力气了。天青王，竟是这样告诉曦岚关于我的一切的？既然天青王让曦岚恨我、误解我，那么他又为何同意曦岚来龙州？按时间来算，曦岚出发的时候，我应该已经到了龙州。难道天青王不知我此行？还是明知我行踪，故意而为之？

"皇嫂……病逝了？"我缓缓开口，声音很轻。菡萏宫里那个视皇宫为金丝牢笼、向往自由的女子，那个初次见面就跪着求我好好照顾她的灏儿却被我拒绝的母亲，那个在我身处险境让玉芙及时领着曦岚顺利救我脱险、令我欠她好大一个人情的太子妃，真的如他所说，这么快就离开人世了？

"这对你来说，应该是个好消息吧？"他的笑容里带有一丝悲痛。

"曦岚，不管你信不信，我与太子都没有单独说过一句话。"我也笑了，却笑得委屈，笑得心寒，"曦岚这次来龙州是为了国事，或者说是为了即将到来的战事吗？"

他神情莫测地看了我一眼，突然一手抚向我的后脑，在我还没来得及反应时低头将唇覆了上来。

微凉而湿润的触感，舌头滑过我唇畔的时候，带着些微酒气。我惊得双手拼命抵住他的胸膛，挣扎着想退身，他却突然松手，身子没了支持与依靠，我直直地向地上栽去。

我看到他下意识般伸手，却又蓦然收回，视线撞上我的，眼里分明有一抹恨意。

银杏树很高，地上虽然是松软的泥土，但当我用手去支撑身子触地时，还是清晰地听到自己手臂脱臼的声音。除此之外，屁股摔得没了感觉，我痛得倒抽了一口气，刹那间就有要晕厥的感觉，拼命咬住嘴唇才没哭出声。

我的嘴唇上还沾着一丝酒气，那是曦岚失忆后的味道。

后院里依旧没有来往的人，夜风估计是奉命守在院外，唯有秋夜的风拂过我的脸颊，吹寒了我的心。

"原来你也知道这场战事，就像当初为了龙曜跑到天青游说，此次是为了修若跑到龙曜来当说客吗？"他飘然而下，脸上没有丝毫关心与担心，只是盯着我的眼睛，轻柔地道，"至于皇兄求亲的事，父皇自然不会同意了。因为父皇说，该娶你的是本王，这是你欠本王的。"

他说完，便不再理我，转身朝院内走去。那白色的身影走过小径，消失在我的视线里。

我坐在原地流了许久的泪，不知是因着身上的疼痛，还是为着刚才的曦岚。

待泪干了，我才出声唤了夜风，他看到我时明显一怔，身上的杀气如此明显，却又在瞬间隐去，一言不发地抱起我，撇下来时的马车，沿着高低各异的屋顶，直往云府飞掠而去。

我受伤而归自然惊动了云府的上上下下，所幸云老头和云风都不在，倒没人过来盘问。张德差了云府的"御用"大夫过来，大夫仔细诊断后替我接回了脱臼的手，除了脱臼，手臂还有轻微的骨折，于是将整个手臂严严实实地包扎起来，大夫又留了药方和药就回去了。我示意其他人退下，然后由翠儿给我擦身上的伤。

痛了一夜，第二日午后却听翠儿说云老头来了。我心里诧异，看着他进屋，想起身却动弹不了，只能躺着问候道："月儿给父王请安。月儿行动不便，还望父王见谅。"

"你这一身伤是怎么回事？"云老头脸色阴沉，整个人都散发着怒气，眼睛看着我，凌厉而犀利。

"我无聊就爬到树上玩，结果从树上摔了下来。"我脸不红心不跳地回道。

"你当父王是傻子吗？"他怒气更甚，声音里透着严厉。

"父王看到自己的女儿伤成这样躺在床上，除了责问难道连一丝关心都没有吗？"从昨晚开始我的心情就异常失落，心揪得难受，如今看云老头这副样子，不免憋屈道，"既然不会关心，何不直奔主题，说说你这么远从修若跑来有何吩咐，免了这些无聊的问话如何？"

"你！"他难得地被我激怒，只说了一个字，就转过身向翠儿轻喝道，"退下！"

翠儿紧张又担心地看了我一眼，慌忙退出去了。

"你昨晚不是跑去看天青六皇子了吗？"

我苦笑，笑得眼泪都流了出来，讥讽道："父王在我身边安了这么多眼线，对月儿的行踪了如指掌，何需再多此一问？"

"怎么一回来就是一身的伤了？"他依旧不依不饶地责问。

"先前蒙六皇子在天青多次相救，知道他来了龙州就想去问候一声，结果他人不在，我就爬到树上想等他回来，等着等着睡着了，从树上摔了下来。月儿交代得够清楚够明白了吗，父王大人？"

他的脸上闪过一丝疑惑，突然坐到我的床沿，盯着我的眼睛冷声道："那龙曜王的事呢？你在他的寝宫里可待了不少日子。"

我突然感到前所未有的疲惫，这几天一直与狐狸单独相处，将烦恼都抛在了脑后，没想到还是有一堆问题需要我来解决。我若想与狐狸在一起，还需要经过多少事，等待多少时间呢？昨晚见了曦岚，又是这样一种情况，我忽然就厌烦了这一切。

　　"如父王所想，该做的不该做的都做了。"我就是忍不住要去刺他，这似乎让我对他如此待自己的女儿有一种报复的错觉，如此心里也好受了些。

　　他闻言，几乎下意识地扬手就给了我一个巴掌。我倒无所谓，不过是脸颊烧痛起来。倒是他，似乎对自己的这一反应微有些发怔。

　　"打都打了，父王还犹豫什么？派月儿出使龙曜，父王难道就没想过这种可能性吗？月儿从来都只是你的一枚棋子，顺利办完你交代的差事就是了，父王还计较什么？或者月儿还有更大的利用价值，需要一具完璧的身体？"

　　"你如今是修若的公主，怎能做出此等羞耻之事?!"

　　"怎么羞耻了？和自己喜欢的人做喜欢的事就是羞耻了？如果这是羞耻，那么，毫无亲情、连自己亲生的儿女都不放过、都要利用得干干净净的人，是不是更应该觉得羞耻？"我看着他微变的神色，讽刺道，"修若的公主？月儿从来不是金枝玉叶，这公主的头衔，只不过是父王安在月儿身上的一个筹码，抬高月儿的身份，以期从月儿身上获得更大的利益罢了。"

　　他猛地抓住我的右手想将我拉起来，我一阵抽痛，背上顿时冒出一层虚汗，极力忍住才没有喊痛，泪水流了满面。他看着我，神色莫测，我忽然就像泄了气的皮球，索性哭求道："父王，您成全月儿吧。"

　　他有一瞬的迷惑，眼里甚至有一抹不忍，也不知是不是我的错觉，然后就松了手。我直直跌回床上。他没有看我，也没有说话，转身大步朝外走去。翠儿随即冲进来，扑到我床前的时候，我已经痛得没了感觉，身体痛，心也痛，只流着泪，一声一声喊她："翠儿，翠儿……"

　　是夜依旧早睡，翠儿守在我床前不肯离去，我心中不忍，就唤了夭夭进来陪我，示意她回去休息。她不肯，最后协商的结果就是她守在屋外，如果我有什么事，叫一声，她就会进来服侍。

　　夭夭就趴在床边，我微动身子痛得呻吟的时候，它就用两只前爪趴上床沿，伸出舌头，一遍一遍舔我的脸，一声一声呜呜地低咽。我心里感动，又落了几滴泪，慢慢在夭夭的安抚中睡着了。

迷迷糊糊中感觉有人看着我，这种感觉越来越强烈。我虽然行动不便，但是房里有夭夭，外面有翠儿，是谁进了我的屋子？只要有陌生气息靠近，夭夭必定会一声怒吼扑向来人的，可什么动静也没有啊。

费力地睁开眼睛，借着宫灯投射进来的微光，我赫然看到站在床前的那个白色身影。曦岚！我不说话，扭过头找夭夭，我知道曦岚武功高强，神不知鬼不觉地进出云府对他来说根本不是难事，而且他做事向来就不喜欢按规矩来，深更半夜潜入我房里，我丝毫不觉奇怪，但夭夭呢？为何夭夭一声不响？

眼睛适应黑暗之后，我看到夭夭蹲坐在床前，金色的眸子却盯着曦岚。我以为曦岚或是点了夭夭的穴，或是打晕了夭夭，没想到他们竟然和平共处了。夭夭不是一有陌生人靠近就会怒吼反扑的吗？它应该是第一次看到曦岚，为何此刻的它会如此安静？

我的手不由得放在胸前，隔着衣服轻触小锁坠，小白送我的小金锁，与护魂是相同质地的，夭夭这异常的反应，难道是因为曦岚的护魂吗？

"你不觉得奇怪吗？"他显然看到我已醒来，声音虽轻，但在静夜里依旧清晰，我有些心惊地望向屋外，他却不在意地笑道，"放心，门外的人睡得很香，不会听到。"

我依旧不说话，不知道曦岚夜探云府所为何事。

"那天你明明有很多话想说的样子，怎么现在可以说了却没了声音？"他俯下身坐到床沿上，伸手就抚上了我的脸。

脸上依旧有云老头那巴掌之后的余痛，我不自觉地转过脸，他的手却顺势流连在我的耳畔。

"曦岚，不要这样，事情也不是你父皇说的那样。"我紧紧抓住他的手，不让它继续在我耳后游走。我抓得很用力，小指碰到护魂，手心却恰好贴上他右手背上的那道疤。以往那温暖而干净细滑的触感，如今有道硬疤横亘在此。

"那你倒是说说，事情该是怎样的？"他反手握住我的手，问得漫不经心。

我该怎么说？说我认识他完全是个巧合？说我不是有心接近他，说我利用他但不想伤害他？还是说我直到从天青回来都不知道自己原来也是修若皇族中人，不是有意向他欺瞒自己的身份？说我不能回报他的感情不是因为他只是身为王爷，而是我心中已经有了人？

"曦岚，你醒来后，可曾看到你怀里的那两封信？"凤兰玉佩的事，我需要向他确认。

"你写的信？你放的信？"他不答反问。

我下意识地点点头，他的手蓦地一紧，紧得好像要将我的手捏碎，我忍住痛没叫出声，他身子一低，俯身就压在我身上，声音冰冷得就像带着天山的冰雪气息，"那信的落款，不是一个叫'浅浅'的人吗？"

当时我匆匆提笔写了几句，根本没时间思考，落笔时顺手就写了浅浅。微眠、汐月、浅浅，真可笑啊，原来这一切，都是我给自己下的套。

"怎么不说话？"他突然将我受伤的右手高高举过头顶，我疼得抽气呻吟，他却笑得很开心地道，"疼吗？其实这点疼真的不算什么！云月、汐月公主、醉月公主，怎么还有一个名字叫浅浅呢？那日你又说你是微眠，这究竟是怎么回事？"

"曦岚没送信，是因为忘了我，不知浅浅是谁吗？"

"本王只是觉得没必要费力去送信，自会有人主动找上门来。"他笑得格外温柔，松开我的手，探手入怀，将一样东西递到我眼前。正是我分放在那两封信里的玉佩，一块是狐狸的贴身黄玉，另一块是清林自小佩带在身边后来送给我的青玉。

"还给我。"我心里一急，伸手想夺回来，他手一晃，将玉佩放回怀里，又迅速将我的手按压在头顶上方，我拼命挣扎，他的身子略一用力，我就动弹不得。

狐狸拿回了凤兰玉佩，却还是没拿回这两块玉佩吗？怪不得我问清林的时候，他的眼里会有异样闪过，只是我随即被狐狸抱过身，再看的时候他已经敛了神色，我追问，却被狐狸三言两语打发了。万万没想到这两块玉佩还在曦岚身上，这两块玉佩对狐狸和清林有多重要，不用想也知道，特别是拿着清林的传家玉佩，只怕到军营就可以为所欲为了。这两件东西如果我没能力保护好，就该还给他们。一想到此，我忍不住哭求道："曦岚，求你将玉佩还给我，求你！"

他似乎一怔，眼里闪过一丝痛意与不忍，手一松，瞬间又紧握住，眼里闪着愤怒的火花，"你这眼泪是为谁而流？你都不好奇我为何而来吗？"

"曦岚，求你……"想起那日狐狸的话，他是不想让我内疚和担心，而我竟也未发现异常之处，后来听了夜风的汇报，天真地以为狐狸已经将我惹出来的麻烦通通解决了。

"好，你先问我为何而来。"他的神情似有一丝松动，却也只是一刹那的事。

"曦岚这么晚来是为了什么？"眼泪依旧止不住地流了下来，但我还是顺着他意问道。只要能拿回玉佩，怎样都好。

他突然松手，将我的右手放回身侧，又是一阵抽痛，我却恍若未觉。他转而紧紧抱着我，轻轻地给我拭去眼泪，声音温润道："我想念昨晚的吻，我发现我虽然忘了你，虽然觉得自己应该恨你，再不济也该厌恶你，却还是喜欢吻你的感觉。"

我瞪大眼睛，一时惊呆，他低头，深深吻住我的唇，容不得我一丝一毫的反抗。

不要！我在心里大喊，他却趁机探舌入内，与我的舌纠缠。呼吸被湮灭，直到胸腔内似乎再没有空气，直到我以为自己会在下一秒窒息，他才恋恋不舍地松开我，唇舌依旧在我唇畔流连，低低叹道："只要我们完婚，你真正成了我的王妃，我便将玉佩还给你。"

我不由得闭了眼，只觉耳旁嗡嗡作响，他的声音却又轻轻传来，"你父王亦有联姻的意向，听说他今日也到了龙州，到时候我会亲自登门定下婚事，你就等我回国复命后亲自来迎娶你吧。"

他牢牢地压着我，任我如何挣扎都无济于事，我拼命摇头，不停地重复："不要，不要……"

"不要？"他轻笑，一手捏住我下巴，不让我再摇头，声音温和，却半是愤怒半是饶有兴味地道，"现在才后悔已经来不及了。本来你不来招惹本王，本王原也不想顺了父皇的意。不过你这么有趣，本王忽然觉得父皇的主意也不错，你又是修若的第一公主，我们也算是门当户对，谁也不委屈。"

说完，他俯下脸，再一次封住了我的嘴。

绝望与羞愧侵袭而来，挣脱不得，我只得张嘴，却又不敢太用力地咬下。呼吸恢复自如，想哭却突然没了眼泪。我与曦岚，不该是这样的啊！无数次想过我与曦岚以后会如何，依然是朋友，或者从此陌路，却从没想过，有一天，我与他会是现在这种境遇！

狐狸，我该怎么办？你与清林要商议的事可是与曦岚的到来有关？现在呢？已经过了两夜一天，你是忙着正事顾不到我，还是云府依然是你不便踏足的地方呢？还有曦岚，我曾无数次告诉自己，也不止一次在他面前说过，不能让曦岚因为我而变得不再是曦岚，可是事到如今，最不愿看到的事情已经发生，我该怎样赎了自己的罪，让你回到最初的自己？

不知曦岚是何时离去的，只知他在床前站了很久。接下来连着几日我躺在床上，吃饭喝药都靠翠儿喂服。这一回西枫苑的侍卫丫环没被我连累，没被依家规受罚什么的，倒让我有些意外。云老头也没再出现，只吩咐张德送来一大堆珍贵药材，其中还包括一枝天山紫雪莲。

说起天山紫雪莲，我心里又是一阵揪疼，直到现在才明白，上次被我说成极像大白菜的天山紫雪莲生长于终年冰雪不化的天山之巅，百年才绽放一次，不仅稀少，而且难寻，更难采摘。上回我因为失望，更因心中有事，回到芷兰宫之后，竟随手扔至一边，再也没理过。此刻才知，能采摘到万丈冰崖之上的紫雪莲的人纵然是绝顶高手，也要甘冒失足坠下冰崖的危险，我欠曦岚的，其实远比我想象的要多得多。

关于西枫苑外发生的事，皆由夜风告诉我。听说曦岚是以天青使臣的身份出使龙曜，为的是天青、龙曜共伐叶苍的时候，天青需兵经龙曜边境的事。这倒是一件需要慎重对待的事，不过有狐狸和清林在，我是一点也不用担心的。

又在西枫苑躺了两日，狐狸与曦岚都没再出现，我已能下床走动，手上的绑带也已拆开。这日午饭后我正领着夭夭在西枫苑散步，逛腻了就往苑外的大花园走去。已近秋末，云府大花园里依旧是一片姹紫嫣红，穷极无聊的我摘了一大束花正准备抱回屋找个花瓶插起来，一个白色身影却映入眼帘。

"曦岚，你怎么在这儿？"一看到他，我的脸不禁有些发烫。

他也不看我，声音清冷道："听闻龙曜国的云相贤名天下，今日难得到府上拜访，竟没想到云相爷出远门了。"

我一时无语，也不明白他是否话中有话，只得向他弯了弯身道："真是不巧，我先告退，不打扰六皇子游园了。"

哥哥不在，云老头却是在的。曦岚堂而皇之地出现在云府大花园，必是得云老头允许，只不过云老头可能有事走开，所以我只看见曦岚一个人了。

"公主请留步。"他开口挽留，声音突然变得温润。我背对着他停步，夭夭也跟着停了下来，没有亲近曦岚，也没有对他表示出丝毫敌意。

"本王明日就回天青，公主不说声再见吗？"他走到我身边，脸上带着笑，眼眸清亮。

我微怔，不明白为何同样清亮的眼眸、同样温暖的微笑、同样温润的声音，却能给人完全不同的感觉？

"公主听到这个消息，应该很开心吧？"他在我身前站定，看着我，话有讽意，似乎还带有一丝他自己都不曾察觉的自嘲。

"曦岚？"我只是下意识地想摇头，不知为何，我只是觉得哪怕现在的曦岚是恨我的，或者说是想恨我、不喜欢我、讨厌我、不想看到我，但我若点头，他心里必会难过。一如从前，他脸上微笑着，心里却可能很痛。

虽然这只是我的一种直觉，但我相信这直觉不会出错。

"你这是在难过在不舍吗？看来我刚才不该犹豫，不过等王爷回来，我再提亲事还来得及。"他突然变得很愉悦，连又恢复了自称"我"都不曾察觉，欺身突地紧搂住我，在我还来不及反应时，俯身就吻上了我的唇。

手中捧着的花全部落在地上，等到他终于放开我，我抚着胸口喘气，正待伸手朝他甩去，却赫然看到云老头站在不远处。云老头见我看到他，坦然走近，看着曦岚，脸上似有赞叹之色，又看了看我身边一直安静地站着的夭夭，眼里闪过一抹疑惑。

"父王刚巧有急事，正想着是不是该让月儿代父王略尽地主之谊，没想到月儿已经过来了，这样就好。月儿，你与六皇子也算是旧识，好好陪六皇子走走看看。"他边走边说，脸上难得地摆出一副慈父的表情，向曦岚点头致意道，"本王需亲自去办点事，就由小女招呼六皇子，如蒙六皇子不弃，晚上就留在府里吃个便饭吧。"

曦岚礼貌地微躬身说着不胜荣幸，然后目送云老头离开，方回过头看着我笑道："公主，王爷似也有成全你我之意。"

从始至终我都插不上话，脑子里想着刚才那一幕既被云老头看到，只怕又被他误会，事情估计只会越来越糟。大花园里依旧无人，连个打扫、路过的下人都没有，不知是不是云老头早就安排好的。

"公主似乎心不在焉啊。"

我仰头望天，蔚蓝而辽远，脑中思绪万千，最后却只剩一个。

我依旧仰着头娓娓说道："曦岚，曾经有一个人，只是付出不求回报，那个人明知结果会是一场空，却毅然心甘情愿地为另一个人付出所有。从不理政事的他因此涉足朝堂，一身白衣无悔上战场，直到受伤、昏迷甚至可能从此长睡不醒，也从不要求对方有所回报，甚至自己身处险境都不告诉对方，只为了不让对方担心。那样的一个人，任谁都会感动，可是我常常想，其实这样的一个人啊，他有多让人感动，就有多让人感到愧疚。愧疚自己不能回报他同等的感情，愧疚自己明知回报不了他同样的感情，却因着一些不得不做的事、不得不走的路而接受他的付出。"

我明明仰着头，眼泪却收不住，从眼角一颗一颗滑下。我没有伸手去擦，嘴角努力浮起笑容，继续说道："当我知道他为了救我将身上最珍贵的东西用一种最愚蠢的伤害自己的方法送给了我，当我知道他带着伤瞒着我上战场，当我看到他躺在床上一动不动好像没了呼吸时，我告诉自己，林浅浅，你本不该出现在这里，不该出现在这些人的生活中，若眼前的人再也醒不过来，你又有何颜面再苟活在这世上，贪恋这人生？这一世欠了他的情，欠了他的命，如果有来世，就让生生世世，来赎这一世欠下的还不了的债。"

"我自是没有死，他也活了下来，可是我们之间却再无联系。当我在半年多之后得知他来到我们第一次见面的地方，当我巴巴地跑去看他，当我看到他一身白衣飘然若仙，当我叫着他的名字跑向他的时候，他看着我的眼里却只有陌生。我只是想确定他好不好，没想到得到的答案是如此的出人意料，我看着他将我丢弃在树枝上翩然离去，他看着我从树上摔落却无动于衷。我心里的痛远胜过身体的痛……"

"你想说什么？你想告诉我什么？"他紧紧盯着我。

"我想说，如果他忘了我，对他应该是一种幸福。如果他不记得我这个人，不记得与我相处的点点滴滴，却只记得恨我，那也比记得我这个人，记得我们的相识相知好。他说我不该再招惹他，可是我只是想亲口问他近来好吗，想亲耳听他说'我没事'。我不知道他已经忘了我，我若知道他已经忘了我，我定不会再出现

在他眼前，如果想确定他好不好，我可以远远地看着他。"我转身看着他，眼里有晶莹的泪花，却硬是忍着没落下，也不伸手拭去泪痕，坦然道，"曦岚，我想告诉他，如果他恨我，所以想把我娶回去以折磨我的方式来报复我，那也是应该的。不管他做什么，我都理解，也永远不会怪他怨他。如果他真的想娶我，我就嫁给他，开开心心地嫁给他，不管他是想报复，还是真心迎娶。"

"可是曦岚，我又害怕我嫁给他，只会带给他更多的痛苦，我的心已属于别人，我的身体已非完璧，我更怕自己哪一天会刺激到他，让他突然恢复记忆，让他惊觉他自己都不认得自己了，我怕他承受不了这样的变故。曦岚，我是利用过他，但从未想过伤害他，我知道他的底线在哪儿，我知道他那温和表象下藏着多少苦与痛。可我知道，他与我一样，最喜欢的还是那个一身白衣寄情山水的他。"

他明显一怔，黑亮的眼眸一眨不眨地盯着我，眼里跳动着我不明白的火焰，一只手狠狠地捏着我的手腕，力气之大，似乎要将我的手腕捏碎。我迎视着他的眼睛，无惧亦无悔，他蓦然松手，移开视线，转身朝左边的小径大步走去。

我站在原地，久久不动，心像失去了知觉。直到夭夭忍不住上前在我身上蹭了蹭，我才回过神来。

"夭夭，你说我的决定有错吗？"我不看它，依旧站在原地，轻声问道。刚才说的，并不是玩笑，自从知道曦岚失忆，自从知道曦岚恨我，自从曦岚说恨我但还是想娶我为王妃，我就在想，既然这些是我一手造成，既然是我欠他的，那么我有什么理由拒绝，我又有什么资格明知他活在痛苦与仇恨中，却转身去追寻自己的幸福？可是就算我嫁给他，对他来说真的是一种救赎吗？那会不会是另一场灾难？

夭夭自是不会回答，我的泪迎风而干，心却渐渐麻木。我敛了敛神，向西枫苑走去，夭夭静静地跟着。

整个下午云老头都没来找麻烦，或许是曦岚替我遮掩了，只听翠儿说晚饭的时候云老头与曦岚相谈甚欢，直到我睡觉的时候曦岚都还未回去。

翌日一早醒来，翠儿替我更衣收拾床铺的时候一声惊呼，奇怪地道："好久没见小姐身边这两块玉佩了，上回翠儿想起时找了半天，还以为丢了呢，怎么突然出现了？"

我忙伸手接过，是狐狸和清林送我的那两块玉佩。我紧紧握着玉佩，曦岚，曦岚，我在心中呼唤，你明明恨我，为何最终又妥协了呢？昨晚的那番话，是我的真心话，是不想自己再次伤害你，并不是为了让你将玉佩还给我！

心里突然一恸，扪心自问，我真的只是心里话，只是不想再次伤害他吗？就没有希望能触动他的成分存在？

"夜风！"我将玉佩揣入怀里，大声唤道。

"主子。"夜风悄无声息地出现，跪下行礼。

"夜风，曦岚何时起程回国？"

"这时候该动身了。"他答得干脆。

"夜风，带我去送送他，不要让他发现，我就远远地看着他，可以吗？"我起身，虽不知昨晚云老头和曦岚谈了些什么，究竟曦岚有没有提亲，但手里握着两块沉甸甸的玉佩，我总不能将他当成陌路，即便他现在已经失忆。

马车飞驰着，所经之处并非热闹的大街，夜风走的似乎是近路。

一个时辰后马车终于停下，我掀开车帘，看到城门处官兵正按例检查来往人流。曦岚一身白衣，坐在他的那匹"马中天曦岚"上，无论任何场合，他都能让人只看一眼就再也忘不了。

他没有回头，也没有犹豫，出了城门，双腿一夹马腹飞驰而去。我放下车帘，坐回马车，来回抚摩着手中的两块玉佩，一时心里异常沉闷。

下部

第四十一章 · 圣血菊杀

我身上的小金锁就是圣金锁——曦岚口中望月皇宫秘密的圣金锁？

有人掀开车帘跳上马车的时候，我闻到了一股淡淡的龙涎香。我诧异地抬头，看到狐狸坐在我对面，一身月白色长袍，桃花眼半眯着看我，脸上又是那种懒懒的笑。

我来不及出声，他长手一伸，就隔着案几打横抱过我，马车动了起来，速度却比来时缓慢许多。我将玉佩递到他眼前，他却将我的手与玉佩通通握在他手心，紧紧拥着我，轻叹一声："浅浅。"

我埋在他怀里，无声地流泪，趁他松手之际，将玉佩塞到他怀里。我既保护不了这玉佩，就该归还给他们，我不想让它们和凤兰玉佩一样，因为我的一个疏忽或不小心而引起轩然大波，造成不可挽回的损失。

他似明白我心中所想，再次紧握住我的手，在我耳边轻喃："想浅浅了。"

说罢他不由分说，就捧起我的脸珍宝般轻吻起来。我热烈地回应他，他的呼吸愈见浓重，半晌才松开我，双手却紧紧环在我腰际，用力将我贴向他，神色间似有一丝狼狈，声音喑哑道："浅浅该不会是想让大哥就在这里要了你吧？"

我能感觉到他的欲望，闻言却轻轻一笑，心里紧绷的弦好像突然间松懈下来，软软地趴在他怀里，摇了摇头，轻声道："抱抱。"

他将我拥得更紧。马车不紧不慢地向云府驶去。云老头在云府的时候，我是不能再任着性子想去哪儿就去哪儿，想跟谁在一起就跟谁在一起的。

到了云府，我本以为狐狸会提前下车，却没料到他竟与我一同进了云府。

"呃？"我出声，简短地表示自己的疑问。

"如今我们是盟国，你父王还能将我往外赶不成？"他笑得坦然。

我重重地哼了一声，撇嘴道："你是有事找他吧？"

他凑到我跟前，在我唇上轻轻一点，一脸欢愉道："浅浅果然聪明。"

我满脸黑线，扔下他先下了马车，就直直往西枫苑走去。刚进屋，王安就跟进来，躬身行礼请安后，探手入怀将一封信递到了我跟前。

信封上"月儿"两字，赫然是云风的笔迹。几次三番都由王安来传信，着实让人奇怪，虽然我一直疑惑，但终究未问出口。按理云风既然知道我回了龙曜，若有信也该送到云府，由张德代为转交，何况张德一向对我们颇多照顾，若是张德代收，即使我不在，他也不可能将信转交王安拿给我。那么是云风直接派人将信送到王安手里的？

想起在醉月宫收到的那张只写着"王安可信"四字的纸条，我一边展开信纸细看，一边随口问道："王安，你是从什么时候开始在修仪殿当差的？"

"回公主，七年前的秋末。"

我索性走回软榻，懒懒地半躺着，一边把玩着夭夭的金毛，一边漫不经心地问道："一入宫就被派到修仪殿当差？"

"起先是在东宫当个小差，同年秋末一次偶然的机会才调过去的。"

我微笑着，怕是没那么简单吧，不过我对这些也没兴趣，"王安，你老家在哪儿？家里可还有亲人？"

"奴才原是河州人，有一年发大水，与家人失散后就再无联系。"他依旧微微低着头。

"河州？你是龙曜国人？"我心里一惊，倒没想到王安竟是龙曜国人。

他略一迟疑，坦然答道："是。"

我略微点了点头，他在皇宫当差这么多年，刚才只怕是对我不设防才在无意中露了底。可是知道他是龙曜国人，有些线索就在我脑海里渐渐清晰起来。

"王安，你不必拘谨，就当聊聊家常。你那时候还小吧，与家人失散后是怎么过来的？"王安就站在离我不远的地方，虽然躬身垂首，但我知道有他这般经历的人，想让他坦白一切不是件容易的事。夭夭趴在地上，庞大的身躯恰与我身下的软榻差不多高，我缓缓地抚着它的金毛，闲闲地道："你受恩于他，就该明白，他不会伤害我，我也绝不会去背叛他。"

如果信真的是哥哥让王安转交给我，那么王安的来历便再也清晰不过了。那个写"王安可信"的人应该是想帮我，站在我的立场上，王安既然被安排到我身边，也该明白自己要做的事。我没说出哥哥来，只是怕万一是自己猜错，结果适得其反。

如果王安真是云风安排的人，那么云风这么早就在修若皇宫安排了这样一个角色，那时候他才几岁？

王安略一犹豫，终于坦白，与我所想的所差无几。像所有电视和小说里的情节，当年他与家人走散，一路行乞流浪到龙州，然后挨饿挨冻受欺，几近丧命，幸好被难得逛街的云风母子救下，还在云府住了一段时间。之后就更简单了，年幼但志坚的王安同学不愿意在云府白吃白喝白住下去，所以谢过恩，还发誓说日后报恩什么的，就告别云风母子走了，最后因机缘巧合到了修若国，却不幸进宫当了太监。离开云府后，王安与云风一直保持着联系，云风曾派人去河州打听王安失散的亲人的下落，一直未果。

我再次发现自己身边真是高手如云，起眼的不起眼的，帅的不帅的，反正一个个都不是省油的灯。云老头厉害吧？狐狸厉害吧？可是我那亲爱的云风哥哥也不弱啊，凭借一次救命之恩，就在修若皇宫有了眼线，而且云风竟然能遥控着将王安从修仪殿安排到我的醉月宫，这之中又别有一番玄机吧。

我听完这些，一时间很有种钻到地洞里将自己活埋的冲动。心里无数次地期望和我以前看的穿越小说一样，随随便便地救了某人性命，然后那人就成了心腹，做牛做马倒是其次，重要的是忠心可靠，绝无背叛的可能。可是我唯一算得上是多管闲事的救人，救下的是小白，想起小白，心里又是说不清的感觉，他救我帮我，却也劫我伤我。

知道了王安的身份，我也就安心了。云风信中所提，在云老头出发来龙曜前，他已经认祖归宗，住在灏王府里，任四品廷尉正。我心中一叹，不知是云风自愿，还是与云老头有关，但以云风的身份与性格，住在灏王府，只怕会遭到不少的白眼冷语，毕竟我们的娘亲至今无名无分，所以云月与云风，严格说起来连庶出都算不上。

末了，云风还提醒我，说虽然老老头收了龙曜国书没说要第一时间接我回去，但云老头这时候赶来说不定就会牵扯到我，让我小心为是。我叹了口气，也觉得云老头的出现很诡异，他来的时候该是收到了龙曜的盟书，既不召我回国，看到我又是那种调调，竟还私会了曦岚，这时候又与狐狸商谈，总觉得他是天下第一号祸害，做什么事都有祸害的征兆。

不知狐狸和云老头谈了什么，他回去的时候也没有和我打招呼。吃完午饭，我继续躺回软榻，一只脚搁在夭夭身上，等云老头上门。果然，我乏乏地还没来得及入睡，他便出现了，出现的同时，还将我屋子里的人都赶了出去。

"父王来了。"我索性连行礼请安都免了，直接说道。

他倒也不恼，站在我前方打量着我道："月儿身上的圣金锁是从哪里来的？"

怎么，我身上的小金锁就是圣金锁——曦岚口中望月皇宫秘密的圣金锁？不

会吧？这锁是小白给我的，又不是望月宗宁送我的。可是，那次小白是假冒望月宗宁的随从才找到了我，难道与我分别后，他又跟着望月宗宁回了望月？我赶去望州看曦岚的时候，待在望州的时间并不长，小白却说听闻我在那里，特意赶过去，结果扑了个空。可知那时候，小白离望州应该不远，如果我身上的小锁真是圣金锁，那么这个推测是很有可能的。

曦岚说圣金锁有秘密，如今圣金锁能召唤修若的圣灵兽，这会不会就是圣金锁的秘密？如果这秘密也牵扯到修若国，会不会与天青一样，所谓的皇宫秘密都是牵扯到两个国家？可是，似乎只有将六国皇宫的秘密拼凑起来才可能是一个完整的秘密。

不过望月对修若从始至终都没有异动，反倒是对龙曜有了兴兵的念头，那么望月皇宫的秘密牵扯到的会不会是龙曜皇宫？再看修若和圣灵兽，到目前为止，似乎唯有寒星的纤绘公主对夭夭表示出异样的兴趣，甚至那天害夭夭受伤，应该是采了夭夭的鲜血回去，难道寒星皇宫的秘密才牵扯到修若？再则曦岚看到夭夭，对于夭夭对他的平静可是一点好奇与兴趣都没有，而云老头看到夭夭对曦岚的态度时，神色中倒有一抹若有所思。

修若是知道圣金锁的秘密，还是不知呢？若说知道，从夭夭跟着我踏出它待了几百年的房子的那一刻起，老老头就该明白了；若说不知，此时云老头又何出此言？难道是他发现夭夭对曦岚的异常反应之后的打探与猜测？还是后来与曦岚畅谈的时候两人之间达成了某种交易，或者说是共同揣摩了皇宫的秘密——六国皇宫的秘密？

胡乱猜测了一番，心中十分纷乱，又不愿被云老头探查，所以随意回道："捡的。"

"月儿！"他轻喝，神色还算平静，竟没有被我激怒，倒是让我感到有些意外。我还以为，我这儿戏般的说法，说不定他又要一巴掌甩过来了。

我用手轻抚了抚脸颊，上次火辣辣的痛的记忆还如此清晰，忍不住轻笑出声，起身，拍了拍夭夭的脑袋，迎着云老头阴冷的目光，无惧地道："父王若不高兴，可以再赏月儿一个巴掌。"

他脸上瞬间阴晴不定，我笑得更灿烂地道："父王既知圣金锁的功用，何不取了去慢慢研究？月儿手无缚鸡之力，这于父王来说，可比从月儿口中套话容易多了。”

他突然移开视线，打量着夭夭，微垂着眼，声音听不出情绪地道："月儿可是越来越不像你娘了。"

我心中一凛，不知他所言何意，半晌方道："怎么不像？父王可知娘临终前的遗嘱？"

他抬眼微怔，我莞尔一笑，自嘲道："对了，父王怎会知道，娘不过是父王的一段小情缘，娘临终前可是连父王的面也没见上。"

"你想说什么？"他神色莫名。

"说什么？不过是想告诉父王，娘临终前拉着月儿的手一再叮嘱，让月儿别步她后尘，让月儿远离那些皇家男人。她心里有怨有恨，可是父王既然不爱娘亲，为何不将与娘的那段情分就当做一场艳遇，还了我与哥哥的自由身？"

"你懂什么！"他终于动怒，声音微重。

"我是不懂，父王遇到娘，建造这云府，是因为心中的感情，还是因为自己的野心？不过不管当初的目的是什么，结果却是一样。父王说月儿不像娘，月儿可以告诉父王，月儿跟娘一样，娘可以为了父王日日等待日日失望，月儿为了他，连娘的遗嘱都违背了，又何惧父王的阻挠？"

"他就这么好？"他问，声音阴冷，眼神冷厉。

"他或许不会为了我舍了自己的命，但他的心里有我，他的诚意父王应该能看到。而且这时候父王应该担心另一件事才是。"见他的眼里闪过一丝疑惑，我笑笑，声音轻柔，"寒星的纤绘公主如今也在龙州，还伺机取走了夭夭的血，父王不觉得相比于月儿，此刻更应该担心那个纤绘公主吗？"

他闻言，神情中现出震惊。刹那间，他恢复神色，又盯了我一会儿，转身离开时只扔下一句话："从现在开始，不准出云府一步！"

日子过得又快又无聊，我虽不待见云老头，偶尔胆子发育也敢拿话刺他，但在这种关键时候，我依然反抗不了他。所以他说不能出云府一步，即便身边有夜风，我还是乖乖地待在云府，大门不出，二门偶尔迈迈。

冬天很快就到了，听说叶苍和修若已经发兵，我待在西枫苑里，每天只能以长吁短叹悲春伤秋来打发时间。哥哥的来信颇有规律，但话就是那几句，无非让我小心、问我何时回修若之类，倒是云老头一直待在云府，偶尔碰见提起云风的时候，言语之中似乎有哥哥颇得老老头器重的迹象。我闻言心里笑笑，器重不器重，还不都是一个四品廷尉正，连上朝的机会都没有，能见到老老头的机会就更小了。只怕云老头所谓的器重，是指老老头经常在他面前提起云风，或者问他关于云风的事吧。

云老头再没问过圣金锁的事，也没有提及曦岚和天青，不知是不是他觉得在战事即将来临的时候，并不适宜讨论这种儿女情长的事，不过我倒是暂时松了口气。云老头依旧忙碌，虽然这段时间都待在云府，但和往常一样并不容易见到他，也不知他在忙些什么。我每天拉着夭夭看着西枫苑小花园里的菊花开了一朵又败了一朵，想起第一次上朝被狐狸单独留下谈话，那时候御花园里的桃花开得正灿烂，唉，那是我第一次正眼看狐狸，那妖孽美得跟什么似的，让我失常了好一会儿，难道从那时起我就已经被那妖孽迷惑了？

我不知道叶苍那边的动静，六国中国力最强的叶苍，难道会如预想中的在完全不知情的情况下被分解？还有寒星，说不定已经派了使臣来了龙曜去了天青。

这日午后，我正拉着夭夭在小花园里散步，就见云老头走了进来。他最近是越来越没有架子了，想当初我刚来那会儿，他有事找我，必是叫张德来传话，然后在书房接见我。而最近这段时间，他有事就会主动找上门来，不知这样的改变是好事还是坏事？

"父王来了。"我最近说话也越来越随便了，很多时候连行礼都假装忘记，反正他也不提醒不计较，我乐得自在。

"月儿最近闷坏了吧？"他开门见山。

呃？没事说这么善良的话干吗？一点也不符合他阴暗的形象嘛。我也留了个心眼儿，反正一般云老头给糖吃的时候都会在糖里掺上砒霜的，于是回道："没有。"

"无聊的话就出去走走吧。"他突然一副慈父模样。

"好。"我背上一寒，面上却带着笑容，能少说一个字就少说一个字。

估计我的态度够生硬，他一时倒没了话说，沉默半晌，方道："月儿还在怪父王，难道月儿不明白父王的苦心吗？"

"明白，怎会不明白？为我修若，赴汤蹈火，抛头颅，洒热血，无上光荣啊。"

这话我说得一本正经，严肃万分，虽然心里又是另一番光景。

"其实在父王心里，月儿可比恒松和惜棠重要多了。"他说这话的时候，貌似也很严肃。

对了，修若恒松、修若惜棠是云老头的另一双儿女，修若恒松为长，仅比我与云风小一岁，今年十八，而修若惜棠今年十六，两人俱是云老头的正牌王妃所出，亦是灏王府迄今为止名正言顺的仅有的"合法"世子郡主。云风虽认祖归宗，且最年长，但毕竟只能勉勉强强算是庶出，是没有册封世子的机会的。不过说起来，云老头竟是先认识云月娘，后娶妃的，而且娶妃的时候云月与云风已经出世了。

"月儿明白。且不提恒松与惜棠，哥哥回了修若，也没有月儿这份幸运，所以父王的心在哪里，月儿又岂会不知？"我一语双关。

"那你可知风儿留在修若是为了什么？"他也不恼，突然这样问。

"为了月儿。"我答得干脆，对这一点深信不疑。

"既知风儿的良苦用心，月儿也该少令风儿担心。"

他这话说得坦然，我却心中一冷，连带背后一寒。如今我虽然回到了龙曜，且如狐狸所言，暂时留在龙曜都不碍事，云风却阴差阳错地去了修若。或者根本就不是阴差阳错，我与云风注定分开，这会是一种有预谋的牵制吗？

夭夭突然狂躁不安起来，云老头借机闪人，我安抚了夭夭，示意翠儿备车，结果那丫头一听我要出府，比我这个当事人还兴奋。我颇觉奇怪，问了才知原来下午在龙州城最热闹的长安街有个"百菊五谷盛会"，一年一次，热闹得很。

坐上马车的时候，我被翠儿说得心动，想着龙州一年一次的"百菊五谷盛会"不仅是赏菊宴，更是庆丰收，而且听翠儿说，参加的不仅有全龙州城的客栈食铺，而且个人也可以展现自己的手艺。"百菊五谷盛会"的一个重要部分就是用五谷和菊花做出一道道美食，大抵以糕点和粥汤为主，然后供人品尝评选，每届还会选出一道最受欢迎的糕点，由上一届得主将金菊匾授予新科美食状元。一想到各式美食，我又岂能错过？反正不差这一个半个时辰，看翠儿兴致这么高，索性先去"百菊五谷盛会"现场逛逛，然后顺便带上美食去找狐狸和清林吧，许久不见，也不至于空手去拜访了，嘿嘿。

一下马车，我才发现长安街已经人山人海，热闹得跟过大年似的。我紧拉着翠儿以防再一次走失，然后看了看夜风，他心领神会地点点头，我便与翠儿开始在人群中逛了起来。

说实话，这个"百菊五谷盛会"真的很合我的胃口，我爱美食，还是个小花痴，这盛会要花有花，要美食有美食，能不让我心潮澎湃吗？所以我最爱龙曜，那是很有原因的，你看，龙曜国的节日都特别地讨我欢心，我能不将龙曜当成自己的国家吗？

走走吃吃，顺便还参与评选打分，各式菊花糕菊花粥不仅色香味俱全，而且还是免费的，我白吃外加打包时，翠儿一直在旁边扯我的袖子，我朝她讪讪地笑道："我也不想这么贪心，是他们不收银子嘛！"

临近街尾，吃得肚子滚圆，突然看到一侧有个妇人将一笼刚出笼还冒着腾腾热气的菊花糕端出来，香气格外诱人。我凑近一看，金黄色，各式菊花形状，说不出的精致，居中一朵花蕊处竟是鲜红色的。

"大娘，这糕做得真精致。"我拉着翠儿站在那一笼菊花糕前，对那红色的花蕊更是好奇不已，"中间红色的是高粱做的，还是红豆做的？颜色好鲜艳。"

"姑娘要尝尝吗？"中年妇人笑得一脸褶子，唯有那双眼睛格外清亮。

我点点头，不顾烫手，接过，张口咬下去。菊花糕软糯适中，只一口，唇齿留香，这大娘的手艺可真是了得啊。我虽然肚子滚圆，但依旧很给面子地将整块菊花糕吃光，末了，大力赞美之后又要求打包。

看我那贪心的样子，妇人却笑得很开心，竟将剩下的菊花糕通通打包给我，热情得不得了。我抱着一袋热气腾腾的菊花糕弯腰谢她时，竟觉得她的眼睛似有些熟悉。

心满意足地吃饱，手里还拎着一大袋东西，转身折回的时候，发现来时的路上依旧人山人海，遂决定与翠儿绕小道回长安街口。一边走着一边与翠儿回味刚才下肚的美食，耳际突然传来破空之声，我刚惊觉不对劲时，夜风已揽着我侧身避开。我回过神，慌忙看向翠儿，却只见不知何时，我们跟前已出现了不少黑衣人。

我一阵头晕，只能紧紧反抱住夜风，还来不及说话，这几个黑衣人便出招攻了过来。没想到在龙州，大白天还能遇到黑衣人！一看对方就是有备而来，而我这边除了夜风，似乎没有其他侍卫了。

心中蓦地一慌，红儿离去的那一幕突然浮现在脑海，我心里一阵阵地揪紧，想着清林拨到我身边的那几个侍卫应该就在附近，忙大喊："穆默，保护好翠儿先离开！"

四个黑衣人出现的时候，我明显松了口气。夜风揽着我以一敌众，却因着我的拖累，险象环生。随着穆默他们的出现，黑衣人也同时多了几个，穆默他们对付后者还来不及，根本帮不上夜风。

再观形势，我更是一惊，这些黑衣人看似个个都是高手，而夜风因为还要顾及我，对付三四个人勉强还可以，一人要同时对付六七个人就显然有些力不从心。

黑衣人很快包围了我和夜风，而穆默他们那边根本脱不了身，夜风揽着我，为了不让我受伤，却屡屡将自己暴露在敌人的刀剑下。我将脸埋在夜风的胸前，抓着他后腰衣服的左手明显感受到有股温热的液体顺着我的手背滑下，润湿了我手中紧紧抓着的衣服。

他受伤了，却从始至终一声闷哼都没有！他应该知道我身上有天丝软甲保护，可是当危险来临的时候，还是毫不犹豫地用他的身体将我安全地护在怀里。我想告诉他别硬撑，与其两个人都被抓，还不如留我一人被抓，他也能第一时间报信找人来救我。可是张了张嘴，却突然发现自己发不出任何声音，头也渐渐沉了起来。

黑衣人显然是有备而来的，我与翠儿、夜风三人，目标铁定是我，为什么？云老头下午才突然同意我出府，甫一出府便遇上了这样的事。心里是说不出的滋味，想不出答案，也害怕知道答案。身边的黑衣人慢慢减少，我抓着夜风衣服的手却越来越黏湿。

"闭上眼，松手。"耳边传来夜风的声音，我依言紧闭双眼，没有丝毫犹豫就松了手。夜风扶在我腰上的手一个使劲，身子感受到一股强大的力量，紧接着就有腾空之感，我忍不住睁眼，却见自己正向前方的一棵树上飞去，边飞还边往下坠，好像来不及够到树枝就要摔在地上了。

说时迟，那时快，一道灰色身影从斜刺里突然向我飞掠而来，手中青色的寒芒一闪，是小白！腰上似有某种束缚忽然消失，低头，惊见一条黑色的长腰带比我的身子更快地落向地面。手腕一紧，在我摔到地面的前一秒有人将我拉起，一阵眩晕之后，我拼命转头看向夜风的方向，他一袭黑衣松松地套在身上，随着他

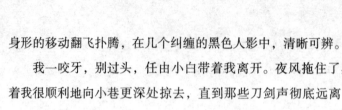

身形的移动翻飞扑腾，在几个纠缠的黑色人影中，清晰可辨。

我一咬牙，别过头，任由小白带着我离开。夜风拖住了黑衣人，所以小白带着我很顺利地向小巷更深处掠去，直到那些刀剑声彻底远离了我，我都不敢再回头。我相信只要没有我这个包袱，夜风一定不会有事的，而翠儿与穆默他们也一定能安全脱险。

小白没有停步，像是早已有所准备地揽着我骑上了一匹不知什么时候跑出来的高头大马，策马向前疾驰。我心中充满了疑问，却还是无法开口说话，只能死命拉着缰绳，心里则希冀要是能这样离开这个是非之地，从此就不再理这些烦人事，说不定也是一件好事。

下部

第四十二章·遗诏疑云

皇弟是如何看出这遗诏是假的了？

约莫一个时辰之后，小白才停下。我睁开眼，一座四合院格局的竹木屋，似建在半山腰上，周围遍是苍翠树木。小白伸出手，我略一犹豫，就扶着他下了马，一时间心里是难以言说的滋味。

他也没说话，只神色复杂地看了我一眼，就低头向木屋走去。我默默地跟在他身后，看着他那一头参差不齐的头发依旧凌乱不齐地披散着。我又稍稍打量了下周围。木屋中间的空地很大，没有任何花草树木，我们径直穿过空地，在中间的小木屋前停下，并没遇见任何人。

"你先休息一下，一会儿就可以吃饭了。"他伸手推开门，看着我进去，自己却站在门外，用他惯常的微冷的声音说道。

我转身直直地看着他，没有说话。他却迅速移开视线，微垂着眼，脸上冷冷的表情似有刹那的犹豫，站在那里半晌，忽然像做了某种决定似的走至我跟前，轻声道："凤兰玉佩，先取下来吧。"

我吃惊得向后退了一步，难以置信地看着他，手紧紧抓住衣领，竟有些喘不过气来。前几日狐狸才重新挂在我脖子上的凤兰玉佩，小白怎么会知道？他让我取下凤兰玉佩，那肯定是知道凤兰玉佩的秘密了。

他看向我的眼里似有犹豫闪过，却在瞬间充满坚定，然后一步一步走向我。

我心里喊着"不要"，一边急急往外跑去，想离开这屋子，离开这地方，没跑两步就被小白拦下。小白让我取下凤兰玉佩，明摆着不想让狐狸找到我，他究竟想干什么？我拼命去推他，去掰他拉住我不放的手，却根本没法挣脱。我心里一慌，低头张嘴就狠狠咬下去，嘴里霎时涌入浓浓的血腥味，可那双手纹丝不动。心里的弦一瞬间就断裂了，我松了口，眼泪迅速溢满眼眶，然后大滴大滴地落了下来。

好像在很久以前，我也曾这样咬过他，那时候红儿刚死，几个人好不容易从黑衣人的围杀中逃出来，我却哭喊着要回去将红儿的尸体接回来，云辉和云耀根本不敢顶撞我，只有小白拦住我，逼着我面对现实，逼着我冷静下来。可是为什么，为什么现在一切全变了？

手背上不断有血流出来，他却不去擦，更没有包扎止血的意思。我的右手依旧被他紧紧握着，我伸出左手，想用衣袖擦去满嘴的血腥味，一眼瞥见左手上的斑斑血迹，那温热的液体明明已经干了，却感觉依旧还在我手背上流淌，夜风……心里既悲且痛，我终于忍不住放声大哭起来。

小白没有松手，也没有说话，直到我哭得筋疲力尽，他才冷冷地说道："你不摘下玉佩，那我只能亲自动手了。"

我抬眼看着他，明明还是那个人，却变得那样冷情了。"主子是担心我会伤害你吗？"这是他上次劫走我时说的最后一句话，也是他最后一次叫我主子吧？小白，或许从那时开始，他就只是龙羽煌了。

凤兰玉佩终究被小白取了下来，任我挣扎反抗、无声落泪，他都无动于衷。或许他心里也有犹豫，但结果并未改变。我没有说一句话，即使开口也发不出声音，这一点，我想小白并没有发现。所以当他将饭菜端进屋的时候，面对我的沉默，他只是选择掩门离开。

很长一段时间我都有种不真切的感觉，推开门，门外站着小白，复又关门，推窗，窗外竟是一处悬崖。这一点让我很是意外，进来的时候只觉得此处院落应建在半山腰，没料到我这房间的另一面竟是悬崖！四处摸索了一阵，没发现房里有玄机，我颓然坐在椅子上，想着小白拿走凤兰玉佩的几种可能。

感觉到自己身体不对劲的时候，我已经跌坐到了地上，浑身异样地发烫，而且头晕眼花。那饭菜我一口未动，再说若是小白想从中做手脚，直接点穴或将我敲晕更容易，那么，我为何会晕倒呢？那朵花蕊鲜红形态逼真的菊花糕突然浮现在眼前，那样一张苍老的脸，又怎会有一双清亮的眼眸？而我当时竟只觉得微微惊讶，并未提防！

我昏迷了过去，偶尔也会在炙热的痛感中迷迷糊糊地醒来，隐约觉得胸口似有双手贴着，那双手会魔术般源源不断地将冰凉的寒意传递到我身上，让我觉得浑身舒畅。昏迷中的思绪却是混乱的，在这里遇到的人影重叠反复着出现，狐狸、清林、曦岚、小白、云风、翠儿……我又看到了红儿，我含着泪呼唤她，她却突然转过头，看着我，嘴角挂着冷笑，眼里有嘲讽与恨意，那神情像极了失忆后的曦岚！

心口一阵剧痛，我猛地睁开眼，发现自己躺在床上，床沿侧身坐着一个人，闭目微低着头，似在养神又似已坐着入睡，是小白！

"你醒了？"他似乎感觉到我醒过来，抬头睁眼，却是直直看向床前的桌子，视线并没有转向我。

我苦笑，如果我的昏迷是因为那块诡异的菊花糕，那么我几乎可以肯定昏迷中那双能将冰凉气息传送到我体内的人就是小白。几番救我，却又不止一次地伤害，其实算不得背叛，算不得利用，若说伤害，也是我伤害他在前。我与他，终究是一笔分不清是与非的账，不管我先前做过什么，不管小白正打算做什么，我想我们之间都不会单纯地只剩下恨与怨。

或许是因为我迟迟不说话，他终于转过头来，飞快地看了我一眼，冷冷地说道："你昏迷了三天。"

我猛地起身，却是一阵头晕目眩，这才发觉自己虚弱得连起身都成了一件难事。

"你还得躺几天，一时半会儿好不了。"他起身，伸手似想扶我，手却僵在半空，终于放下。

我抬头看着他，一脸的疑惑。

"你不会有事的。我去准备些吃的。"他的视线游移了一下，放在身侧的右手不自觉地握成拳，说完就转身走了出去。

难道我的身体有问题？我躺在床上一阵胡思乱想，良久，看着他端了个碗走进来，复又坐到床沿，没有扶我起身，径自舀了一勺，也没吹吹凉，就将一勺粥凑到了我嘴前。我微偏过头，朝着他用嘴形说了个"烫"字，结果才一张嘴，他就移过勺子将粥悉数灌入我嘴里。

我被烫得眼泪都流了出来，太急着咽下去，又呛着自己，一阵咳嗽之后，小白这才后知后觉地发现自己不像是在照顾人，更像是谋杀，略有些紧张地将粥放到桌上，起身将我半抱起来，又随手抓起盖在被子上的薄毯，塞到我的背后。我半靠在薄毯上，流着泪愤怒地瞪着他，一边用手费力地拍着自己的胸口。好半天才缓过气来，舌头却明显感受到热辣辣的疼，显然是被烫得够呛，接下来吃的东西都将失去味道。

"对不起。"他尴尬地看着我，半晌才从嘴里憋出这三个字。

我笑了，除了笑，我不知道我还能怎样。二皇子龙羽煌，不会照顾人那是自然，我现在是人质，是被软禁，又何需对我说这三个字，小白还是念着旧情分，有些矛盾的吧？

我乖乖地将粥喝下，然后认真地看着他，心里既然决定，就张嘴，伸手指着自己的嘴，只"啊啊"地发出了几个声音。

"不能说话？"小白似有些不敢置信地看着我，见我点头，眉头微微一皱。

我伸手，做写字状，示意他我有话说。他怔怔地望着我半晌，转身拿着碗出去，少顷又拿着笔、墨和纸进来。

你拿凤兰玉佩做什么了？

我费力地写下这几个字，将纸递给他，他看完，却没回答。我苦笑，执笔又写下几个字：我身体是否有异？性命有忧？

我刚写完，他就将纸抽走，紧紧捏在手心，几秒之后就成了灰烬。

我笑笑，看小白的反应，竟真的被我猜对了，心里反倒有些轻松，这样的反应实在让我自己都觉得奇怪，我抬手又慢慢地写下四个字：为了遗诏？

他定定地盯着纸上的字，不说话。我心里有了几分了然，又写道：你不必担心，我这情况想逃也逃不了。你既知凤兰玉佩，也早就做好了不让他们找到我的准备了吧？我只想知道，若是你想用我来换遗诏，那当日出了皇宫为何不这样做？

我稍一犹豫，继续写道：不要相信我父亲，云府不可靠。他转而看着我，神色莫测，我坦然地迎上他的目光，继续写道：小白，你知道，我不会说谎骗你。

他低头沉默，然后默默转身，我看着他出了房间，这才放下笔，将那张纸撕得粉碎。遗诏，真的有遗诏？就算有，还会留在狐狸手上吗？狐狸，真的会拿遗诏来换我吗？

接下来的几天，我的身体渐有恢复之势。小白一方面打算利用我来换遗诏，一方面又似真心为我的身体花了不少心思，煎药疗伤，眉头都没皱一下。我可以下床走动，活动范围就在这四合院里，至于逃跑，一来身体支持不了，二来那天我小试了一下，其实这四合院里不是没人，而是人都隐在暗处，我刚一走到门口，就被突然出现的黑衣人拦了下来。

龙州不算大，找个人却不容易，何况我现在没有了凤兰玉佩，不知狐狸何时才能找到我。至于七彩琉璃镯，我曾偷偷吹响过，可是吹了几次，都不见有人出现。小白既然防备狐狸，那么其他人找我更是不易，我只希望夜风与翠儿都已顺利脱险。

我站在窗前，望着窗外的悬崖怔怔出神，这几天有意无意地试探小白，却一直没得到什么有利的信息。那日他沉默着离开之后，我以为他会有所触动，再加上这几天的劝说，本想着事情说不定会有转机，没想到小白只是沉默，对我的苦劝既没有同意，也没有不耐烦，更没有反驳。

"他收了玉佩，约定明天过来。"身后有声音响起，不用看也知道是小白。

我又朝窗外的悬崖探了探身，狐狸真的拿遗诏来换我吗？我回身，走至桌边，拿起笔，写下：就算遗诏上是传位于你，你想回龙曜登基也不是易事。

小白，你是真的想要那个皇位？我写道，然后抬头看着他，他的眼神有一瞬间的慌乱，我低头，复又写道：还是你只是心有不甘，只是想得到承认？

他不语，转身就向外走去。我慌忙起身拉住他，他略有些诧异地回头看我，我死命地拉住他，将他拖回桌边，向他摇了摇头，腾出一只手继续写道：你与他，都是对方唯一的亲人了。

他突然使劲挣脱，我一个趔趄摔倒在地，他根本没留意到这些，头也不回地出了房。我索性坐在地上整理思绪，狐狸明天过来，为什么我总觉得遗诏的事有问题？就算当年真有那道遗诏，又被狐狸得到，狐狸又岂有不当场毁灭之理？难道还巴巴地留着这个隐患，等着哪天被人发现，被人威胁？

可是我能想到的小白又岂会不明白？他既然执意以我为交换条件，应该是有把握那遗诏确实还在狐狸手中吧。想起那日在皇陵说及小白的情况时狐狸的眼神，我突然有些担心，小白虽然早已做好准备，但以狐狸的性格，他又怎会打无把握之仗，赴无把握之约？

我这样动摇小白的心防，会不会到时候反而害了他？我忙起身，想找到小白，却找遍这院子的每一个房间都没有看到他，徒然回到自己的屋里。其实找到小白又能怎么样？劝他半路放弃是不可能的，那么跟他说什么？让他小心狐狸？不说他也会小心的。可是除此之外，我还能说什么？

直到晚上都没看到小白，饭菜换了个面生的黑衣人端来，我没有什么胃口，只吃了一点就让他撤下了。又等了一会儿，还是不见小白，我关了门躺在床上，心里的不安越发强烈起来。

第二天天蒙蒙亮我就被人叫醒，小白端着药站在床前，面露疲倦，见我醒来，将药碗放在桌子上，转身向外走去，回身掩门的时候，冷冷地说道："他马上就到，你准备一下吧。"

我慌忙起身，想叫住小白，可他看也不看我，径直关了门就走了。

待我起床喝了药，推开房门，就见小白背对着我站在院子中央。初冬时节，天色微亮，看着他的背影让人感觉更清冷。没有比这一刻更能肯定小白要的不是皇位了，从在青云客栈第一次看到小白开始，我就能感觉到他的绝望、悲痛与不甘，甚至在冷漠外表下那颗渴求温暖的心，可是何时感觉到他对权势有过欲望？

我走到他身边，伸出手主动握住他的手，我相信只要我努力，小白和狐狸会有一个好的解决方法的，起码不会是你死我活。他侧过头看着我，神情微怔。

几乎在与小白突然将我拉至他身后的同时，我看到狐狸出现在院门口。我费了好半天的劲，才又走到小白身旁，却无法再靠近他一步，想开口说话，却又发不出声音，只能定定地看着从门口慢慢踱步进来的狐狸。他一袭黑衣，眉宇之间明显有抹疲惫，却掩不住他身上那仿佛与生俱来的优雅慵懒气息。他看着我，一步一步走近，从始至终都没看小白一眼，脸上的笑容温柔且有暖暖的安慰之意，桃花眼却满是一切尽在掌握的自信。

我的视线忽然有些模糊起来，拼命告诉自己一定要忍住，才没落下泪来。

"你来了。"小白声音冰冷，拉着我的手却越加用力，我痛得忍不住缩了一下。

"如你所愿，就我一个人。"狐狸在离我们五米处站定，桃花眼在看向我与小白交握的手时忍不住半眯了一下，抬眼似很随意地看向小白，嘴角浮起一抹惯常的懒懒的笑容，眼神却在瞬间变得犀利而冷冽。

小白要求狐狸一个人前往？狐狸真的是一个人跑过来的？

我抬眼看向狐狸，说实话，我心里自是不相信他真的会巴巴地一个人跑来，他有他的责任，有他的帝王业，他能来此地，对我来说已经足够了。

我心里忍不住有些担心，这院子里看似只有我们三个人，但我知道在暗处却隐藏着不少高手，而狐狸这样坦然地进来，他的暗卫呢？看这情形该是没法跟进来的！我虽猜到他会武功，但真正与人正式交手，我还从没见过。唉，好担心啊，要是真掐起架来，小白和狐狸哪个会先趴下？

"遗诏呢？"冷冷的声音。

"皇弟，"狐狸突然亲昵万分地叫了一声，小白抓着我的手几乎在同时紧了紧，唉，不能怪小白，连我听了心都忍不住抖了三抖，狐狸这厮叫得实在太假了，我抬眼瞪了瞪他，他依旧笑看着小白，慢悠悠地继续说道，"遗诏不是一直在皇弟那儿吗？"

我转头看向小白，神色虽看似平静，但我知道他心里肯定很不平静。

"你当初将遗诏调了包，现在又何必说这种虚话！"

小白说得直接，狐狸却连一个不快的眼神也没有，依旧优哉游哉地站在那里，声音懒懒地道："其实皇弟你又何必执著于这一纸圣旨，有时候，真相可能更伤人。"

怎么听狐狸的话，这遗诏的内容，好像和小白想的不一样？可是苍天啊，咱可不能被这小子忽悠！

"被真相伤害的只怕是你吧，不然何必调包？"我确定肯定以及一定小白的嘴角有抹冷笑，而且他的话很有道理。

"皇弟是如何看出这遗诏是假的了？就因为上面写的皇位继承人不是你？"相比于小白的冷笑，狐狸的笑容好像更具有讽刺意味。唉，这两兄弟真不是一般的没感情啊，可惜的是我开不了口，而现在也不是不顾一切阻止悲剧的时候，所以依旧沉默。

很奇怪的，小白这时候却沉默了。其实以狐狸的狡猾劲儿，就算调包，那也是可以假乱真的假货，难道小白仅凭皇位继承人就肯定那是假遗诏了？还是小白早就知道真遗诏里的内容？

我还在揣摩，却见狐狸微眯着桃花眼，神色莫测地看着小白，懒洋洋地又开口了："对了，皇弟一定是发现隐藏在遗诏里的玄机突然消失不见了！"

我不仅感觉到小白握着我的手微微地颤了一下，更感觉到狐狸那盯着小白不放的眼里有莫名的情绪闪过，快得我还分不清这情绪到底是什么，他便状似很开心地笑了起来，眼眸又恢复成两潭深水，让人看不到底。

狡猾的狐狸，我敢肯定他刚才的话只是试探，而如今是心满意足地得到了想要的答案。遗诏里会有什么玄机？我的脑海里突然浮现狐狸的话，难道遗诏里隐藏着惊天大秘密吗？真是如此的话，那这秘密小白是早就知道的，所以才会确定遗诏被调了包。而狐狸，肯定是从中发现了一部分奥秘，所以才一直未将遗诏毁去！

唉，好像很简单，好像又复杂得要命，心慌！对了，心慌不是因为这皇宫秘密的复杂程度，而是小白的手突然一使劲，紧紧地将我揽在身前，紧得好像我连呼吸都有了点困难。

"放手！"我张着嘴，发不出任何声音，倒是狐狸，虽只有两个字，声音又轻，却冷似寒冰。我拼命转过头看着他，他敛了笑容，微皱着眉，眼神幽冷。

"遗诏！"小白说得干净利落。

我的心忍不住狂跳了一下，如果遗诏关系着皇宫里的某个大秘密，而且这个秘密正悄悄改变着天下形势，狐狸真的会毫不犹豫地拿它来交换我吗？汗！小女人心态作祟啊，突然想偷偷地衡量一下自己在狐狸心中孰轻孰重的问题了，自我鄙视一下。

"遗诏拿去，放开浅浅。"

呃，狐狸回答得好爽快。呜呜呜，可是为什么直觉告诉我这遗诏会是假的？总觉得狐狸不耍点小心眼儿才怪！

不用小白动手，就冒出一个黑衣人，狐狸伸手入怀，将一卷黄色的东西递给黑衣人，态度十分坚决。黑衣人略一打量，第一道关检验合格，就将这卷东西递给了小白。

小白只一打量，便伸手接过那卷圣旨，却并不急着打开，反而将东西藏于怀中。我诧异地看着小白，他如此费尽心机地想拿回遗诏，难道不是为了看清里面的皇位继承人是谁吗？如果他对皇位没有兴趣，那么这样做就只是为了这遗诏里隐藏的秘密？如果遗诏里真的藏有天大的秘密，那么会和天青的天圣水池与护魂一样，仅是每个国家的皇位继承人才能知道的秘密吗？又会是六国皇宫秘密的组成部分吗？

"东西已经交到你手，放了浅浅。"狐狸边说边朝我们走近。

小白却揽着我，身形略动，已退至后边，与此同时，院子里突然冒出五六个黑衣人，一下子就拦在了狐狸和我们中间。

啊，小白耍赖！

"皇弟这是什么意思？"狐狸倒没硬来，脸上突然浮起一抹笑容，桃花眼却又变得幽如深潭。

"我不会将她交给你。"小白倒也爽快，这话说得明明白白。我扭头看着他，拼命挣扎，他却突然打横抱起我，就朝我住的房间走去。

我一急，又不能开口说话，拼命扯住小白的衣服，一边侧过头去看狐狸。他却不看我，只略略打量了一下拦在他身前的那几个黑衣人，闲闲地道："皇弟可想知道玉妃娘娘的下落？"

那不是小白的母妃吗？她不是在两年前就病逝了吗？我晕，狐狸这话是什么意思？

小白抱着我的手明显一紧，脚步却不由自主地停了下来，既没转身，也没开口说话，但我知道他心里的震惊比我更甚。狐狸扔下一颗炸弹，就没再细说，气定神闲地站在那里，眼睛一直盯着我。好半晌，小白才开口，声音隐隐有些不平静地问道："什么意思？"

下部

第四十三章·再别

明明有剪不断的眷恋，却毅然松手断绝……

"什么意思？玉妃娘娘这两年来可是无时无刻不牵挂着皇弟啊！"狐狸的声音里满带嘲讽，突然想起什么似的，又懒懒地说道，"对了，当初秋梨假扮玉妃娘娘想替主子逃过一劫，这事儿皇弟竟也不晓得吗？这么忠心的侍婢，倒真是可惜了！"

小白的手一松，幸好我紧抓着他的衣服，不然我就摔在地上了。趁着小白微愣的瞬间，我松开手，撒腿便往狐狸的方向跑去。狐狸与那几个黑衣人的身形同时移动，虽然狐狸离我又远了几米，但他与黑衣人却几乎同时出现在我跟前。我只是下意识地蹲下身，然后就朝狐狸的方向爬去。

这完全是一种直觉，或者说完全是一种默契，黑衣人没料到我会突然如此，伸手想抓我却扑了个空，而狐狸却是第一时间弯下身，抱着我就在地上一个翻滚，起身时虽然周围已被黑衣人与小白包围，但至少我已牢牢地抱住了他，我们终于处在同一个位置上了。

"浅浅什么时候学会了这一招？"狐狸对于我们的处境倒是一点也不担心，一只手紧紧抱着我，一只手却抚上我的脸，桃花眼直直地盯着我，眼里嘴角满是笑意。

我想起自己刚才的举动，好像着实不雅了点，脸上一热，又想到狐狸这厮居然能这么默契地配合我，心中一动，脸上就浮起大大的笑容，摇了摇头，就将脸埋入狐狸的怀中。悬着的心终于放下，狐狸既然留了玉妃娘娘这一招，如今我又在他身边没被小白牵制，那么离开这里应该不成问题。

"皇弟不想玉妃娘娘有什么事吧？当年秋梨替了娘娘葬在皇陵，倒是玉妃娘娘顶着秋梨的名，吃了不少苦啊！"

我的心里感慨万千，唉，狐狸这厮，还真不是普通的狡猾啊。从他这一番话，我倒是听出了个大概。这秋梨该是玉妃娘娘的心腹，皇位争夺战中小白失利，秋梨必是出于忠心假扮成玉妃"病逝"——我猜所谓的病逝百分之九十九是自杀或是谋杀，好让真正的玉妃假扮成她的样子借机逃出宫。毕竟在当时的混乱局面中，一个宫女比妃子容易脱身得多，只是没想到此计竟被狐狸识破，假玉妃"病逝"，顺其自然地风光大葬，真玉妃虽被狐狸识破，阴暗的狐狸却也不点破，将人家堂堂一个皇妃当成"下人"使唤了两年。现在更好，不仅折磨了人家，这时候又将人家拿出来对付小白。唉，小白这孩子是斗不过狐狸的，还是趁早放弃的好。我虽有些同情小白，但这时候我还是分得清轻重的，既然做不到两全，就乖乖地让狐狸处理此事吧。

"我凭什么相信你的话？"小白的声音微颤。

"信不信都随皇弟。"狐狸的手在我背上轻轻地拍了拍，笑意盈盈地看着我，执了我的手，声音温柔，"对了，有一次那'秋梨'做事的时候打破了宫里的花瓶，内事府的总管命人打了她二十大板，事后有好心的宫女替她清洗伤口擦药，说是看到那'秋梨'的身上居然有莲花的印记，鲜红鲜红的莲花，栩栩如生！唉，记得父皇生前最爱画的就是红莲花，还真是巧了！"

狐狸说得漫不经心，小白听了却脸色大变。

"遗诏已经给了皇弟，不知朕能不能按约定将浅浅带回去了？"虽是问话，但狐狸已经牵着我的手一步一步朝外走去。围着我们的黑衣人见状，一时也只能步步后退，并不敢出手阻拦。

"放了母妃！"小白蓦地挡在我们面前，身上散发着冰冷迫人的气势。

"哦？凭什么？"狐狸的气势却越发慵懒了。

"你没发现她一直都没说过话吗？"小白微垂着眼，既没看狐狸，也没看我，不带丝毫感情地说道。

狐狸牵着我的手突地一转，瞬间搭上我的脉搏，脸色一下子沉了下去。

"你若就这样带她回去，只怕她撑不过这个月。"小白蓦地抬眼直视狐狸，毫不示弱道，"她身上的毒，不是你能解得的。若你想救她，就放了母妃，然后和我一路将她送去天青，我已派人通知天曦岚了，只有他才能救得了她！"

我怔在当场。狐狸突地一用力，将我紧紧搂在了怀里。可是我身上究竟中了什么毒？为什么只有曦岚才能救得了我？

"你该知道，她中了圣血菊杀还能捡回一条命已是奇迹，你若再犹豫不决，只怕到时候悔之晚矣。"小白依旧不看我，只盯着狐狸，继续说道。

圣血菊杀，这是啥玩意儿？我心中陡然一惊，难道圣血是夭夭身上的血？那一双让我觉得有些熟悉的眼眸，那大娘竟是纤绘公主扮的吗？她这样算计我是为什么？若圣血真是夭夭身上的血，那云老头必是知道其中奥秘的，那日我告诉他纤绘公主取了夭夭的血去，他脸上的神色已说明了一切，那么我会中了那假男人的计，应该和云老头必有联系？

狐狸神色如常，看似平静，甚至没有皱眉，只是敛了惯常有些慵懒的笑容，眼眸越发深邃。

"需要多少时间？"狐狸的声音很轻，似在喃喃自语。

我的心瞬间揪疼起来，难道真的没有别的办法了吗？从什么时候开始，我们总是匆匆一见，就又分开，然后一别又是数月？若我这一趟赶去天青，又岂会只是为了救命那么简单？曦岚因此又要付出什么？而捡回小命后，我再一次拍拍屁股走人？

我摇头，眼泪猝不及防地滑过脸颊，这一刻突然厌倦了这来来回回奔波的日子，若此刻能守着眼前的人，安安静静地过完最后几天，未尝不是一种最好的选择！看不透生死，也无法潇洒面对，但一想到若要活下去，就会面对更多的问题，会给别人带来不幸，或许活下来只会更加身不由己，天青王、修若的皇爷爷、云老头、失忆后的曦岚，我到底该如何选择？也许求生对我来说，并不是最好的选择。

"我不知道，这是她活下去的唯一希望。"

狐狸不语，交握的手转而手心相贴，一股微寒之气从他的手心缓缓渡入到我体内。他定定地看着我，眼里有温暖的笑意，但我知道他心里有多么的不甘。本以为一切尽在掌握，最后却是这种局面。

心口刺痛，呼吸一窒，喉咙一甜，我软软地倒向眼前的人，失去知觉之前只觉得嘴里满是浓重的腥味。

再醒来时已在马车上，我躺在狐狸的怀里，外面驾车的却是小白。我收回视线，费力地拉过狐狸揽在我腰际的手，在他的手心轻轻写下两个字：夜风。

"他没事，就在附近。"狐狸张开五指，将我的手包在他的手里，食指来回抚摩着我的手背，矛盾而纠结，一如他此刻的心情。

我心下释然，没有我这个包袱，夜风脱身定不会是难事，而翠儿，有穆默他们在，应该更不会有事。脸上浮起一抹笑，我挪了挪身体，找了个更舒适的位置躺着，然后尽量自然地抓过狐狸的手，继续在他手心一笔一画写道：比起去天青，我更愿意待在龙州。

头枕着的那个胸膛好半晌没有起伏，接着人就被紧紧拥入怀里，狐狸在耳畔一遍一遍轻喃："浅浅，浅浅，浅浅……"

那样深情，却是那样无奈。

脖子处突觉微凉，探手，俨然是那块凤兰玉佩。我无力地笑着，狐狸怎么可能同意我自生自灭？诚如濒临死亡的重病患者，只要还有一线生机，亲人哪怕倾家荡产也不会放弃救治的希望，我有什么资格先自我放弃？

心是暖的，也是酸的、涩的、苦的，更是累的。我靠在狐狸的怀里，复又沉沉睡去。

几天之后，马车已进入天青国境。我还是不能说话，而且一天的时间有半天都处在昏睡当中，虽然小白依旧替我运功疗伤，但不知是路上没再服药的关系，还是狐狸替我运功适得其反的结果。我倒是前所未有地无所谓，只是狐狸和小白的脸色却越来越差，马车的速度也越来越快。

进入静州的时候，夜风突然领了一位老者过来。狐狸说此人医术高明，解毒尤其厉害，当初云风身上的毒就是他解的。那老者上了马车，夜风出去替了小白，一时间马车里挤了四个人，空间一下子显得分外狭小。那老者自是狐狸吩咐人找来的，我想狐狸一方面不敢拿我的生命开玩笑，所以跟着小白一道赶去天青，另一方面却心有不甘，希望能用其他方法可以解决。

小白倒没拦着，甚至还向老者解释了一下事情的来龙去脉。那老者凝神为我把脉查看后，开口的第一句话却是："恩公，你不送她回家见亲人最后一面，现在这是赶去哪里？"

虽说我一早就有了心理准备，但心还是不由自主地一沉，我顾不了其他两个人的反应，只是想着鹤发童颜的老神医应该是狐狸认为医术最为高超的人了，他连让哥哥卧床大半年的毒都能轻松解除，可是给我把了脉的第一句话却是如此，那么小白说的曦岚能救我的可能性又在哪里？

狐狸向老者挥了挥手，老者似遗憾又似惋惜地看了我一眼，转身出了马车。

"你如何断定天曦岚能救浅浅？"狐狸扶我躺好，抬眼看向小白，微眯着桃花眼，声音冷冷地继续说，"遗诏里的玄机，皇宫里的秘密，不止龙曜国，还包括了其他五国？"

小白盯着我，眼里有我读不懂的讯息，然后转过头看看狐狸，嘴角突然浮起一抹笑，冷冷地带着些嘲讽，"你很能猜，但永远猜不到最终的真相，因为这是关

系到六国皇宫的秘密。"

"只要浅浅没事，只要她在朕身边，这些皇宫的秘密，朕并不在乎。"狐狸拥着我，抓过我的手，紧紧地包在他的手心，在我耳畔轻喃道。

"不在乎？若与皇位相关，你还会不在乎吗？"小白冷笑。

"浅浅，"狐狸并不回答小白，伸手揽着我，半转过我的身子，让我与他面对面，眼睛紧紧锁着我，正色道，"浅浅希望大哥这样不顾一切吗？"

我努力弯起嘴角，轻轻地摇了摇头，头却渐渐沉了起来。江山与我，在狐狸的心里，占据着不同的位置，不存在冲突。他若放弃皇位，放弃江山，那他就不是狐狸，也就不是我心里的那个人了。

耳边再也听不到他们的对话，我又陷入了昏睡之中。

再醒来时好像已是第二天，甫一睁眼，就撞上那双凝视着我有些失神的桃花眼。微一偏头，尽管隔着车帘，也能感受到外面的阳光。又是一个大好的晴天，忽然很想去爬山，去感受一览众山小的味道，这样好让自己明白人的渺小，那么如果真的再也醒不过来，也可以含笑了。可是以我现在的身体状况，定是不允许的。

"醒了？"狐狸的声音微哑，一路急着赶路，他光洁的下巴已经冒出了点点胡楂。

我点了点头，挣扎着从他怀里起身，伸手撩起车帘，暖暖的阳光照了进来。我索性将车帘全部撩起，贪恋着照射进来的亮光。

"若当初坚持不让你去天青，如今也就不会这样。"我闻言，诧异地转过身，狐狸并没有看我，似也望向马车外，脸上竟有一丝希冀，"或者应该在更早之前。"

我心里是说不出的滋味，这样骄傲的一个人，也会说出这样一番悔不当初的话来吗？我无法开口，只能坐回他身边，左手刚贴上他的手背，马车却突然停了下来。狐狸的手反握住我的，另一只手揽过我，抱着我从马车上一跃而下。

"曦岚！"当我看到马车不远处那急驰而来的白色身影，深深地叹了口气。为什么？他不是已经忘了我，他不是只剩下恨我了吗？为什么又这样巴巴地赶过来？他又要再一次救我，只是不知这一次要他付出的代价是什么？而那紧紧握着我手的人，又要再一次分别了。

马一声清啸止住奔跑的脚步，曦岚飞身下马，急急掠至我们跟前，清亮的黑眸从始至终只紧紧锁着我，那眼里的焦虑与担忧清清楚楚，仿佛从始至终都没有看到旁人，仿佛从始至终那双眼里都没有出现过嘲讽与愤恨。

我只能冲着他点头，微微地笑了笑，眼泪却猝不及防地滑过脸颊顺势而下。分不清这泪是感动于曦岚，还是为着即将到来的离别。

"请救救浅浅。"狐狸握着我的手突然一用力，似要将我的手捏碎，在我还来不及因痛战栗时，又蓦地松手，手指与我的交缠，看向曦岚，声音里竟有一丝乞求。

我的眼泪越发泛滥，模糊了视线，心里却揪得很疼，手指紧紧缠着狐狸的，生怕下一秒就会失去那指尖传来的温度，断了那丝丝缠绕的情意。

"这是我的事。"曦岚的眼睛在看向狐狸的时候却有冷冷的寒意，脸上虽是惯常的微笑，声音里却有不屑。

纠缠的十指同时用力，然后有五只手指缓缓松开，明明有剪不断的眷恋，却毅然松手断绝，那抽离的姿势，好像能将人的心揉碎。我泪眼蒙眬地看向狐狸，他却好像根本没有察觉，桃花眼直直地盯着曦岚，嘴角似乎想弯起一抹熟悉的弧度，结果却只让人觉得格外僵硬，声音隐隐不平静地道："时间不多，请尽快救浅浅。"

我不要，我不要，心里突觉万分不舍，并莫名地慌张起来，怕极了此刻与狐狸分离。转身就想扑到狐狸的怀里，想赖着不离开他，他却猛地伸手将我推向曦岚，眼睛没有看向我，却怔怔地不知在想些什么。

在我失声痛哭前，曦岚揽着我一个旋身上马，不理任何人，将我紧搂在怀里就策马狂奔起来。我拼了命看身后的人，那个身影离我越来越远，很快就成了一个黑点，直至消失不见。我放声大哭，记得上次在天山脚下，也是曦岚来接我，那时候狐狸慵懒随意地与曦岚对峙了几秒，然后狠狠掐了下我的手心，转身就与夜风飘然离去。而这一次，他亲手将我推向曦岚，站在原地目送我们离开，直到我再也看不到他，他都未曾转身。

我坐在曦岚身前，与他面对面。远处的那个身影已经成为黑点，然后消失，但那个身影却早已烙在我心里。我抬眼看向曦岚，伸出食指，在空中一笔一笔划出几个字：答应我一件事。

"为何不说话？"虽在城中，但一旁早有侍卫开道，所以身下的马疾驰着，并未减速。

我向他笑笑，用手指了指自己的嘴巴，然后摇头。

他的眼眸蓦地变深，紧抿着唇，复又抬眼看向前方，马的速度更快。

我伸手扯了扯他的衣服，他转回视线看着我，我又在空中写下：不要救我，不要恨我，彻底忘了我，再不要记得我。

我写得很慢，好似用尽了所有心力，却不曾犹豫。我很没用，我很怕死，我也舍不得离开这里，留恋那几个让我留恋的人……只是这一刻，朝着那远去的方向，再也看不到熟悉的人影，突然有一种强烈的感觉：我与狐狸不只是隔着万水千山的距离，若想在一起，实在太难。而曦岚，我若再欠他一条命，就再也无法轻易地转身离开。

马一声长嘶，前蹄腾空，瞬间停住身形。我一个不备，身子猛地向他怀里撞去，胸口一窒，就剧烈地咳嗽起来。

"你有资格说这话吗？"他的眼里全是怒火，神情却有一丝狼狈，声音狂躁。

我半晌才停住咳嗽，努力弯起嘴角，想对他微笑。虽然他忘了我们共处的点滴，虽然他对我有恨，虽然他眼里脸上不再是温润的笑，但他还是曦岚啊，在我内心深处，他依然是那个我所熟悉的曦岚啊！

我想伸手再比画着写字，手微抬，嘴里却涌上一阵腥甜，我想忍住，可是依然有温热黏稠的液体滑过嘴角，缓缓而下。头一沉，眼一黑，在我再次陷入昏迷前，好像听到很远的地方有人唤我："浅浅，浅浅……"一声一声，很远，很轻，仿若幻觉。

再醒来时，我是被周身冰冷彻骨的寒意冻醒的，睁开眼，触目所及除了熟悉的白色身影外，周围的环境也很熟悉。芷兰宫花墙内的天圣水池，我靠在水池边，水漫过我的胸，我用双手趴在池沿上，他只将我的手按住，不让我的身子滑向池底，却并没有下水。

隔着皮肤，外边是冰，体内是火，那种煎熬让人绝望。不出几秒，心口处就觉得刀割一样的疼，好似有人剐着我的心，我痛得忍不住呻吟出声，求救地看向水池边的人，他的眼里皆是困惑、混乱与挣扎，紧紧盯着我，脸上有刹那失神，随后眼里闪过一丝莫名的惊痛。

心口的痛更甚，我本就开不了口说话，此刻连呻吟都成了奢望。他用力抓着我，我的身子却越来越软，浑身失力般沉沉地向池底滑去。我努力抬眼看他，拼了命想摇头而不能，只得噙着泪，用眼睛无声地求他：曦岚，松手，放了我，就让我这样消失吧。

就在我痛得将要晕厥时，赫然看到他抓过我的手，毫不犹豫地跳入水池，紧紧抱着我，那半开半闭的嘴里，似乎想喊什么，却没发出任何声音。我的意识渐渐模糊，再也听不到、看不到、感觉不到任何东西，记忆中的那些影像裂成无数小碎片。没有痛，也没有泪……

当我睁开眼的时候，发现自己躺在一张陌生的床上，而在一边守着的人却是紫苏。她穿着翠色锦绸棉袄，那是天青最冷时节的装束。没想到再次醒来，已经是严冬了。更没想到，我还能醒来，醒来后竟还在这里。

我试着动了动手，虽然没有什么力气，倒是伸展自如。我又试着开口，却发现只能发出咿咿呀呀的声音，依旧说不了话。

"公主醒了？"紫苏本来站在床前微微出神，听见声音，忙抬眼看着我，神色平静，眼里却有欣喜，转身就朝屋外走去。

少顷，曦岚风一般地进来，我又抬眼打量了一下四周，熟悉的人，却是陌生的地方。房间不大，摆设简单而干净，这里不是芷兰宫，也不是曦岚宫，甚至不像是在天青皇宫里。

他在离床不远处停下脚步，似敛了敛神，收了收心绪，这才缓缓走至床前，在床沿坐下，伸手掀起衾被，搭上我右手腕，好像是在把脉。他的眼睛，从进门到现在，虽不离我身却一直刻意避开我的视线，不愿面对。

我叹了口气，视线随着他的动作下滑，望向他贴在我手腕上的手，却意外看到他右手小指上空空如也！护魂呢？我心里一惊，费力地从衾被下抽出左手，果然看到自己左手小指上，缠绕着那圈圈细金线——护魂。

曦岚！我开口，却没有声音。左手紧紧握住曦岚的手，我用力半撑起身子，衾被顺势滑下，低头，却见自己上半身只着一件水红兜肚，勉强算是遮了羞。

我一下子跌回床，一手拉回被子，一手指了指自己，又指了指依旧坦然坐在床沿的曦岚，张嘴咿咿呀呀说不出话，脸却蓦地烫了起来。

"现在你的命是我的，你的人也是我的。"他忽然看着我笑了，笑容温和，眼眸清亮，声音清润。

像极了失忆前的曦岚！

我微张着嘴，脑中一片空白，好半晌才反应过来。若尘的话突然在耳畔响起，我不知从哪里来的力气，猛地坐起身，紧紧盯着自己小指上被紧紧缠绕的护魂，又转过头看向曦岚，心里一时紧张得不行。曦岚刚才的话是什么意思？在天圣水池失去知觉前看到曦岚下水抱住我，而现在我手上的护魂，难道是曦岚用"最简单的方法"渡到我身上的？

下部

第四十四章·幻境八卦

曦岚又用了那个『最愚蠢的方法』将护魂渡到我身上？

　　我颤颤地抚上胸口，一时间根本接受不了这样的结果，深呼吸了好几次，又使劲摇了摇头，不敢看曦岚，低着头拉过他的手，手指轻颤，在他手心写道：我们？

　　落笔那个大大的问号，写得尤其缓慢与迟疑。我的心却提了起来，悬得高高的，呼吸不由得屏住，带着一丝希冀。手指从他掌心抽离的刹那，他的手突然紧紧反握住我的手，用力一旋，另一只手搭在我肩上，我来不及惊呼出声，就被他拉入怀里。他扯过被子瞬间紧紧裹住了我，清亮的眼眸里隐隐有火焰在跳动，在我不知所措时，他已然俯下脸，用唇封住了我的嘴。

　　曦岚的吻，霸道中带着一丝温柔，愤怒中带着一丝缠绵。我挣扎不得，心里有痛，更多的却是羞愧，等他终于松开我时，几乎是下意识地伸手朝他脸上甩去。

　　他没有躲闪，生生挨了我一巴掌，脸上却突然浮现出一抹笑容。他伸出手，抚上我的脸，轻轻地拭去我的泪。

　　这才知道不知何时，我已泪流满面。

　　"看到你闭上眼好像再也不会醒来，为何我的心会那么痛？想到你从此消失，为何我会觉得如此绝望？明明我已不记得你，再见时我心中也只剩下恨你，可是为什么我的心好像会背叛，会脱离我的掌控，忍不住就想保护你，就想将你留在我身边？"

　　他的脸上有困惑，有挣扎，似微微出神地看着我，眼里却满是心疼。

　　曦岚！我的手紧握成拳，指甲狠狠地掐进肉里。我与曦岚，不该是这样，不该是这样的啊。

　　"那时候，我是不是真的爱你爱得可以放弃一切，包括我的命？"他看着我，眼睛却在一瞬间失了焦距。

　　我想摇头，又想点头。

　　他却忽然一笑，似乎明白了什么，敛了神色，万般温柔地合着被子抱起我，起身朝外走去。我一惊，刚欲挣扎，他却伸出手紧了紧被子，将我裹得严严实实的，然后浅笑道："你睡了一月有余，终于肯醒过来了。"

　　在天圣水池昏迷前的刹那，我是真的想从此长眠不醒，离开这里。怕的就是再睁开眼时，面对一个亏欠至深的人。如今，却没想到情况更尴尬。

　　"你若不能完好无缺地回来，现在就与我一道回去。"狐狸的话突然在耳畔回响，完好无缺？从决定去天青走一趟开始，狐狸就一直强调要我"完好无缺地回来"，甚至结盟的任务完成与否都无关紧要。那么，"完好无缺"的定义又是什么？我现在这样，哪怕曦岚是为了救我才发生了那种事，会不会在狐狸的心里就已经不是完好无缺的了？

想到这里，心里悲恸不已。隔着千山万水，狐狸，我们最终还能在一起吗？

出门，竟是一个银装素裹的世界。

我昏迷了一个多月，去年冬天，直到我离开天青都没下过一场雪，而今年，算时间还未到深冬，竟已下了这么大的雪！

"你说，我该叫你什么？"他抱着我，坐在屋檐下的大木椅上。

我背坐在他怀里，感觉到温热的气息轻拂过我耳垂，我不由得缩了缩脖子。不能开口说话，真的是一件很痛苦的事。

"哪一个才是你的真名？浅浅吗？"他的气息更近，声音温柔得似能滴出水来，而我却能感觉到那温柔之下暗涌的波涛。

这一刻的感觉，像极了狐狸在我耳后轻喃。想起狐狸，心中一痛，曦岚，我曾无数次在心底深深自责，你这样为我付出，我却连自己的名字都不曾向你坦白，而现在，当你终于知道我的名字，当我终于有机会向你坦白时，心里却失了那份原有的滋味，留下的唯有苦涩。

我的手不自觉地抚上胸口，没有小锁坠，也没有凤兰玉佩。我侧过头去看他，用手指了指自己的脖子，又很快缩回被子里，天很冷，被子下的我，衣不遮体。

他看着我笑笑，探手入怀，将小锁坠挂在我脖子上。锁坠上带着他的体温，贴上我胸口的时候并没有突兀的冰冷感。我继续盯着他，用眼神问他："玉佩呢？"

"他能给你的，我也能。"他看懂了我眼里的意思，却给了我这样的回答，"你如今已是我的人，所以那玉佩，我已替你还给了他。"

我摇头，他的笑容里却有丝残酷，"其实早在望州的时候，这玉佩就已扰得我不安宁，不过当时觉得好玩，就留了下来。如今情况不同，相比于逗人玩，我更乐于没有人再来打扰我们。"

狐狸果然一早就知道玉佩不在我这里，所以几次见面，只字未提。可是这种沉默与包容之中，包含了多少我不知道的内情，又给他带来了多少麻烦？

我张口欲言，却仍是说不出一个完整的字。

"每次你一说话，我就控制不住自己，好像全部心思都会不由自主地跟着你走。说什么话、做什么事、决定什么全不由自己，所以相比之下，我还是喜欢现在的你。"他忽然很开心地笑了，笑完就抱着我起身回房，边走边道，"那日你说你叫微眠，我发现我最喜欢这个名字，云月、汐月、醉月，甚至于浅浅，都不如叫微眠顺口，所以，我就叫你微眠吧。"

我怔住，他却将我抱回到床上，帮我掖了被子，转身就欲离开。我伸手拉住他，他诧异地转过身，我略一犹豫，伸出另一只手，在他手心写道：你是只忘了我，还是忘了全部？

他抬眼困惑地看着我，我深吸了一口气，继续写道：端妃娘娘呢？

未及停下，他突地甩手，转身就朝外走去。我终于忍不住，开始失声痛哭。曦岚一口一个"你是我的人"，不该发生、不想发生、不愿发生的事还是发生了吗？虽然我印象全无，虽然当时是形势所逼由不得自己，但我心里还是好痛，不能怨不能恨，也不能因此寻死觅活，那种彻骨的痛找不到宣泄的出口，只能郁结在心里。

曦岚没有再出现，紫苏进来侍候我吃了点东西，天就慢慢暗了下来。我示意紫苏给我穿件衣裳，比划了几次她才明白，好歹拿了件衣服，小心帮我穿好，才又扶我躺下。

几日之后，我已能下床走动，雪却依旧没有融化。我的推测没错，这里不是皇宫，而是天州郊区的一处院落。除了紫苏之外，还有一位面生的大妈在这里做饭，洗衣，打扫。另外还有无印无痕他们几个。曦岚这几日都未出现，可能是忙什么事情去了。我自是出不了院子，一边想着没了凤兰玉佩，狐狸与夜风什么时候才能找到我，一边与那位大妈套近乎。我知道，紫苏和无印他们几个，对曦岚是绝对忠诚的，我若想在他们面前耍些小心眼儿，那必是没有什么好结果的。

"徐大娘，我来帮你吧。"雪后初霁，天似回暖了些，我看着徐大娘一个人在费力地绞着一件棉长袍，上前用手指指自己，又指指衣服，比划道。

"使不得使不得。"中年微微发福的徐大娘说完，冲着我笑。她两手绞着长袍的上半截，笑容微愁，让我感觉很温暖。

我摇了摇头，也不理她的阻止，上前抓过不停滴着水的棉袍下半截，退后一步，就向反方向绞了起来。

她会意，两手握住长袍一端，就用力与我合力绞了起来。我握着湿湿的长袍，只觉得一阵冰冷，渐渐地竟使不上力。我毕竟不如徐大娘，她使力往另一个方向绞，我却只能双手抓住一端不动。

"你在做什么？"身后骤然有声音响起。

我惊得手一松，长袍倏然落下，有一小截碰到了地上。

"对不起。"我慌忙向徐大娘鞠躬致歉，看着她冲着我身后的人喊了声"爷"，然后不在意地冲我笑笑，拎起长袍又放回水桶，重新洗了起来。

"是太清闲了，还是想以此博得徐大娘的好感？"他看着我微笑，笑容温和而淡然。我亦步亦趋地跟着他往回走，一瞬间仿佛跌回到天青皇宫的那段时光，直到他的声音不疾不徐地传来，才翻然惊醒。

我只这一个小举动，他就警觉至此，还是他虽然忘了我，却依然明白我所有的小心思？

我向他笑着摇了摇头，坦然得没有一丝一毫的心虚。他的笑容更深，"其实你想离开这里也不是不行，只要凭你自己一人之力能走出去便是。"

我疑惑地看着他，他却转回头，微笑着，拉着我向院门走去。

院门外，一片密林，不远处似隐隐有屋宇错落分布，乍一看，竟有幻境的感觉。我叹了口气，结合曦岚刚才的话，想起待在若尘的四合院内时的情形，恐怕这里又是另一个奇门八卦阵吧。别说是仅凭我一人之力了，当初云耀和云辉数次想闯出阵，都没有一次能成功，我连武功都没有，又怎么可能会有奇迹出现？

"不想试试？"他松开手，站在那里，一身白衣飘然脱俗，看着我，眼里竟有鼓励之色。

我摇了摇头，轻弯了下嘴角，转身回房。

晚饭时，紫苏敲门进来通知开膳，我窝在被窝里，背对着她挥了挥手，示意我不想吃，然后缩回手继续盘算。少顷，关门声响起，不一会儿又是门被推开的声音，接着就有人掀开被子，将我从床上拉起。是曦岚，不用看我也知道。

"怎么不吃饭？"他的声音里有微微的怒气。

我摇了摇头，指了指自己的肚子，示意我不饿。

"你的身体还很虚弱，即便不饿，也多少要吃点，补充一下体力。"他伸手抱过我就往外走。我没有挣扎，因为我看到他眼里的那抹坚持。突然很想笑，曦岚，不是只剩下恨我了吗？为何在这种时候，眼里会有关切？

坐在饭桌前，曦岚将筷子递给我，我动也不动，他倒不恼，用自己的筷子夹了菜，凑至我嘴边，我扭开脸，两个人就这样僵持着。其实我已甚感愧疚，心下不忍几欲放弃的时候，一想到狐狸，就又硬下心肠坚持。或许我欠曦岚的更多，但不是因为狐狸的付出比曦岚少，而是我无法回报曦岚同等的感情。对于狐狸，我明白，他的付出并不少，只不过付出的方式与曦岚不同罢了。既然两人之中，我终归要负一人，为何选择让三人都痛苦的路？所以曦岚，对不起，对不起……

"你是没胃口，还是心中有了打算？"他突然收手，温和地问道。

他脸上有淡淡的笑，眼里却有淡淡的伤。我心中一痛，虽有打算，但看到曦岚如此，以往的一幕幕浮现在脑海，记忆中那个温润如玉、总是温柔待我、无悔无怨地帮我的男子，如今却因为我而失忆了。

我伸手蘸了茶杯里的水，在桌上写道：我想回龙曜。

停手的时候有一滴泪恰好滑过脸颊，落在"曜"字的右边，看似一个句号。

"等你身体好些再说。"他微垂着眼睑，一时看不清他眼里的神色，少顷方抬眼，眸中已是一片清亮，笑容温润，温和地劝道，"先吃饭吧，你现在的身体经不起舟车劳顿。"

虽不知现在的具体方位，但此去龙曜必得花上一段时间，就我现在的身体状况估计不太可能。重要的是，曦岚既已这样说，我若再拒绝，那岂不是表示不信任他？我轻抚护魂，这东西对他、对天青有多重要，我心里明白，可是为了救我，他从不曾犹豫，不管是失忆前，还是失忆后。

我抬眼看向他，眼泪顺势滑落，蓦地弯身抱住自己，声嘶力竭地大哭起来。曦岚静静坐着，我撕心裂肺地哭，手无意识地紧紧地死死地扯着护魂，直到嗓子哭哑了，直到再也流不出泪来，才渐渐地平静下来。

我抬头看他，眼睛痛得有些睁不开，他的眼里有狼狈，还有一丝无措。我在桌上写道：我想说话，我是修若的公主。他明明看到了我写的话，却依旧沉默着。

我一时无语，起身，走过他身边的时候，他突然将我拦腰抱了起来，不理我的挣扎，抱着我就往我的房间走去。我使劲推他，他却抽出一只手握住我的双手，不重，但握得很紧，让我无法抽出。

他抱着我一同躺到床上，拉了被子将我盖得严严实实，任我如何挣扎，他的手都紧紧地环着我，半晌，声音才从耳后轻轻传来，"别动，你一定能开口说话的，早点睡吧。"

他的手拂过我的肩的时候，我顷刻就沉沉睡去。

翌日一早醒来，天已大亮，身边无人。我正待起身，却见紫苏进来，侍候了我洗漱，就转身又端了个盘子进来，甫一入门，我就闻到浓浓的草药味。我抬眼看着她，用眼神询问。

"是殿下交代的，喝了药可以让公主慢慢恢复说话。"她解释道。盘子上有两个碗，大点的碗里是黑黑浓浓的药汁，小碗里却是桂花糖水。

昨晚的痛哭有效果了吗？曦岚真的如我所想，即便是忘了我，不记得我们过去的点滴，即便从别人的嘴里听到那些过往的经历，认定我曾欺骗他利用他，明白他应该讨厌我怨恨我，可是在内心深处，或者说是在潜意识里，对我还是存有一种直觉的本能的爱吗？他终于妥协了？

我心中有愧，却还是很庆幸，忍着苦味一口气将碗里的药汁喝干，然后拿桂花糖水漱口。出门，竟意外地看见曦岚与无印、无痕、无迹在切磋武艺，但见他白衣翻飞，与三个灰色身影交错纠缠，良久才蓦地分开。我怔怔地站在原地，看着无印三人躬身行礼，然后听无印说道："恭喜殿下恢复功力！"

我的思维有三秒钟停顿，然后才慢慢反应过来。对于芷兰宫的这三个侍卫，从夜风的口中所述我就知不简单，如今这三人同时与曦岚交手，虽说曦岚是主子，他们必有忌讳，万不敢拼上全部的功力，却也不敢畏畏缩缩随便敷衍了事，以他们三人联手，曦岚竟丝毫未落下风！我一向都知道曦岚的武功了得，说他的武功已经到了出神入化的境界也未尝不可，所以当我知道他用了"最愚蠢的办法"将护魂渡到我身上，令自己受伤却仍在我面前表现得宛如没事人一般，直至最后重伤昏迷险些丧命，我心里的愧疚与负罪感几乎将自己淹没。

而如今，无印说的"恭喜殿下恢复功力"是什么意思？难道曦岚再一次受了伤损了功力？心中蓦地一颤，难道曦岚这次折损功力是与救我有关？曦岚又用了那个"最愚蠢的方法"将护魂渡到我身上？可是曦岚不是将我忘了吗？

"药吃了吗？"曦岚理了理衣裳，走到我面前，意味不明地看了我一眼，声音温和地问道。

我下意识地点了点头，一时思绪万千，抬手正欲拉他，想问他事情的来龙去脉，他却不着痕迹地避开，转身朝院外走去，只留下一句："我明天就先送你回修若。"

曦岚真的要将我送回修若了？他答应了我，却是将我送回修若？我看着他的背影，微微出神，直至他消失在我的视线里。无论如何，总算是一件好事，而且曦岚已经开始医治我的失语症，一切好像有慢慢变好的迹象。

第二日吃罢早餐，众人就开始收拾东西。我自是没什么好忙的，紫苏很能干，不用我交代，就会将一切打理得妥妥当当。

印象中曦岚尤爱骑马，鲜少见他乘坐马车。我喝完药走出房间，看到院子里不知何时已停了一辆马车，紫苏扶了我上车，我才看到曦岚已经坐在了里面。

马车很大，曦岚坐在左边，我与紫苏坐在右边，甫一入座，马车就动了起来。我刚抬手拉开车帘的一角，就听曦岚的声音从对面传来，"幻境八卦，别往外看！"

我缩回手，转过身，疑惑地看着他。

"如果你愿意，也可以试试，因为它会让你看到心里最害怕最恐惧的事。"他微笑，笑容却有些冷清。

我暗忖，脑中却闪过曦岚直直地躺在床上，半盖着被子，没有温润的笑容，没有清雅的声音，那双清亮的眼眸微合着，好像已经睡着了，永远睡着了……当时心里的那种疼痛、那种害怕与绝望紧随而来，我用力抓着胸前的衣服，弯下身，竟一时喘不过气来。

"怎么了？"他蓦地俯身向前，手一伸，隔着案几将我横抱在怀里。

我紧抓着自己的衣服，皱着眉，拼命忍着心口难言的怪异感觉，摇了摇头。

"微眠？"他伸手捧着我的脸，清亮的眸子看着我，面有忧虑。

我抬起头，与他视线相对，眼前这双清亮的眼眸渐渐变成那双幽如深潭的桃花眼，我伸出手颤颤地抚上他的脸颊。他唇畔勾起的那抹笑容慵懒而随意，我心口的痛更甚，脑中却是满满的思念，我着迷地看着他，在泪水滑下脸颊前，我闭上眼，忍不住凑上前将自己的唇贴了上去……

他的舌灵巧地入侵，肆意纠缠，缠绵而贪恋。刹那间，我惊觉那唇舌温暖而柔软的味道不似狐狸那般霸道而狂热，当我惊觉他身上没有熟悉的龙涎香时，我猛地伸手去推他。他却不后退，抚在我后脑勺的手微一用力，让我退不得躲不及，另一只手紧紧搂着我，直到他恋恋不舍地离开我的唇。在我大口呼吸着新鲜空气的时候，他猛地将我按压在自己的胸口上，紧得让人窒息，"微眠，你是我的。"

　　任我怎么挣扎，他都紧抱着我不放，我苦挣了半天，最终只好无力地认命，然后趴在他怀里流泪，不明白自己方才为何会出现那种幻觉。他依旧不放手，似乎感觉到我在流泪，只用手轻轻拍着我的背，像是在安慰我。

下部

第四十五章・再次随军出征

让我对曦岚绝情、无情、狠心，我是很难做到的。

马车疾驰，直至出了那个所谓的幻境——八卦阵，我都没有掀开车帘。曦岚一直抱着我，我哭累了，用衣袖将脸擦干净，慢慢地竟窝在他怀里沉沉睡去。再醒来时已是午后，马车适时停下，曦岚不顾我的挣扎，抱着我下了马车。又是一个院落，不大，一早就有人候在门外，待入内，饭菜早已备妥。

"先吃饭吧。"他将我放在椅子上，伸手将筷子递给我。

我还来不及动筷子，就见无印站在门外，有些焦急地看着曦岚。曦岚的眉毛几不可见地微微皱了皱，看向我时，却神情温和地道："我们先吃饭吧。"

我知道肯定是有要紧事。可曦岚与我在一起的时候，总是不理其他的事，或者说会放弃太多的东西。我知道在他的心里，从始至终就只有我最重要。我心存愧疚，拉了拉曦岚的衣袖，然后看向无印，示意他进来。

"什么事？"曦岚没有阻止，伸手握住我的手，温和地看着我，却对无印冷冷地道。

"回殿下，杨公公来了。"

我正困惑，天青王身边的总管大太监杨修竟已出现在门前。他向曦岚行礼请安，看到我时，明显一怔，复又恢复平静，"咱家给汐月公主请安。"

我忙打了个虚扶的手势，不能开口说话，只能以手示意请他起身，脸上颇有些尴尬。差点就忘了自己还有这样一个身份，杨公公此举，起码说明我这公主的名分还没被天青王废掉。

"殿下，大军已经出发，殿下不能再耽搁了。"

呃，杨公公这话是什么意思？难道天青军已经出兵欲伐叶苍了？难道天青王又指派了曦岚担任大元帅？

"本王自有分寸。"曦岚回答得坦然，脸上的笑容依旧，伸手夹了一筷子菜，放在我的菜碟内，温柔地道，"快吃吧，天冷，菜凉了就不好了。"

"殿下，皇上……"

杨公公的话才说了一半，就被曦岚打断，"下去吧。"

杨公公似还想说什么，终是没开口，临转身时，却有意无意地朝我这边深深地看了一眼，才退下。我心里又怎会不明白，杨公公亲自来传话，又是为了这等刻不容缓的兵事，只怕是曦岚为了我又逆了天青王的意，天青王正在发飙呢！重要的是，我知道曦岚并不是干脆推了这差事，只是因为我的问题而耽搁了，所以

我更觉得没有理由再让曦岚因为我而与天青王闹得不愉快。

"曦岚,我可以自己回去,如果你不放心,派个侍卫送我回去也是可以的。"筷子蘸着茶水,写下这些的时候,我已经明白曦岚是不会同意的。可我又万分想让他同意,那样我就可以趁机回龙曜,如果注定要亏欠曦岚,我宁愿狠下心让他怪我怨我,而不是让他心存希望,再一次失望。

"微眠想回的是龙州吧?"他微垂下眼,声音温润,脸上略有些自嘲的笑容,说完又蓦地抬眼看着我,眼眸里竟有丝隐隐的希冀。

我想点头,又不敢点头,视线游移,一时竟不敢直视那双清亮的眼眸。

"你的身体未愈,我又怎么放心让你自己回去?此去叶苍,途经龙曜,若微眠愿意,可以随军一道,就是碍着行军速度可能会耽搁些时日。"

他虽是问我,但我知道他这是默认,是妥协,也是一种期待。就像以往我每一次的想法与决定,他无法拒绝,不忍拒绝,心里却仍有期盼。我点点头,目前来看这是最好的办法,随军于我不是第一次,而且就目前的身体状况讲,有曦岚在身边我还可以很安心。

我承认,我的想法很自私。但这种感情是一种直觉,而且让我对曦岚绝情、无情、狠心,我是很难做到的。

他的眸中闪过惊喜,脸上的笑容暖若春阳,却让我的心狠狠地痛着。

我们在徐州赶上大军的时候,已经是几天后的事了。过了徐州便是青州,若天青要攻打叶苍,经过齐青关后还需要越过一段龙曜国境,方能到达叶苍边境。

边境问题可大可小,更不可能随便让他国军队经过、驻扎。如果狐狸已经答应,那么必会就此事分别与修若和天青谈妥条件。

依旧是前将军展延和左将军段胜领兵,曦岚出现的时候,这两个人一阵激动。经过望月之战,曦岚早已成为他们的偶像了。我已换上男装,依旧是曦岚的近身侍卫,他二人看到我时,脸上连半丝惊讶都没有,于是我突然想起了清林,找到了将军们的共性。

连着喝了几天的药,虽然依旧不能说话,身体却恢复了不少。为了不搞特殊化,我坚持骑马,曦岚却坚持让我坐马车,两人僵持了一会儿,毕竟身份又回到了侍卫,在众人面前我也不敢太放肆,只好乖乖地爬上马车,坐在里面生闷气。

是夜在徐州与青州交界处驻扎，按照老规矩，我与曦岚住在同一个营帐，只是中间挂布为界，两人各据一边。其实沿路的天气很好，但毕竟是冬天，一入夜就让人感觉很冷。或许是曦岚本没有打算让我随军，所以地铺显然没有上一回的温暖舒适。

虽然我是个随遇而安且适应能力比较强的人，但躺在硬硬的地铺上依然有些不习惯，辗转反侧之际更是让被窝没了热气。迷迷糊糊中我感觉身上微沉，睁开眼，一个白色身影跃入眼帘，他正替我掖着被子，欲把我盖得更严实些。

我伸出手，拉起最上面的被子，示意将身上多出来的那条被子归还给他。他清亮的眼眸在暗夜中越显清明，拉过我的手，掀开被子放回了被窝，又将被子在我的脖颈处掖得更严实些。他坦然道："我没事。微眠怕冷，多盖条被子，早点睡吧。"

我眨巴了几下眼睛，心里略一权衡，向他笑了笑，然后点头，闭眼，装睡。曦岚既然已经将他的被子抱过来支援我了，那么我再怎么拒绝也没用，况且现在交流不便，更没了指望，所以还是乖乖地接受吧。再则以前看的武侠书都表明，神功盖世的人啊，运运内功就能发热，一般不会惧寒。

刚开始虽是怕尴尬闭眼装睡，后来不知是困了累了，还是两床被子暖和了，反正我很快就进入了梦乡。古语有云："饱暖思淫欲。"我晚上吃得饱，如今盖着两床被子也觉得暖和了，竟在潜意识里发春——做起春梦来了。梦中见到狐狸，他轻抚我的脸，我屁颠儿屁颠儿地主动凑上前，感觉到他将我抱在怀里，而且发挥狐狸本"色"，跟我玩亲亲。虽是一场梦，但第二日一早醒来，我用手抚了抚嘴唇，总觉得昨晚的拥抱太温暖，昨晚的热吻太真实。想想又是一笑，或许离龙曜越来越近，心也跟着飞向了狐狸，才会有昨晚的梦。

大军继续行进，又是两天。这两个晚上春梦连连，早上醒来，回味前一晚的梦境，总让我脸红心跳。想来离开狐狸也就两月有余，我就思念成这个样子了，不知狐狸是否如此？

第三天傍晚终于到达了齐青关，是夜就驻扎在齐青关外。我早就听闻齐青关由清林亲守，所以大军停下的时候，我就跑到曦岚跟前，示意我想去齐青关看看清林。

"微眠，是想回去了吗？"他正对着桌子上的一张地图研究着什么，见我拉他

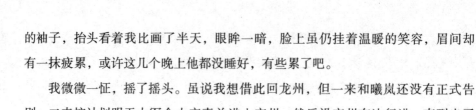

的袖子，抬头看着我比画了半天，眼眸一暗，脸上虽仍挂着温暖的笑容，眉间却有一抹疲累，或许这几个晚上他都没睡好，有些累了吧。

我微微一怔，摇了摇头。虽说我想借此回龙州，但一来和曦岚还没有正式告别，二来按计划明天大军会由齐青关进入齐州，然后沿齐州东边行进，直到出了龙曜国境，在龙曜与叶苍的两不管地带驻扎。以大军行进的速度，差不多一天的时间就可以到达，我不担心狐狸的决定，也不担心天青大军会使诈，但双方既然都很慎重，我反倒想看着天青大军顺利出了齐州再向曦岚告别。

我对叶苍没有兴趣，而且觉得这场战事跟我关系不大，原因无他，望月之战那个游说结盟的主意是我出的，我自然对那场战争颇为关心，因为战争的结果将直接验证我当初主意的正确与否。而这场战事，大家早就有了预谋，大概还谈妥了条件，根本不用我花什么心思动什么脑细胞，只是跑回腿递封信，自然对此无甚兴趣了。

"那就明天吧。明天我们进关，到时候自会碰到穆将军。"他抬眼看着我，清亮的眸子里却是不容置疑的坚定。

我叹了口气。以前的曦岚，我提任何要求他都不会拒绝，只会微笑地说好。而面对眼前这个坚守自己意愿的曦岚，这究竟是好事，还是坏事？我一时根本分不清。

我意欲再争取，曦岚却走近，拉过我的手，边走边道："带微眠去个地方。"

"去哪儿？"我一边想挣脱，一边以嘴形询问。

他但笑不语，径直拉着我往外走，早有士兵将那匹"马中天曦岚"牵了过来，曦岚不顾别人异样的目光，一把揽住我，飞身就坐在了马上。

"我们去哪儿？"眼见天色已然暗了下来，我用手在前方比画着。

他依旧不语，只是放在我腰际的手一紧，马的速度更快了。我也不再纠缠，我想，即便是失忆后的曦岚，应该也不会伤害我。

天已全黑。马停了下来，曦岚揽着我，从马上跳下来。前面是丛丛密林，幽静暗深，他牵着我的手，向密林深处走去，月华微明，我却看不清他的表情。

他的手温暖而干燥。或许心境不同，以前他无数次拉过我的手，我都没有男女之别的意识，对于曦岚，一直也没性别界线。但在这样的晚上，被现在的曦岚微微用力地拉着手，想起另一双修长的手曾经那样撩人地穿过我的头发，抚过我的每一寸肌肤，我便条件反射地想挣脱。

他停步，清亮的眼眸看着我，声音清润地道："微眠害怕吗？"

我忙点了点头。说实话，这么黑的天让我穿越丛林，我可没那个胆子，看多了日式恐怖片，听到树林里窸窸窣窣的声音我就胆寒。不过现在我害怕的不是这个，曦岚在我身边，我相信他会不顾一切地保护我，可是曦岚会带我去哪里？月夜密林，可是有什么事要发生？

他轻笑出声，一把将我搂至身侧，轻轻一跃，身子腾空，足尖轻点树梢，带着我向前飞去。我从刚开始惊得闭上眼，到慢慢地睁开眼睛，看着飞跃而过的树和远处星星点点的灯火，竟一下子兴奋起来。哇，飞翔的感觉，曦岚的武功真高啊！

我们越过一大片黑漆漆的树林，终于在一泉眼处停下。虽然脚踩实地，整个人却好似还在飞，我想如果天上的月亮够明亮，曦岚一定会看到我的脸红扑扑的，因为实在太兴奋了，我都能感觉到自己的脸很烫。

"就是这儿。"他牵着我的手走近泉眼。

我还深陷在飞翔的美妙感觉中，整个人晕乎乎的，一时没理解曦岚的话，只是困惑地看着他。他却亲昵地摸了摸我的头，笑道："随军开始就没洗过澡，这处温泉隐蔽，而且这时候也不会有人来，你就在这儿放心地洗个澡吧。"

我很吃惊，天曦岚同学不会是想与我洗鸳鸯浴吧？我慌忙挣开他的手，飞速比画着：男女有别，男女有别！！！

没错，落笔是我难得一用的"三感叹连用"的必杀绝技，用来表示心中强烈的震惊与不满。他看着我，清亮的眼眸里却隐有我不懂的神色，转身边走边道："微眠放心洗吧，我到外边去。"

我本想去拉他，才跨出一步，又觉得自己不能开口说话，万一被曦岚误解为我留他共浴，那不是跳进黄河也洗不清了吗？看着他的身影消失后，我立马在原地巡视了一圈，温泉四面树林环绕，看起来倒还隐蔽安全，我又往曦岚消失的方向瞅了半晌。唉，让他留下来不行，他走了，我又担心万一有人闯入怎么办？我现在连大声喊救命的能力都没有，那不是要被白白欺负了吗？

天黑黑的，月亮散发着微弱的亮光，我又瞄了瞄曦岚消失的方向，低头看了看似乎还冒着热气的温泉，一溜烟儿地跑到一棵大树后面，三两下脱掉衣服，扑通一声跳入了温泉。

好舒服啊！终于可以好好地洗个澡了。天哪！我好像有半个月没洗头发没洗澡了。水不深，我在水里转了个圈，没发现异样，也没看到曦岚偷看，便放心地洗起了头发。

我泡在温泉里，开心地玩着水，思绪不禁飘向明天。明天大军过了齐青关，就进入龙曜了。我该如何向曦岚告别？关于凤兰玉佩，曦岚说是还了狐狸，狐狸可曾收到？狐狸可是一样在想我？那天一别，就再无音信，这一段时间，狐狸是如何度过的？狐狸知道我现在的情况吗？

等我洗完，从温泉里一起身，又立马蹲下，晕！没有擦身的东东啊，难道要在冬夜里自然风干再穿上衣服？湿湿地穿上衣服可是会感冒的，我一感冒起码要一个月，鼻子不仅会红，还会脱皮，我不能自找罪受啊！

"曦……曦岚！"我差点被自己的口水噎死，张着嘴，想说话，结果只有咿咿呀呀的声音。我晕啊，天曦岚同学什么时候出现了？幸好天黑也看不太清楚，可是这小子不是想正大光明地看我出浴吧？

"啊……"我想尖叫，我想晕倒，结果出声的只有压抑的低沉的一声噪声。天哪，曦岚这小子不但不理我，还脱起了衣服，上帝耶稣圣母马利亚，难道曦岚是月夜狼人不成？

"上来吧，擦干了才好穿衣服。"他清亮的眼眸有一抹异彩划过，脱下外袍，展开，示意我上来。

我双手环胸，将头摇得像拨浪鼓。我记得上回自己已经被他看光光了，这回是宁死也不从！呜呜呜，为什么我总是忘了曦岚是男人这一点？这样被看光，真是亏大发了，躲也没地儿躲，藏也没地儿藏，而且该死的我好像脸也不会红，反倒是怒气高于害羞了。

显然天曦岚同学也有固执的时候、不听话的时候。跟上回一样，他将我从温泉里拎出来，用外袍迅速地包住我，可是这回我的手没去捂脸，所以手也被裹在了袍子里，没法像上回那样去掐他的脖子。我大怒，张嘴就向他的肩上咬去。虽然他是好意，但也不能这样占我的便宜啊！

他自顾自地笑着，也不理我的怒气，满意地看着我在袍子里奋力地扭了几扭，然后将我放在大树旁边的衣物取来。

　　我伸出手将曦岚的外袍牢牢裹在身上，看着朝我越走越近、手里还拿着我衣服的天曦岚，紧张得一句话也说不出来，脸迅速地热了起来。这小子不会还要看我穿衣服吧？

　　天曦岚走到我跟前，转过身，反手将衣服递给我。

　　我顿时松了口气，这小子一会儿色狼，一会儿正人君子的，都快把我搞晕了。不过总体看来，与其让他跑到我看不到的地方偷偷瞄我，还不如就这样背对着我安全些。我慌忙从他手中扯过衣服，一阵手忙脚乱，好像太紧张了，突然之间手脚不利索，穿不好衣服，呃，不是穿不好衣服，是裹不好围胸了。呜呜呜，随军的时候都是紫苏帮我裹的，这一路走来，我又从未脱过贴身衣物。而且我只有穿女装的经验，每次穿男装，身边都有人帮忙的。

　　时间越长，我越担心曦岚回头，越担心曦岚回头我就越紧张，再则穿上了裤裤，上半身却还是半裸着，实在觉得冷，手一哆嗦，就更不利落了。

　　"还是我来吧。"曦岚的声音将低头正与长长的围胸奋战的我吓得险些晕倒，我迟疑地抬起头，正对上他笑意盈盈的黑亮眼眸，心一慌，手一松，好不容易绕起来的围胸一圈一圈松了开来。

　　在春光彻底暴露之前，曦岚抓住了围胸，我的舌头打结，已经发不出任何声音，眼睁睁地看着曦岚帮我将围胸一圈一圈绕好，然后固定在背后。我的心一松，曦岚还是那个谦谦君子啊，正要伸手去抓他手里的衣服，身子蓦地一暖，他竟将我搂在怀里，我抬头抗议，他却迅速俯下脸来，嘴唇瞬间压了下来。

　　我惊得伸手去推他，他却纹丝不动，我只能咬着牙紧闭着唇，他只是在我唇上辗转缠绵，良久才松开我。我大口喘着气，费力抬手，抹了抹嘴巴，然后一边张嘴尖叫，一边抬手欲掐他的脖子。

　　在我的手碰到他脖子前，他的手一紧，将衣服紧紧围着我，再次俯下脸来。这一回，我来不及闭嘴，他的舌已在我唇里灵活地嬉戏起来。

　　狐狸，我的脑中浮现出狐狸那张妖孽般的脸，拼命后退，曦岚的手却搂得更紧。心中有痛，不仅是因为想起狐狸，更因此刻的曦岚。当他的手抚上我胸口的时候，我再也忍不住，疯了般地去掐他，去推他，去踹他。

　　"微眠……"他的声音带着浓浓的眷恋与欲望，似还有一丝叹息。

　　曦岚，曦岚，我心中谪仙一般的曦岚，那个永远温润如玉、温柔待我的曦岚，此刻他的手却在我仅裹着围胸的身上游移，他的唇舌与我纠缠。我心中很痛，这种痛与当初看到曦岚躺在望州城外小屋内的床上一动不动时的感觉很相似。在他的手欲探入裹胸时，我也不知从哪里来的力气，猛地推开他，冲他大喊："天曦岚！"

　　身子蓦地一凉，才发现衣服还在他的手上。他微垂着眼，视线似停留在我胸口的位置，我脸上一热，冲上前两手揪住他的衣服，大嚷道："曦岚，天曦岚，你醒醒！曦岚，曦岚，我不要这样的曦岚……曦岚，曦岚，你不要这样……我不要这样的曦岚，曦岚……"

　　说到后来，我已泣不成声，人却扑入他怀里，环着他的腰，在他怀里痛哭。曦岚，曦岚啊……

第四十六章·前世种下的纠结

皇帝女人的闺名，他一个臣子，顶多再加义弟，怎敢随便乱叫？

"微眠，你终于能说话了。"他将我紧搂在怀，似要将我揉入他的身体，紧得让人窒息。

闻言我的心狠狠一抽，不知是喜是痛。我好像能开口说话了！他却微微推开我，将手中的衣服一件一件替我穿好。他神色自然，眼眸清亮，并没有一丝一毫的情欲。我突然有些困惑，困惑刚才曦岚的所作所为是真心所想，还是就是为了刺激我说话？困惑现在的曦岚，竟似失忆前的模样。

我站在原处，背对着温泉，等曦岚洗完澡一道回去。在这个我不了解的地方，我是不可能一个人开溜的，何况四周都是密林，我也没有那个胆子。突然想起自己已能开口说话，心里雀跃万分，终于告别哑巴岁月了，这对我来说，是天大的喜事。暂且抛开一切烦恼，病愈了，身体好了，又能说话了，离龙曜也近在咫尺了，我心情放松，一边折了根小树枝蹲在地上胡乱划着，一边哼着小曲儿：

朱门半掩谁家庭院

我骑白马路过门前

只闻见

一曲琵琶点破艳阳天

待字闺中谁家小姐

琴声幽幽拨我心弦

盼相见

日日在她门前放纸鸢

不过茫茫人海偶然的遇见

谁知踏破所有铁鞋

只在一瞬间

注定沦陷你眉间

佳人

少年

前世种下的纠结

姻缘

红线

邀你人世共并肩

……

魏晨的歌，我再一次男声女唱，尤爱那两句："佳人，少年，前世种下的纠结。姻缘，红线，邀你人世共并肩。"反反复复唱了好几遍，直到感觉有道视线一直盯着我不放，我才转过身，却见曦岚已经站在了身后。

唉，仙人啊仙人，洗澡没声音，出水没声音，穿衣服没声音，连走路也没声音。幸好我已经习惯，不然看到月夜密林中突然出现一抹白色身影，岂不先尖叫后晕倒？

我扔掉树枝，拢了拢披散着的还未干的长发，望着曦岚讪讪地笑道："曦岚这么快就好了？"

他只着中衣，手中拿着外袍，走过来，在我来不及惊呼出声的时候，已用他的外袍裹住我的长发，擦拭着。

"曦岚，对不起，对不起……"心中一软，千言万语，最后却只汇成"对不起"这三个字。

他不说话，摸了摸我的头发，似乎确定头发已半干，才揽着我又纵身从密林上空折回。夜风吹来，有些寒意，曦岚依旧只着中衣，有一绺长发垂到我脸颊，冰冷的触感让我的心狠狠一颤。

马载着我们，向营地跑去。我取过他手中的长袍，伸手替他小心地擦着头发，却不敢看他的脸。他也不说话，但我知道他的视线一直停留在我的身上。

回到营地，我早已饿得不行，看到端上来的饭菜，几乎以飞扑的姿势冲上前。坐定，举筷，夹菜，第一口菜在最短的时间内放到嘴里的时候，我才想起曦岚也还没吃饭呢。慌忙放下筷子起身，嘴巴里的那口菜却是吐出来也不是，咽下去也不是，只能冲着他傻笑。

"吃饭吧。"他拉着我坐下，将筷子递给我，笑容温暖，声音清润。

我一时百感交集，接过筷子，冲着他一笑，然后低头吃起饭来。饭毕，曦岚又研究地图研究行军，我坐在他对面，玩一种"绕手指"的游戏，思绪却渐渐飘远。清林，明天可以看到你了吗？狐狸，何时重聚？哥哥，你在修若一切都好吗？

夭夭，你是不是回了修若？

"曦岚……"我抬头看着他。

他闻声抬头，微笑地看着我，清亮的眼眸示意我往下说。

"曦岚，叫我浅浅吧。"我深吸一口气，鼓起勇气道，"其实我不是云月，更不是汐月、醉月，我叫浅浅，林浅浅。"

这个一身白衣又要上战场的人，这个或许失忆又或许还记得我的人，从这一刻开始，所有的事情我都不该再欺瞒他。

"林浅浅？"他犹豫着开口，微合着眼，让人看不清他眼里的情绪。

我笑着点了点头，既然打定主意不再欺瞒，面对他时，心里的愧疚与心疼似乎也减轻了不少，"这才是我的名字，真正的名字。曦岚，我知道你第一次在揽才阁见到我时，我就用月微眠这个名字，可是那不是我的名字。"

"为何会是林浅浅？"他蓦地抬眼，眼里闪过一丝困惑。

我的脸立马苦了下来，唉，坦白是好事，但我的坦白，对听的人来说，或许会是一种不可思议的欺骗吧？呜呜呜，刚才只是想坦白自己的名字，这一刻，却要将一切都坦白了吗？

"曦岚相信鬼神吗？"我有些怯怯地问，他不是冒牌仙人吗，接受能力和领悟能力应该比一般人强吧。

可是他听了我的话却摇了摇头。

"为什么不相信？"我的声音蓦地拔高，这小子太让人失望了，虽然我以前也不相信这些东西，可是事实摆在这儿，我不相信也没办法啊。

"如果真有鬼神，为何这么多年母妃都不曾来看我？"他霎时黯然，看着我，眼睛里是满满的凄苦。我重重地叹了口气，在曦岚的心里，若有鬼神，他的母妃必定会在天堂，化身为仙女的。

"曦岚，端妃娘娘现在就在天上看着你，只是人神有界，你看不到她而已。你是她最放心不下的人，所以你要好好地活着，开心地活着，这样端妃娘娘在天上才会欣慰。心里的苦、心里的恨，若实在放不下，那就放手去做，只是千万不要失了本性。我想端妃娘娘和我一样，希望曦岚做完这些要做的事，还能有一颗柔软而感恩的心。"我一向都不是逆来顺受的人，有些事，如果搁在心里成了芒刺，那么何必让这苦痛陪伴一生？拔了这刺，或许一时会鲜血淋漓，或许有刹那的痛不欲生，但我相信，心是有复原的能力的，而且我更相信曦岚，复原后的心还会是那颗赤诚之心。

他神情专注地看着我，半晌方说道："不是微眠，不是云月，浅浅也是从天上来的吗？"

我差点大笑出声，一开始我将曦岚当成神仙，现在好了，曦岚竟将我当成仙女下凡了，世界总是如此的奇妙啊！反正我的事也解释不清，说出来估计还能吓坏小孩，再则我确实不属于这里，我的灵魂可能真的在天上飞了不少路才来到这里的，所以他这样说也算不得错吧，于是我忍着笑特严肃特认真地点了点头，道："曦岚，其实我不属于这个世界，或者说我不是生长在这个世界，我来自另外一个世界。你能明白我的意思吗？"

"微眠！"他蓦地伸出手，越过桌子将我横抱在怀里，紧紧地，声音似也有些轻颤。

"曦岚……"我闷声叫他，不明白我都这样跟他坦白了，他为何还是叫我"微眠"？

他紧紧搂着我，紧得让人窒息，脸埋在我的发间，"微眠，我不要忘了你，我不想忘了你。"

我心里一惊，一时不明白曦岚的话是什么意思。再抬头时，他已恢复神色，眼底一片清明，微笑着拉了我起身，向营帐另一边走去，"早点睡吧，明日一早进关。"

"曦岚？"我欲问心底疑惑。

"明天你就可以看到他了。"他微合着眼，我不明白他口中的"他"是指清林，还是狐狸？

"曦岚？"我的心突然一痛，原来是因为明天的分别，所以此刻我才清晰地感觉到他身上淡淡的忧与痛吗？

"睡吧。"他微笑，声音清润，眼睛却没有看向我。

我和衣躺下，终是没有打破砂锅问到底。直到这一刻，我才肯定，在曦岚身上肯定发生了什么事。曦岚，或许还记得我，或许是有什么苦衷？小指上的护魂、胸前的圣金锁、夭夭、遗诏，会不会与六国皇宫的秘密有关？而刚才，曦岚向我坦白心境，坦然说起他的母妃，一如我在天青皇宫的时候那样毫无保留，是不是又有一些事被我忽略了？他这样说，是因为心底尚有残存的记忆，还是这段时间的相处让他想起了什么？

那日我急欲回家，一个人跑到芷兰宫花墙后的天圣水池，后来曦岚救了我，是因为曦岚发现我不在；想到我去了天圣水池，还是有人通报他才赶来救我的？如果是有人通报，那么天青皇宫的秘密、我身上出现的异样，天青王是不是也知道了呢？

> 那天的云是否都已料到，所以脚步才轻巧。
> 以免打扰到，我们的时光，因为注定那么少。
> 风吹着白云飘，你到哪里去了，想你的时候，
> 哦，抬头微笑，知道不知道……

没有任何征兆，只是下意识地轻唱这首歌，我不知道曦岚听了这首歌是何种感想。明天一别，或许就再也见不到曦岚了，"想你的时候，抬头微笑，知道不知道"，我是这样告诉自己，曦岚，你也一定要如此。

很久，我都睡不着。曦岚可能以为我已熟睡，走到我身边，坐了整整一夜。我背着他躺着，他的手微微颤抖地抚上我的脸颊，不知他可发现我滑落在枕上的泪。

翌日一早起来，天未全亮，坐了一夜的人已不在，我起身缓步走出营帐，正巧看见他端了个碗走来，未至跟前，就已闻到浓浓的药香。

"虽然已能开口说话了，为巩固药效还是再喝一次药吧。"他将药递给我，眼睛却看向远处。

我伸手接过，皱着眉一口喝下。将碗递还的时候，他的手心里却多了一颗药丸。

"这是？"我困惑，这药丸不小啊，吞下去的话，很有可能卡在喉咙里就让我咽气了。

他捏住手心里的药丸，接过药碗，将药丸放在我嘴边，我张嘴，将药丸含在嘴里，微甜，且有慢慢融化之感。他微笑着，伸手入怀，将一个药瓶放在我手里，

"每日早晨一颗，吃完为止。"

"这是?"我感受着药丸的甜味，觉得这药丸的味道似曾相识，一时又想不起在哪儿吃过，只能声音含混地问道。

"没什么，微眠吃完这些就没事了。"他不答，只是这样吩咐。

我依言点头，也不再追问，反正每天一颗糖而已，按曦岚的吩咐吃了就是。

大军整装待发，我依旧一身男装，跟在曦岚身边，想着一会儿就能看到二林子，心里就激动起来。

到齐青关的时候，齐青关的大门还严严实实地关着，城墙上有士兵来回巡逻。

我侧头看着曦岚，还来不及开口，曦岚已开口道："在下天曦岚，烦请通传穆将军。"

其实城墙上的小兵看到大队人马远远地赶来，早该去通传了，所以曦岚一开口，就有人直接回道："天元帅，穆将军有请。"

城门被沉沉打开，我与曦岚骑马入内，城门复又沉沉关上。

一进城门，才发现齐青关内的龙曜大军也整装待发。

我和曦岚跟着领路的兵卒向正中的帅营走去，我很怀疑那兵卒是不是被曦岚的外貌迷住了，神情呆愣不说，一路上左转右弯的，会不会他已经晕头转向而领错了路?

"云……云……"一个结结巴巴的声音传来，我诧异地扭头，惊见左侧营帐前多出来两尊石像，好像还是我认识的。貌似一个是二品安远将军徐定远，另一个是三品前将军陈铸，一年前在俺假冒宰相的时候，那是天天早朝上与他们见面的。可是现在他二人脸上那是什么表情啊，两个人的眼睛都瞪得大大的，完全是不可思议状。我刚才没听真切，一时也分辨不出刚才是谁"云"了半天。

我心中暗自偷笑，云啥? 是云相，还是云议政? 他俩当初在三军共灭望月的庆功宴上也是大功臣，是见过我和云风同时出现的。那么如今我一身男装，照理云风和我都不应该在这个时间出现在这个地方，他们应该很困惑吧? 不过抱歉啦，我现在不想开口说话，不能帮你们解疑，你们就困惑去吧，嘿嘿。

"都杵在这里做什么?"一个声音从右侧传来，天哪，是二林子的声音! 唉，没戏看了。

果然，那两位将军抛开对我的疑问，立马向二林子同学打招呼问好，刚问完

好就被二林子随便找了个借口支开了，离开的时候还一脸困惑地看了我一眼。

我转身冲着声音来的方向咧嘴微笑，身边的曦岚自始至终笑看着我们，也不说话。而此时站在我跟前的人，是我足有两个多月没见的二哥穆清林大将军。一如汜州之战时看到他的情形，似乎一旦上了战场，他就变得格外沉稳坚毅，自有一股迫人的英气！我知道，这样的他才是最最真实也最最吸引人的，才是龙曜国当之无愧的大将军！想起他总被我三言两语激得跳脚的样子，相比之下，我还是最喜欢那个时候的他。由此，自然而然想起我与清林、狐狸三人行的那段日子，那是我来到这里近两年来最开心的时光。但我明白，时间有时候会让人沉淀很多，也会改变很多，一如清林，当我几个月前从修若回到龙曜，我就明显地感觉到清林变了，或许他的感情、他的心不曾改变，但他在我面前的种种表现都表明他已不是当初那个天天任由我欺负的二林子了。

我跟在清林后面随他回帅营，曦岚却选择了等在帅营外。我看着二林子有些臭的脸色，立马将刚才久别重逢的开场白抛到了九霄云外。这小子几个月不见，态度与脾气好像变坏了嘛，变得成熟稳重内敛是好事，但若变得胆子也肥了，都敢向我摆脸色了，那可就绝对不是一件好事了。正待揪住他的衣服，好好教育一下，没想到二林子同学先我一步，走至我跟前，居然向我行了一个君臣之礼。

我慌忙跳开，结结巴巴地说不出一句完整的话。这小子对我行这种礼干吗？蓦地想起狐狸的话，看来清林这个老顽固因为我身份的变化而不敢兄弟相称了。

这小子起身，却欲言又止。

我心中一怒，跳上前，紧紧揪住他的衣服，咬牙切齿，就差一拳挥过去了，大声道："二林子你干吗？"

"浅浅？"他似对我的怒气微怔，终于脱口叫出我的名字，伸手抱住我，兴奋地道，"浅浅，你没事了？你真的没事了！"

心突地一暖，我松开手，紧紧抱住他，泪霎时滑下，大哭道："二哥，二哥，二哥……"

他一言不发，只紧紧搂着我。我哭了好一会儿，方松手抬头，笑道："二哥，不管我是何身份，二哥永远是我的二哥。"

他的脸上是惊喜，兼有心痛与纠结，一副欲言又止的样子。呃，好像忘了这年代根深蒂固的帝王思想了，清林既知我已在狐狸的寝宫待了不止一个晚上，那身为臣子的他，又怎能再和我称兄道弟？

"要不还是先叫你三弟吧。"穆清林同学纠结了很久，终于憋出了这句话。

我的心火腾地就蹿了上来，又一把揪了他的衣服，大吼道："穆清林，我还没嫁给那只狐狸呢，就算真的嫁给了他，你也是我的二哥，叫我浅浅，以后也这样叫，永远都这样叫！听懂了没有？"

天哪！郁闷死了，要是我真的成了狐狸的女人，你说二林子哪里还有胆子叫我浅浅啊？皇帝女人的闺名，他一个臣子，顶多再加义弟，怎敢随便乱叫？貌似连亲爹亲娘也得娘娘来娘娘去的，好恶寒啊！

"狐狸？"那小子又是一脸的茫然。

我立马黑线，好像太激动了哦，这下好了，要是被狐狸知道我将这爱称告诉了别人，那他肯定不会放过我的，呜呜呜。

"什么狐狸？二哥你耳背听错啦。对了，曦岚找你是有正经事呢，我叫他进来，别耽搁了大事。"我忙将清林推到他的帅位前，然后飞一般地跑出营帐，又将曦岚拉了进来，就走了出去。

大军已在列队，唯有后勤兵在忙碌地拆营帐，收拾一应事物。我随意晃荡，觉得进入了龙曜国境，如今与龙曜的士兵在一起，心情就特别轻松。这些后勤兵三五成群，一边忙碌地拆卸收拾整装，一边还不忘聊天，我微笑着从他们身边经过，听他们讲着东家长西家短。军营生活无聊枯燥，出征打仗又是今日不知明日事，这时候能轻轻松松地在一起闲话家常，对于他们来说是天大的幸福。

"听说皇上要大婚了。"士兵甲神秘兮兮地冲他的伙伴说道。

我一个趔趄，要不是扶了一下身旁的灯柱，恐怕就一屁股坐在地上了。靠！我说士兵甲同学，你表情这么神秘，嗓门怎么一点儿不神秘？粗着声音，我离你们有四五米远也听得清清楚楚了。

"真的吗？皇上真的要大婚了？"士兵乙高兴得好像新郎是他。

我使劲抓着身边的灯柱，不让自己冲上前责问他们。我倒想听听，狐狸那厮背着我到底干了些什么事。

"是啊，听说就是最近。"士兵甲又状似神神秘秘地说道。

那假男人的样子浮现在脑海中，不会吧，狐狸不是要将她"送"给修若吗？怎么突然这么没品位地要娶那假男人了？可是如今的问题不是有品位还是没品位，

而是狐狸这厮不会真要结婚娶别的女人了吧？

"什么最近？是明年开春，我出发前听我宫中当差的兄弟说了，明年开春皇上大婚。"士兵丙的话貌似最权威，因为他拉了个"权威"人士出来。

管他是年前还是年后，看样子狐狸结婚那是铁板钉钉的事了。我一时不知心里是什么感觉，气？怒？酸？深吸了几口气，就往帅营走去。曦岚与清林似刚谈完事，我伸手掀开帐帘的时候，看到他们正向外走来。我几步上前，拉了清林复又返身往里走。

"微眠？"曦岚的声音。

我转过身，将他拉出营帐，道："曦岚，我留在这里。"

我不敢看他的眼睛，扑到他怀里，将头埋在他胸前，闷闷地道："曦岚，保重，曦岚，一定要珍重。"

感觉我贴着的胸膛微微一震，或许不只是胸膛，是他整个人都轻颤了一下。他伸出手，没有说话，只是用力抱紧了我，然后郑重地松手。我抬头，看着这个永远一身白衣永远仙谪般超然脱俗的人，以及他如墨的长发、清亮的眼眸、暖若春阳的笑容。曦岚，曦岚啊！我的视线渐渐模糊，脸上却浮起大大的笑容，只是下意识地哼唱那句歌词："想你的时候，我抬头微笑，知道不知道。"

他的嘴巴张了又合，似想唤我，却没发出一个声音，清亮的眼眸瞬间一暗，神色一紧，没说什么，只是点了点头，转身离开。我看着他的背影，然后仰起头，拼命微笑，却依然有泪从眼角滑落。

下部

第四十七章・火药

我倒不怕他有什么不轨企图，或者来个情深深雨濛濛的表白。

再进去的时候，清林已坐在桌前，正低头写着什么。我走到他对面，隔着桌子，凑近，夺过他手中的笔，然后将他写了一半的纸揉成团，平静地问道："大哥要大婚了？"

清林闻言，神色微微一变。我心里一沉，难道真有此事？狐狸真的要结婚，那他准备娶谁？如果要灭寒星，应该不会是那个纤绘公主吧？

"娶的是谁？"

"浅浅，二哥派人送你回去吧。"他不回答，却只是看着我，认真地说道。

只看他的神情与反应，我就知道这消息不假，不然清林定会替狐狸开脱。那么时间是这几天，还是明春？如果他真的要大婚，而新娘不是我，我该怎么办？回去质问他，回去求他，还是当什么事也没发生过？

"不要。"我直接拒绝。

"浅浅不可任性，行军打仗非同儿戏，太危险了。"他微红着脸，似责备又似关切地说道。

我白了他一眼，冷冷地道："二哥不是也在战场吗？"

"行军打仗本就是我的天职，而你根本没有武功，不可胡来。"

"二哥，你多说无益，我已决定留下来，你不可能改变我的心意。我就在你身边跟着，你派几个人在我身边保护就是，我是非常爱惜我的小命的，而且我身上还有天丝软甲，二哥就放心吧。"要么没有，要么全部，早已向狐狸坦白，他也明白我的心意。

对我来说，爱情很重要，但我不会为了爱情委曲求全，或者说原则性的东西我不会妥协。那么不管他大婚是客观原因还是主观原因，是自愿还是迫于无奈，这都是他必须面对的问题。一如我回了修若，有了公主的身份，有再多的迫不得已、再多的身不由己，但我从踏出龙曜的那天起，就做好了迎接一切困难的准备。为了能与狐狸在一起，我会积极面对，我会努力地争取，只是我不会放弃。如果我身不由己了，那是我的问题，同样，若他有被迫娶妻的事，那也是他需要解决的问题。当他面对这种麻烦时，我能做的，就是心意不变，远远地等他处理完，我不催他，不逼他，我也不哭不闹，不去乱上添乱，我要的只是一个结果。结果如我愿，那是再好不过，若不尽如人意，我也只能再作打算。没错，听说狐狸要大婚，看到清林都不能替他开脱，我心中很痛，但是内心深处，我更愿意相信狐狸会将这一切处理好。

或许这样的事，直到最后一刻才知结果，我却不知道，如果我在龙州，会不会天天活在煎熬、猜疑、不信任、任性、胡闹中，而这一切对事情有害而无益。狐狸久久没有音信，或许他也是准备一切尘埃落定后再来接我。

狐狸的话在耳边回响：相信彼此，遇事不放弃不逃避。所以，我不该有什么疑虑与猜忌，我要相信他会将这一切都妥善解决。

"浅浅……"

"二哥，我知道你向来对我好，这一次，你就依了我吧。二哥觉得我在这时候回去是好事吗？与其看着闹心、伤心、揪心，不如假装不知，然后时间一到，面对最终结果。"

"浅浅……"

"穆大将军，别婆婆妈妈了，快出发吧，二十万大军等着你发号施令呢。"我边说边跑到他身边，用力地拉他起身，然后将他往外推。

"浅浅，如果你留在这里就要听我的话，乖乖地待在我身边，不许到处乱跑。"他将我拉到身前，敛神认真叮嘱，见我点头，就向营帐外走去。

唉，二林子啊二林子，我这么乖巧听话懂事的人，怎么会到处乱跑给你添麻烦呢？你真是太不了解我了。我向他的背影努了努嘴，分外郁闷地想着。

大军行进，我摇身一变，成了龙曜国大将军的贴身侍卫。我自是没什么意见的，周围也没什么怪异的眼神，至于清林身边的两员大将——徐定远、陈铸，不管他们认定我是云相，还是云议政，看我的眼神都是恭敬的，也没再表现出那经典的呆若木鸡状。

夜幕降临的时候，天青与龙曜大军顺利出了龙曜国境，在龙曜与叶苍的两不管地段驻扎。天青在左，龙曜在右，两军军营相隔几百米。天青大军既由曦岚领兵，应该不会出什么乱子，而且狐狸既然同意天青大军压境，自然是有了万全的准备，虽然我一直这样坚信，但是当看到事实与我的预期一致时，心里还是长长地舒了一口气。

我想潜意识里我是太害怕狐狸与曦岚有冲突了。

此处离苍州不远，算行程，不过半天就能到达。这两不管地段，一边是连绵的小土坡，另一边则是草原，只是冬天的草原，一片荒凉。是夜我窝在清林的帅营，堂而皇之地霸占了清林的大床，然后可怜的清林整了个地铺，卷了床被子就躺下了。睡至半夜，突觉异动，我猛地坐起身，借着帅营外的灯火，依稀看到清林的地铺处站着两个人。

"呃，二哥?"我紧了紧被子，慌忙叫道。

"浅浅。"

"主子。"

那站着的两个人瞬间就站到了我床前，闻声，我顿时松了口气，一把掀开被子，从床上跳下来，抓过那个身材略瘦个子略矮的人的衣服，怒道："臭小子! 失踪这么久，好不容易出现了，竟然不先来问候关心一下你主子我，居然第一时间找别人。"

他任由我揪着他，一句话也不说。清林已将烛火点燃，帅营内霎时亮了起来，我也因此将夜风脸上微微尴尬的表情尽收眼底。

"我说小夜，你莫不是找错床认错主子了吧?"我半眯着眼睛，学着狐狸的样子仔细打量着他怪异的表情。如果小夜得知我到了龙曜军营，还跟清林在一块儿，那么他连夜到来，按照常理判断，以为睡正中大床的是清林，而在一边窝地铺的是我。一想到这儿，我立马贼贼地坏笑道："哎呀，小夜，我二哥没将你当成色狼吧? 哈哈哈，应该不会，你应该没做出掀被子这种事吧? 不对不对，莫不是直接掳人了?"

哎呀，不行了不行了，我一想到这种可能性，以及刚才清林与夜风的反应，不由得松开手，蹲下身大笑起来。

"浅浅……"笑得还没尽兴，清林无奈又有些宠溺的声音响起。他扶着我的肩，示意我起身。

我看着假装平静却神色诡异的夜风，突觉心中不忍，忙敛了笑，用手抹了抹眼角笑出的泪，拉住夜风的手道："小夜，你终于来了，终于又在我身边了。"

"主子。"

"谢谢你，夜风。"我正色道，心里也是满满的感动与感激，"这一路也累了吧? 小夜，我没事，好好的，在这里也不会有事。现在晚了，你就留在这儿，早点休息吧。"

我转头看向清林，道："二哥你也早点休息，从现在开始，只怕很长一段时间你都不能好好休息了。"

他二人也没再多说，二林子走回他的地铺，夜风按照惯例，突地在我眼前消失。我灭了灯，重新躺回床上，心中窃喜。夜风在这时候出现，估计明后天，清林曾指派给我的那几个侍卫也该来了，有他们在我身边，我对自己的安全问题自是完全放心的。这样一来，我也可以少分点清林的心了。

第二天，果然看到穆默他们出现。吃完早饭散步回来，我就看到清林与曦岚以及几个将军进入帅营，大概为了研究行军路线与策略，我一时没好意思跟进去，只能坐在营帐外发呆。本来不想开动脑筋的，后来想着反正闲着也是闲着，我的智商在这里一向特别突出，不用，好像有点浪费人才的嫌疑，于是开始天马行空地乱想。

这落后的地方啊，竟然还没有火药，打仗只能靠肉搏了，要多实在就有多实在。当然，曦岚这样的是特例，毕竟是少数，不过他这一次站在我们这一边，可谓幸事一桩。

如今两国一共四十万大军攻打实力强大的叶苍，其实并没有绝对的胜算。而且如果形势不好，损伤太惨重，援军也不及叶苍来得及时。最重要的是稳定民心，不能造成全民皆兵，男女老少都来抵抗，不然这场战事会变得异常艰难。

展延、段胜与徐定远、陈铸出来的时候，我起身看见曦岚从帅营缓步而出。我向他微笑，他同样回以微笑，清亮的眼眸深深地看了我一眼，走过我身边。进营，就见清林正对着桌上的一张地图研究着什么，见我进来，他抬眼看着我。

我向他讪讪地笑道："二哥，有件事不知当讲不当讲？"

其实我想到的，清林或者狐狸应该早就想到了。不过我既然想到了，还是提个醒的好，不然到时候若有错失，就悔之莫及了。

"这不像是三弟的风格啊。"二林子突然冒出这样一句话，而且还叫我"三弟"。

我浑身一颤，恨不得一个巴掌将他拍成饼状，咬牙道："二林子，别以为我现在在你的地盘上，你就能欺负我了。"

"既然如此，浅浅有话就直说吧。"他看着我，让人觉得有一种兄长般的温暖，只是看着我的眼里，有丝贪恋。

呃，算了算了，不跟二林子计较了。我一屁股坐在他对面的椅子上，正色道："二哥，战鼓虽还未敲响，但战争早已开始。叶苍是六国中最为强大的，我不会作战，也不能分析当前形势，我只知，我们欲灭叶苍，就不能惹得民怨，引起全民反抗。所以我建议二哥利用一切途径搜集叶苍皇族人的罪行与恶行，并利用各种途径散布出去，不仅是皇族的人，在职所有官员的罪行与恶行最好一并搜集散布，我们需要叶苍的百姓对叶苍皇族以及整个朝廷失去信心。与此相结合，还需大力宣传龙曜、天青二王的圣明与爱民措施。"

说实话，这个年代的百姓思想觉悟并不算高，爱国主义教育也很缺乏，所以对他们而言，只要他们对朝廷失去了信心，改朝换代就会顺利许多。虽然叶苍起兵在先，但毕竟现在的事实是我们正在侵略叶苍的国土。

他脸色平静，并没有太多的惊讶，只是看着我的眼里闪过欣赏的光芒，然后了然地点了点头。

"还有一事，二哥。"我继续说道，"不知苍州城外的苍齐关二哥会采取什么样的方法攻破？只是有一样东西，威力很大很强，用在战争上分外有效，且六国到目前为止都没有。不过我只知个大概，并没有具体准确的成分比例，二哥不如派专人研究试验，哪怕赶不及这场战役，以后有用也是好的。"

"什么东西，浅浅快说说。"很显然，人总是对与本职业有关的东西分外感兴趣。

呃，临开口的时候我突然犹豫，如果真的制造出了火药，会是好事还是坏事？会不会杀伤力太强？转念一想，既然都已经到这份儿上了，能尽快结束战争才是最重要的。于是我心下略安，想了一下，道："它叫火药，是一种爆炸物，点火后迅速燃烧引起爆炸，具有很强的杀伤力和破坏力，用来破城门或杀敌都很有效。"

"火药？"他低低重复，看着我的眼里，有不解的情绪与光芒。

"火药主要由硝石、硫黄和木炭组成。"我挠了挠头，应该没记错吧？汗，记错了可就不好玩了，"大致的比例好像是一硝二黄三木炭。具体得不断试验琢磨修改，切记在试验过程中要注意安全，火药具有极强的杀伤力，一不小心丢命也是常有的事，一定要小心谨慎。"

"浅浅怎么会知道这些？"他凝眉细细思量我的话，半晌看着我，带着一种重新审视的目光，似惊喜、不敢置信与探究。

"呃，我怎么知道？我聪明呗，怎么，你嫉妒我啊？"我最受不了二林子这种神情了，谁探究我都行，就他不行，天怒，我一拍桌子，嚷道。

不过话又说回来，政绩斐然也就算了，若我对军事方面的东西还这么了解，这多少会让人觉得有些不可思议吧？汗，要内敛，要深沉，要藏拙啊！

他闻言大笑，神情愉悦，一瞬间好像回到了三人行时的轻松氛围。这样的感觉，在行军过程中，是很难体会得到的。

"是的，浅浅很聪明。"他敛了笑，正色道。

我狐疑地看了他一眼，总觉得他严肃认真地赞美我聪明很有问题，而且这感觉，就好像一个大人在赞美小孩子，充满了包容与宠溺。汗，二林子什么时候变成熟了？反正该说的我已经说了，清林自会将一切办妥，我又不懂行军打仗，只要照顾好自己就成了。我如是一想，立马起身，正想屁颠儿屁颠儿地跑到外面去玩，眼角余光瞄到地图一角似有些不对劲，一时好奇，就伸手掀开桌上的地图，赫然看到地图下的一张纸，不是纸，是一卷修书。

"呃，这是什么？"

"叶苍的谈判书。"二林子倒没忌讳，将修书递到我眼前。

我没接，只斜斜地瞄了一眼，然后一脸鄙夷地道："叶苍想如何谈判？"

"浅浅忘了我们是打着什么旗号发兵的？"他看着我笑，眼眸黑亮，俊朗的五官给人阳光般温暖的感觉。

发兵的理由吗？那不是围叶救寒吗？围叶救寒，围叶救寒，我喃喃重复，脑中灵光一闪，是啊，我们是打着围叶救寒的旗号发兵出征的，那么叶苍会如何看待此次战事？叶苍的二十万精兵早就联合修若攻打寒星去了，这时候叶苍得知龙曜与天青发兵而来，一方面是调兵遣将守住苍齐关，另一方面，总归能不开战就不开战吧，否则对叶苍实在不利。叶苍王但凡是个明事理的，都会作出对叶苍最有利的选择，不会让自己的国家陷入进退两难中。

若是修若此刻已经撕破脸皮，叶苍就该猜到这次战事的玄机，那就没有丝毫退路可言。而现在还来谈判，估计是修若还在联合叶苍佯装攻打寒星。

不是佯装，是真攻打，如果能在短时间之内攻下寒星，这是最为有利的事。寒星本就是兵临城下才发觉不妙，一来一回向天青和龙曜求助，按天青与龙曜发

兵的时间推算，两国似都有拖延之迹。而且叶苍与发兵攻打寒星的大军之间来回送信有时间差，这一切都为最终的连环计创造了有利条件。

可是谈判书是什么时候送过来的？难道是早上我吃完饭去溜达的时候？而显然谈判书留下，送书的使臣却已回去，这时候的叶苍，依然有大国的架子。

我冲着二林子微笑，两人心若明镜，无须再多言语。

下午，大军继续前行，在苍齐关几里外驻扎。此时苍齐关早已城门紧闭，严阵以待，听探子回报的消息，苍齐关内驻扎的叶苍将士不下二十万。苍齐关这一关有多重要，大家心里都明白。而我们这边，天青大军已与我们隔了不小的距离。清林说，龙曜与天青分开攻关，或者说是分两路攻打叶苍，一来是为了便于领兵决策，二来也是为了更快攻下叶苍，到时候两军自会在叶州城外会合。

想不到早上在帅营外再见曦岚，才是真正分别的时刻，他竟连句再见的话也没有。我细细抚着圈圈缠绕的护魂，曦岚啊曦岚，此刻我多想骑马跑到你身边，然后拉着你远离这战争、政治、权势……这一切的是是非非。

接下来的两天，双方都没有交锋。苍齐关守关的将士任由我方挑战就是不出城门迎战。这不是一种好现象，时间对我们来说非常重要，若叶苍守着苍齐关不动，干耗就能将龙曜的二十万大军耗死。而天青那边，曦岚已领兵绕道，欲从苍州南面进攻。

"二哥。"我依旧霸占着穆大将军的大床，然后穷极无聊地开口叫二林子。唉，歹势啊，自从来了军营，且不说与二林子孤男寡女睡在一个营帐里，而且自从他这大将军上了战场，我就叫不出二林子那个鬼称呼了。想当年，我对二林子呼之即来挥之即去的，压根儿不把他当回事，而在这个战乱的年代，他这大将军突然就变得万分重要，我也不能再将他当成米虫了，唉！

"什么事？"他躺在小地铺上回答。

想起与狐狸共处一室的时候，那厮是毛手毛脚一点儿也不安分；与曦岚共处一室的时候，气氛都是诡异的安静，总是一整夜两人都不说一句话；而与清林共处一室，我心里倒是颇为轻松，也不怕他有什么不轨企图，或者来个情深深雨濛濛的表白。

"攻关的事，二哥想好办法了吗？"我将被子裹得更紧一些，继续道，"我只是觉得，既然大家都对谈判有些漫不经心，正常地下战书又没效果，那么我们挑衅挑衅也不错。几百年来一直被公认为六国中国力最为强盛的叶苍，总会比一般人多些骄傲的。"

"此次苍州守城挂帅的是叶苍常胜将军王将军，此人年近花甲，听闻他二十岁时就勇冠三军，是先叶苍王亲自提点并赐封的将军，战绩骄人，从未败过。"

"那又如何？此次二哥就给他上人生第一堂失败课。"虽然六国相处还算和平，但边境上偶尔的纷争与小战争还是有的，不过要闹到攻城灭国，倒是现在才有的事。所以所谓的常胜不常胜，多少是虚了点。再者，清林与天青、寒星共伐望月的时候，那可是实打实的大战役，且表现出色，所以我还是很看好他的。不过听清林这样说，这位王将军也算是仕途平坦，从未遇挫，如今年事已高，盛名之下，必是有些骄傲自满的。

"浅浅快睡吧，明天不轻松。"他也不多说，只示意我早点睡觉。

我朝天努了努嘴，然后心不甘情不愿地答了声"嗯"，就侧过身睡觉了。看清林的反应，估计我的主意他也想到了，那就看明天有什么好戏吧。

下部

第四十八章·挑衅

你当我是白痴，以为这不是军营而是驴友帐篷啊！

第二天一早，我明显感觉到大家比平时忙活，我坐在帅营外看大家走来忙去，然后拉着夜风让他给我找把琵琶来。这小子神色怪异地看了我一眼，仿佛我是个外星人，然后二话不说就不见了，连声"是"或者"好"都没有。唉，我算是看穿他了，这小子但凡让他去办些他能理解的事，必会恭敬答"是"；让他去办些他不能理解的事，就这种调调。也不知道狐狸当初是怎么调教的，还是这小子只敢对我摆脸色，欺负我人好？不然我实在难以想象有人敢对狐狸摆脸色嘛，当然除了我之外，嘿嘿。

这里虽是两不管地段，但越过一侧的小土坡，还是有人迹可寻的。夜风办事效率永远奇高无比，也就一个时辰，他就拎着一把琵琶过来了，而且看琵琶的纹面，竟是精致而素雅的。

"小夜，这东西你不会是从人家大家闺秀的闺房里偷来的吧？"很可疑啊，这琵琶的质地也实在太好了，尤其放在这军营与整个环境一比，实在太诡异了。

"我放了银子。"他的嘴角微微抽搐，神情与声音还是很平静的。

"小夜，谢谢你。"我抱过琵琶，真心道谢。如夜风这种人，让他去办这种事，其实已经不是委屈不委屈的事了，而是有心理障碍，毕竟以他一身武功，某一天竟去偷东西，这是他先前想也不敢想的吧。

呃，不是偷，他放了银子，只能算是偷偷强买！

他还是一脸平静，没有说话，只是眼睛撇向一边，然后退到我身后。我抱着琵琶出营走到前方，看着一队士兵跑向苍州城门处，毫无阵式可言，然后在城门前停下，三五成群，席地而坐，晒太阳、聊天、玩骰子，好不自在。

呵呵，这可是赤裸裸地蔑视对方啊，二林子还真能想得出来。苍州城门上的士兵看到这幅场景，只怕一早跑去向他们的领导汇报了。

如此，那近百名士兵又笑闹了一阵，城门处，城墙上依然动静全无。清林已站在我身边，与我一道静观其变，这一招或许有用，只是需要时间，或许最终还是会失败，一切只能看对方元帅的耐力。

直到晌午，苍州城门依然无动静，那一队士兵只能悻悻地回来。

"二哥，有些事，有些话，你是不是觉得男子汉大丈夫不耻为之？"趁着吃饭的光景，我随口问道。

"浅浅想说什么？"他抬头看着我，神色莫名。

"我想说，二哥，你若想激得那个王将军开城门出兵，就交给我吧。"我向他坏笑，调侃道，"我是小女子，无才无德，没得顾忌。二哥只要做好对方将士出城的准备就好了。"

"浅浅……"他欲言又止，眼里却明明有笑意，还有一抹期待。

"二哥快吃饭吧，下午等着看我的好戏。"我笑得幸灾乐祸，然后大口扒饭吃。

饭毕，我先回营，将夜风穆默他们叫到跟前，吩咐了一些事情。

我拿着一支大毛刷，浸在红染料里，然后让他们四个分别站在布的四个角上，将布压住压正。提笔的时候，大毛刷重得我脚下一个趔趄，险些拿不住又掉回桶里，我示意夜风在一旁扶着我，这小子挑了挑眉毛，依言站在我身边，其余一众人等早已被我赶出了营。

我用大毛刷在布的左上方画了一朵最简单的红花，中间一个圈圈，外边五片花瓣，虽然有些歪歪扭扭，好歹一眼能看清是朵花。提笔又在花旁边画了个同样简单但清晰明了的大乌龟。画完这些时，我已经有些头晕气喘了，没办法，我画画的时候，特别是在画龟壳的时候，由于大毛刷是扁的，我可是跟着弧度绕了整整一圈。

略一思忖，画人物太难，我便提笔道："花甲王大元帅，问君能有几多愁，恰似一群太监上青楼！"

落笔是一个大大的感叹号，我将大毛刷扔到颜料桶里的时候，明显看到在场的五个男人都是满脸黑线。我不厚道，我承认，我反省，我忏悔，等我搞定了这事，我就面壁思过去。

待染料大半干时，我吩咐穆默找了两根长竿子，用针线将布缝在上面，做成标语的样子，然后让穆默和穆闻举着横幅大摇大摆地出营，一直走到先前那近百士兵聊天玩骰子挑衅的地方。除此之外，还让几个人保护他们，又派了几十个士兵对着横幅指手画脚地恣意嘲笑。

其实也不用另派士兵去恣意嘲笑了，自从这块伟大的横幅"面市"之后，这笑声就没断过。清林看了这横幅也满脸黑线，派人将我押回他的帅营，命令我不得出营。夜风一反常态，竟然听从二林子的吩咐守在帅营外，不让我偷跑出去。哎呀，我苦思冥想出这么一条妙计，还真想看看那个王元帅的反应与表情呢。

我坐在清林的帅位上，无聊地看着桌上的那张地图。唉，男人最怕什么？答案是：男人最怕你说他没用！特别是军人，特别是一军之帅，特别是在放眼皆是男人的地方，特别是那些男人还个个比自己年轻，那王将军如果连这样的耻辱都能忍受，我从此就将他奉为偶像，再写个横幅替他平反！

果然，没多久就听到营帐外有异动。我精神一振，屁颠儿屁颠儿地跑出去，拉住夜风的衣袖就问道："怎么样，怎么样？那王花甲终于憋不住了？"

"是。"这小子脸色有些怪，声音平静地回答。

"开城门了？小夜，我们去看看，快！"我忙拉着他的衣袖，就想往外边冲去。

"主子。"这小子纹丝不动，还伸手拦在了我身前，道，"前方是战场。"

战场战场，你当我是白痴，以为这不是军营而是驴友帐篷啊！不就欺负我是个女人，不就欺负我不会武功吗？哼。我狠瞪了他一眼，悻悻地转身回营，继续趴在桌上冲着那张地图发呆。

唉，那常胜将军王花甲终于忍不住了？我就说嘛，他堂堂一个御赐常胜大将军，怎么能忍受别人嘲笑他床上不行？呃，床上？蓦地想起那只色狐狸做过的让人脸红心跳的事，我就忍不住脸发烫起来。唉，我好像是有点不厚道啊，不是有点，是很不厚道啊！

前方擂鼓声震天，厮杀声也已响起，我再一次感觉到脚下土地的震动。我并不担心前方的战事，既然清林早已想好引叶苍兵出关，那么如今叶苍将士出得苍齐关来，之后的一切便在他的计划之内。望月之战时，清林凭他出色的战绩已经名动六国，连老老头提起他时都赞不绝口，此次既是有备之战，那么应该会很顺利。我觉得，如果对方早有防备，强行攻城不是易事，引得对方出城来，对我们来说胜算的可能性最大。更何况，对方又不敢全军出城，顶多派二分之一或者三分之一的兵力出来迎战，清林要做的只是如何减少我方的伤亡，以保存最大的实力继续下面的战事。

"夜风，我真的不能出去远远地看看吗？叶苍是六国中实力最强的，听闻叶苍的将士骁勇善战，在六国中极负盛名。"我掀开帐帘问道。

"主子不必担心，穆将军早已布好了阵式。"

"呃？"我困惑，那是什么时候的事？夜风又是怎么知道的？脑中灵光一闪，我怪声道，"小夜，你去偷琵琶的时候就发现了？"

这是唯一的解释了，除此之外，夜风都和我在一起，我虽然向来后知后觉，却不至于连这么大的事也没看到。怪不得一早起来就觉得大伙儿格外忙碌，原来是排兵布阵去了。

"琵琶不是偷来的。"这小子不回答我的问题，却如是说。看来对于琵琶的事，他还是很介意的。

"知道啦，知道啦，是买的。"有求于人家的时候，我的态度一向是很好的，你说什么就是什么呗，我绝不反驳，"布了什么阵？如何布阵的？能将敌人一网打尽又不费吹灰之力吗？"

"属下不知。"夜风答得干净利落。

"那我们去看看，小夜，你不好奇吗？"不应该啊，男人天生对战争都有特殊的热情，何况夜风还是练武出身的。

"主子身边没有香囊。"他说这话的时候眼睛都不眨一下。

什么叫我身边没有香囊？浑身一震，如遭雷击，顿时有了一种外焦里嫩的感觉，天杀的，夜风居然在调侃我！狐狸啊狐狸，当日在汜州，你派小夜送了香囊过来，说什么让我不许笑，不许嫌弃，结果你看，倒让夜风看了笑话去了！

"小夜，你现在的主子可是我啊。"看来我有必要再次申明一下我们之间的关系和我的身份。

"所以保护主子是属下的责任。"

他的一句话，把我噎得再也说不出话来，转身愤愤地回营，然后又趴到桌子上发呆。唉，战乱年代，我还身在军营中，可我却只能远远地站在战争的边上，连观看的权利都被剥夺了。我又看了一会儿地图，最后实在感觉无聊，便爬到床上，蒙头大睡。

悠悠醒转的时候发现营帐里已点燃了烛火，而且香气飘飘。

"夜风！"我一边起身一边朝外大喊，天都黑了，怎么四周这么安静？而且清林还没回来，不知前方的战事如何了？

"主子。"夜风悄无声息地出现在我眼前。

"前方怎么样了？穆将军呢？"我跳下床，拉着他问道。

话音刚落，帐帘掀开，已有一人进来，正是二林子。

"二哥，怎么样，怎么样？"我扔下夜风，噌噌跑到二林子跟前，他一身暗红盔甲还来不及脱下，身上似还沾着血腥之气，却让人感觉英气逼人。我前后左右打量了一圈，确定他没事，才问道。

"浅浅的计策真是妙计，知道引出了多少叶苍军吗？"他笑着，边说边脱下盔甲。

我连忙夺过他手上的盔甲，想拍马屁地亲自替他将盔甲挂到一旁的衣架上，结果甫一夺过手，险些就被盔甲压翻在地。天哪，这是什么盔甲？少说也有四五十斤，穿在身上别说杀敌跑路了，没准儿我就这样砰的一声摔在地上，再也起不来了。

"还是我自己来吧。"估计我的心思被二林子看得一清二楚，而且我的糗样那是百年难得一见，所以二林子看着我，笑得分外开心。

我连忙松手，唉，这粗活儿真的不适合我，以后要切记切记不沾手。待他将盔甲挂好，我才朝天翻了个白眼儿，问道："引出了多少叶苍军？"

"五万。"

"五万？那王花甲果然受不了人家说他没用啊！"这么多？太让人始料未及了！刚开始还死活不肯出关，现在倒好，一出关就呼啦啦出来了五万人，那是真发飙了啊！可是俺们有二十万大军啊，再说清林一早都布好了阵，于是我乐颠颠地问道："怎么样？全歼了吧？"

"是歼千歼。"我忽觉不对劲，立马出声，画蛇添足地解释说明。

那小子闻言，一脸黑线，扔下一句"灭敌四万，活捉前锋"就往外走去。

"你去哪里？"我大叫。天怒啊！我又没说什么，我也不过是为了避免引起歧义造成误会才解释说明了一下嘛，这小子用得着这样吗？

"审问那几个抓来的俘虏，你先吃饭吧。"话音落下的时候，他的身影刚好消失在帐帘外。

我郁闷，回头看看夜风不知何时早已没了身影，忙跟着往外走。

"浅浅别出去，外边全是血腥味。"二林子突然掀开帐帘，探头进来说道，一脸的严肃。

"凭什么凭什么啊！"我大声抗议，我还没出营帐呢，怎么又被禁足了？

"穆默，你们守好了。"二林子放开帐帘，冲着外边的人沉声吩咐。

我忙跑到门边，一掀帐帘，却赫然看到拦在身前的人。泪奔啊，这人是回来了，可是心没回来啊。我再一次深刻体会到挖墙脚挖过来的人才的不足之处，不可靠啊不可靠，为何关键时候他们总是偏向旧主子？这太打击我幼小纯洁水晶般玲珑剔透的心灵了，呜呜呜。

我狠狠瞪了他们一眼，转身愤愤地坐回到床上。营帐里依旧清香飘飘，可是我刚才掀开帐帘的时候，确实是闻到了一股很浓的血腥味。战场应该与营地有段距离，可是血腥味清晰可闻，前面恐怕已是血流成河尸骨遍野了吧？

少顷便有人端着饭菜进来，虽比不得皇宫或云府做得精致，但属于我的那份，还是比较可口，明显是开小灶的。我将那送饭之人留下，一边吃一边问他外边的情况，唉，清林、夜风、穆默都不靠谱，没想到这种事我还要从一个陌生人口中得知，想来就觉得凄凉，摆明了欺负我是个女人嘛，哼！

从这陌生小兵口中我只得知：歼敌四万，活捉了前锋将领和几百小兵，余下的人都逃回苍齐关了。那个我特别关注特别好奇的阵式，这小兵压根儿就不懂，只说很神奇，敌军呼啦啦跑出来跑到一定距离的时候，我们的士兵突然从四面八方冒出来，直接将这五万叶苍军围在了中间，开始射箭。待叶苍军弄明白怎么回事，镇定下来反击时，阵形已摆不完整，仓皇中都成了箭下客。

最重要的是，前锋将领被活捉了，所以这场不算小的战役，叶苍以失败告终。

我苦思了很久，都没想明白清林是怎么做到让我们的将士"突然从四面八方冒出来"的，一个一个大活人，叶苍竟然没有发现？神奇啊神奇，二林子肯定早就埋伏好了。

在我快要睡觉的时候，清林才回来。我很没骨气地跑到他跟前，巴巴地问道："问出什么有利的消息了吗？"

他点点头。

"那明天还要去叫阵吗？要不要我再出个主意诈出五万士兵来？"我脑子飞转，想着明天要出什么更恶毒的绝招。

"不用。"二林子一口回绝。

"为什么？"我心里分外不满外加不平。

"明天我们直接攻关。"他的神情坚定自信。

"好！"我的失落立马无踪无影，完全被英气逼人的穆大将军迷惑，手握成拳，加油叫好!

可是这小子丝毫不领情,又是一脸黑线地扔下我,径直朝他的地铺走去。我向他的背影张牙舞爪,在心里想象着已将他打趴下,然后也悻悻然爬到自己床上。

第二天,二林子同学竟然神奇地弄来了投石机。咳咳,对,就是投石机,在这旮旯儿属于新生事物,甚至还没被命名,所以当我看到士兵们拉着投石机出现的时候,我一声惊呼"投石机",这新生事物因此就定下了名。

世界是如此奇妙啊,连人类的发明都如此相似。我确定肯定以及一定这主意不是我出的,这秘密不是我泄露的,这玩意儿不是我提出来的。

我依旧被留在后方,吹胡子瞪眼都不管用,何况我连胡子也没得吹,又不能要死要活地上演一哭二闹三上吊,而且名为护卫我的那几个人突然分外团结分外听清林的话,差点气得我吐血。我眼睁睁地看着大部分人上了战场,眼睁睁地看着那几架投石机被士兵推着移向战场,只能留在原地跺脚不满。

这回觉也不想睡了,无聊至极只能抱着琵琶弹弹唱唱打发一下时间。

"主子。"

"什么事啊?夜大主子!"弹琵琶也弹得无聊,恰好夜风同志过来"搭讪",我自是没好脾气了。要不是小夜"胳膊肘往外拐",我至于像现在这样无聊吗?

"主子的信。"夜风对我的调侃加抱怨倒没有什么异常反应,直接将一封信递到我跟前。

我伸手接过,随意一瞄,心里一颤,竟是狐狸的笔迹!算一下时间,应该是狐狸收到有关我下落的消息,就立马写了封信派人快马加鞭地送了过来。本来都不再想了,如今再看到狐狸写的信,就突地想起传闻,臭狐狸死狐狸,你不都要大婚了吗,还给我写信干吗?

心里这样想着,手却下意识地打开信封,将信纸抽了出来。

"浅浅,你的身世已不是秘密,切记小心,勿离夜风。"

他既没交代自己大婚的事,也没一句想我念我的话,我心里一怒,将手中的信纸揉成团,想想不对,又展开撕了个稀巴烂。说什么我的身世已不是秘密,我的身世不是早就大白于天下了吗?云月、汐月、醉月,撑死了也就是将我替兄出仕的事抖落出来,现在这时候,还能有谁定我的罪不成?

"主子。"夜风略有些犹豫的声音。

"主什么子啊，你既叫我主子，就该听我的。你不会心还在你前任主子的身上，想将我押解回去吧？"

"属下不敢！"

"不敢就好！"说实话，还真怕夜风二话不说就将我送回去，我又打不过他，很弱势啊！在狐狸大婚的传闻还没落实之前，我可不想回去。

下午，听闻战事并没有实质性的突破，投石机虽然有效，却也只是造成关内士兵的伤亡，并没有攻克城门这关，而且听闻苍齐关上已经挂起了免战白旗，所以战事暂歇。对于挂白旗一事，我始终有些不明白，难道说对方一挂免战牌咱就不打了？若对方挂一年免战牌，咱驻扎在这里岂不是还要开垦荒地种粮种菜养猪啊？

叶苍不仅挂起了免战牌，而且又派人送来了谈判书。直到现在还心存谈判希望，难道修若与叶苍此时依然共同攻打寒星？还是这是叶苍的缓兵之计，在为调回远征寒星的大军争取时间？不管是哪一种，修若、叶苍发兵比我们早，寒星是兵临城下了才去天青、龙曜求援，如今龙曜大军在此都驻扎了好些天了，寒星那边如果战事顺利，攻陷几个城池应该没问题。

狐狸所谓的将纤绘公主送给修若，应该是想用纤绘公主的身份来帮助这场战事更顺利地进行。我觉得一个公主再怎么受宠，在家国大事面前，都会变得不足为道，但只要她能起到一点小作用，都会改变整个战争的形势，这就是蝴蝶效应。不管是狐狸，还是修若，都不可能傻到直接用公主去要挟寒星王，他们对人的利用，只怕是在另一方面。

"二哥，他们一直挂免战牌，我们就一直干耗着？"这都免战几天了，二林子也太君子了吧！

"不是。"他正看着手中刚收到的信，面有喜色。

"呃？"我很困惑。

"浅浅看看。"他将信递至我跟前，眼里是惊喜，脸上是大大的笑容，阳光般明朗。

我疑惑地接过来，低下头看信，越往下看眼睛睁得越大，最后眼睛简直发直了，不可思议道："火药明天就到？"

这都什么人啊，哭！是的，诚然我说了火药的配方，诚然这里离齐州并不远，诚然但凡行军打仗的对这一方面都会有那么点天赋，诚然清林身后可能拥有一支专业的"国防科研队伍"，不然投石机也不可能凭空出现，但这也太扯了吧！这才十天？半个月？半个月有余？管他多少天，反正清林居然将火药搞定了。还说明天送一些过来试试效果，这真是太打击人了！

"这是好事，浅浅怎么苦着脸？"我撇着嘴将信还给二林子，他一脸奇怪地问道。

我又撇了撇嘴，闲闲地道："什么苦着脸？我这是深思，在深思，在想正事儿，你眼睛看错了啦。"

"浅浅在想什么？"他虽然是一脸的不置信，但还是配合地问道。

"用投石机送火药过去如何？"我微笑。

"正有此意。"他的笑容自信而坚定。

下部

第四十九章·大破苍齐关

这火药还跟我有了某种联系，你说我能不紧张不激动不关注吗？

第二天火药真的送来了，不多，二十个圆球形的火药包，黑乎乎的，看着像地雷。一起过来的，还有一个专业人士，圆圆胖胖，微黑，脸蛋与身材长得跟地雷形似。他似乎跟清林挺熟，也没拘什么礼，向清林一阵讲解，直将这火药包的威力赞得神乎其神玄乎其玄，我听了差点儿就以为那二十个黑黑的东西就是传说中的原子弹了。除此之外，大号地雷对清林的崇拜显然到了滔滔江水连绵不绝的地步，一个劲儿地说着，丝毫不给人插嘴的机会，清林好几次想打断他，他却浑然不觉，依旧气也不喘茶也不喝唾沫横飞地讲了个痛快，直听得我一阵翻白眼。

　　"这位小兄弟，你翻白眼干吗？我告诉你，我说的都是真的，火药包你是没听过没见识过，那可是个好东西。"大号地雷似乎对我不停翻白眼的行为很有意见，几番容忍之后，终于将话题转到了我身上，还说得一本正经。

　　我连忙点点头，诚挚万分，一脸的谦虚，然后示意他继续，心里憋笑憋得心都快抽筋了。而且这种时候，我还不忘瞪了二林子一眼，不让他泄底。二林子看着我，脸色微有些犹豫，眼里却隐隐有笑意。

　　"清林，有这好东西，保管炸得那些叶苍兵胆战心惊，没被炸死也被吓死！"他总算良心发现，豪情万丈地做了总结辞，转过头又看着我，施恩似的意犹未尽地道，"小兄弟，到时候让你开开眼界！"

　　"好！"我大声叫好，然后再也忍不住，蹲下身捂着肚子大笑起来。

　　"啊……你……她……是女的？"大号地雷不复刚才的滔滔不绝，突然变得结结巴巴起来。

　　"是的。"我边笑边点头，看着他那张抽搐的圆黑脸，觉得生活无限美好，世界无限奇妙。

　　"而且火药的创意与配方，都是她提供的。"二林子也笑看着大号地雷，说得理所当然。

　　这下大号地雷的脸已经不是简单的抽搐与泛黑了，他瞪大眼看着我，眼里是满满的不敢置信，神情又像是看到了怪物，张着嘴，却发不出任何声音。

　　我终于起身，双手环肩，轻咳了几声，万分严肃地道："其实你也不赖啊，这么短的时间就整出这些看起来挺不错的玩意儿。"

　　我细细打量了一下那些火药包，又向他点点头，赞道："不错不错，单看样子就觉得很不错。我忘了说要加木屑啦导火线什么的，你竟然都能自己想到？"

"什么!"他大叫,从不敢置信到不可思议到不可原谅,愤愤道,"你一早就知道还有这些,一句忘了说,你知道我们为此测试了多少遍?个个搞得有多惨?"

"呃,我又不是有意不说,忘了嘛!"我咬着指头,扮无辜,然后凑到大号地雷跟前,贼兮兮地道,"难道你以前很白,测试的时候没用导火线,避之不及才变成现在这样的?"

他由最初的微怔到脸色慢慢地涨红,然后两眼死死地盯着我,嘴角大幅度地抽搐,最后却只憋出一句:"什么人哪!"

我向他甜甜地微笑,然后转身往外走,没走两步,停下,转回身看着他,笑道:"仙人!"

说完不再理他们,大笑三声,扬长而去。没走几步,隐隐听见身后的清林似想试验一下那个火药包的威力,我立马跑回去,劈手夺过,外加狠瞪了二林子一眼,急道:"二十个数量已经够少的了,说不准其中还有几个失效,哪能轻易用来浪费?"

大号地雷点头称是,说他研究这个的时候就是这样,并没有百分之百的成功率,而且刚开始的时候由于不懂火药的威力,突然成功的时候,若不是他逃得快,估计早就一命呜呼了。于是,我很不厚道地在心中肯定,他黑黑的肤色,肯定是因为研究火药才变成这样的,嘿嘿!

断绝了清林试验的心,至于如何将火药包与投石机结合起来,这是他的事,也是大号地雷的事,与我无关。

第二日一早,大军就出发了。这回我死缠烂打,最后都搬出了火药的功劳,二林子才同意我跟在他屁股后头上战场。临出发前还唠叨着要我不可乱跑,就跟在他身边,我表面诚恳地点点头,暗自翻了个白眼吐了吐舌头,我也不想让自己陷入险境,不过有夜风他们保护应该不会出差错的。

大军至苍齐关外停下,苍齐关上依旧挂着那面白旗,看着就让人觉得分外碍眼。二林子身着暗红盔甲,侧望过去五官俊朗,英气逼人,大将风采尽显无遗。守关的叶苍兵早已进入备战状态,或许他们终于明白了,这场战争已经避无可避,从开始谈判就是奢望。昨天清林已经接到消息,天青大军从苍齐关外绕道往南,已经攻陷苍州南面的泉州,我一向相信曦岚的能力,更何况,叶苍重兵把守苍齐关，泉州兵力自是远不足以抵抗天青的二十万大军。

最迟在苍齐关失守后，叶苍王肯定会将攻打寒星的那二十万大军撤回救国！

清林骑在高高的枣红大马上，手一挥，陈铸率五万大军往左移去，另一位我叫不出名字的将军率另一部分大军往右移去，而徐定远领兵靠前列阵。早就听闻穆家军的箭法了得，此番攻关，最前面的一排士兵执盾护阵，后面几排士兵俱是手持弓箭。

我打了个哈欠，看着黑压压的一大片人呼啦啦地移到这边，又移到那边，不明白苍齐关内守城的将士咋就不趁乱出关攻打？待人家摆好了阵形，将你的城关炸得稀巴烂，你到时候没办法再出城进攻，那不是自找死路吗？我对阵法没研究，看着大军明明摆了阵形，坐在马上却愣是没看明白这是什么阵。

"小夜，你说这阵像什么？"反正在我看来什么都不像。

"这是穆将军的天狼箭杀阵。"

"呃？天狼箭杀阵？这是什么东东？"夜风的声音平静，我不明所以地重复一句，转过头看向二林子时还是头晕晕的。当然，上了战场的二林子在一般情况下都是不会来理我的，上回在汜州，我们那么久不见，他看到我也没往我这边挪一下视线，更别说露笑脸打招呼了。所以我只能靠自己，抬眼看向大军列阵，心里估摸了半天，还是没看出这是天狼的形状。

"小夜你唬我的吧？这阵哪里像天狼了？还什么天狼箭杀阵！"我立刻将矛头指向夜风，这娃说话忒不厚道，居然随口编出这种威风八面无限拉风的名字，太扯了吧！

这小子撇过头看我的时候，那眼神仿佛我是个外星人，嘴角抽搐道："穆将军的天狼箭杀阵，六国皆知。"

"呃？那为什么我不知道？为什么我不知道，六国却都知道？"还越说越神秘，越说越拉风了。我是他的三弟兼妹妹，我都不知道，六国怎么知道了？再说，现在是五国了，拜托说话前先用手指头数数好不好？一想到这儿，我很鄙视地看了夜风一眼。

那小子慌忙垂眼转回头，视线直直盯着前方，声音不冷不热地道："望州城固若金汤，最后便是这天狼箭杀阵破的城。"

闻言，我点了点头。当初我赶去望州救曦岚的时候，便听说三军攻打望州城

已经很多天，却一直没突破，后来曦岚受伤，就更不容易了。再后来我昏迷，自是不知战事最后是如何发展的，只是在我醒来时，清林已经顺利班师回朝，似乎曾听人提起望州城破是穆将军排兵布阵的功劳，但那时候事情太多，一下子得知身份，一下子被狐狸求婚，一下子又被小白劫出皇宫，后来又去了修若，更是没时间细探更多了。

正自思索，战鼓沉沉地响了起来。我抬头，就见大号地雷站在投石机边，远远地似亲自在折腾火药包与投石机的关系。再远一些，苍齐关上叶苍士兵似乎也已严阵以待。所谓的守城，无非就是死死关着城门，弄些箭阵石阵不让敌人靠近，可是有了火药包，这一切就变得不一样了。

第一个火药包以一个优美的弧度飞向苍齐关高高的城墙时，我的心提到了嗓子眼儿。其实火药炸弹这种东西，现实中我还真的没见过，顶多是在电视里看到的，如今要现场观看效果，而且这火药还跟我有了某种联系，你说我能不紧张不激动不关注吗？

距离很好，弧度很美，速度很快，落下的地方也很准。我下意识地用手去捂耳朵，紧紧闭上眼，龇着牙等待那一声历史性的巨响。没有太阳的冬天，风吹来都觉得阴冷，我龇着牙等得牙齿打战，却也没听到那期待中的巨响。

呃，惨败啊！我松了手，睁开眼，对着二林子的背影摇了摇头，出师不利啊二林子，发明之路果然都是很坎坷的。

显然大号地雷说的是事实，有了心理准备的他镇定地将第二个火药包装上了投石机。

一样优美的弧度，一样适中的速度，一样精准的落点，这一次，我还没来得及闭上眼睛捂上耳朵，就听轰的一声巨响，苍齐关城门上就冒起了浓浓黑烟。我险些惊得掉下马，坐正的时候张着嘴就只知道傻乐了，天哪，成功了！而且目标很正，就是好像炸得早了点，所以效果减半，并没有将城门炸塌。

苍齐关守关的将士似在短暂的受惊之后终于回过神来，一时间城门上乱成了一团。而大号地雷那边早已将下一个火药包准备好，我看着黑黑的地雷状火药包又向苍齐关飞去，这一次用手捂住耳朵，满意地看到火药包又落在城门处爆炸。有了两个的成功，另两个投石机也安了火药包开始轰炸，轰轰声过后，苍齐关内已是一团乱，城门已被炸出了洞，城墙也有好几处被炸塌。

城门已破城墙已倒，火药包的威力又这么强大，王花甲肯定没想到我们仅是使上了他没见过没听过的火药包，他一早在城墙上准备好的箭阵石阵就被火药炸得失了踪。这时候他们即便不怕死，一时半会儿想修补城门城墙也是不可能的了。再观龙曜这边，弧形的队列守在苍齐关外，直到此刻我才明白，清林与他的亲兵近卫军所处的位置象征着狼的尾部，狼尾的姿势恰恰说明了狼下一秒就会做的动作：比如狼尾横直，意味着狼即将狩猎；比如狼尾高而舞动，意味着狼正在嬉戏；比如狼尾卷曲朝前，意味着我方占主导地位，盯着眼前弱势敌人的一举一动，随时准备进攻。而此刻，清林与他的穆家军箭在弦上，呈弧形列阵，好似狼的卷尾。破空之音响起时，清林弦上的箭闪电般飞驰向前，箭身竟隐隐泛着金光，直射向苍齐关城门上纷乱的人群。

　　城墙上的人应声倒下的时候，本列阵在前、由徐定远率领的数万大军中，瞬间涌出四支骑兵，犹如清林的那支利箭，向苍齐关急驰而去。不，这不是利箭，这是狼的犬齿——那特别长特别利、在狩猎时用以刺破猎物的皮以造成巨大伤害的犬齿。而在这四支骑兵接近苍齐关城门的时候，左右两侧各涌出四支骑兵，分向被炸塌的城墙行去，好比狼用于将肉撕碎的裂齿，这八支骑兵无疑要撕裂叶苍的防守。

　　厮杀声响起，清林与他的穆家军已呈横直排列，向前压进。叶苍兵蜂涌过来的时候，掩在执盾士兵后面的箭手纷纷射箭，箭矢如漫天密芒飞向叶苍士兵。

　　鼻端隐隐有清香传来，我侧过头，看见夜风手中拿着一个小瓶子，瓶盖已经打开。

　　太阳落山的时候，龙曜大军已经驻扎在了苍齐关内。此次苍齐关之役，虽然叶苍大军在前几天"横幅挑衅事件"中折了四万兵力，但驻守在苍齐关内的叶苍军还有近十万，若不是天青大军绕道从泉州进攻，王花甲派了部分兵力支援泉州，苍齐关这一关可不是这么容易攻克的。

　　苍齐关之役，叶苍大军伤亡惨重。不过龙曜这边伤亡虽少，但从人数上来说，也已经超出了我想象的范围。每当想到前一刻还在聊着家常写着家书的人，此刻却奄奄一息痛苦呻吟，我就心痛不已。

　　战争的残酷，这一刻才切身感受，并深恶痛绝。我看着忙碌的将士，看着那几个军医恨不得有千双手，手中即便紧紧握着夜风的小药瓶并将它凑近鼻尖，却依旧挡不住那浓浓的血腥味，我终于决定，战争与军营生活并不适合我，我还是趁早开溜吧。

是夜睡到一半，忽闻异响，我惊起身，夜风已站在了我床前。

"什么事？"

"属下不知。"

"穆将军呢？"我一眼瞄去，清林的地铺上空空如也。

深更半夜的，发生什么事了？好不容易攻下苍齐关，难道关内还藏有玄机？一个激灵，也不等夜风回答，我又忙问道："偷袭？烧粮草？还是？"

"属下不知。"

我起身，边走边道："让穆默去探探。"

"是。"他一下子出现，又一下子消失，速度快得让我吃惊。

甫一出营，就见帅营四周已围满了士兵，个个精锐，赫然是清林的穆家亲兵。我顿时有些莫名其妙，莫不是夜袭帅营？可是现在二林子都不在了，大伙儿还围在帅营四周干什么？

"穆将军呢？"

我话音未落，就听到清林微微低沉的声音，"浅浅，回营。"

我环视了一圈，并没有看到他，却听话地返身回营。唉，没武功啊没武功，谁让我没武功呢？当然这不是重点，重点是我太懂事太乖巧了，知道这时候不能去添乱。

"穆默，怎么样？"我问探消息回来的穆默。

"主子，有人夜入军营，身份不明。"

"那目的呢？杀人烧粮？还是偷什么东西？"不对，或者还有投毒？

"不是，目标似乎是主子。"他看了我一眼，略有些犹豫。

"咳咳。"我险些被自己的口水呛住，一个趔趄，若不是夜风及时扶住了我，九成九我就直接摔在地上了。

"什么叫目标是我？关我什么事啊？"我晕了，我乖乖地留在军营中，难道也有麻烦找上门来？知我身份与行程的就那几个人，狐狸不会来这样的阴招，曦岚也不会，云老头若要找我回去，肯定也是直接下命令，谁会半夜闯入军营来劫人？

"属下不知。"

"穆默，你再去探探，若抓到了人，即刻通知我。"我朝他挥了挥手，看着他领命退下，又盯着夜风半晌，突地想起狐狸送来的信，难道他的提醒与今晚的事有联系？

下部

第五十章·身世与传闻

我跟着你走，你吞并五国做老大吧！

"夜风，你在外面听到关于我的何种传闻了？"不知为何，问这话的时候，心里隐隐不安，其实云月、汐月、醉月的传闻已经听过不少，哪怕如今替兄出仕这一段大白天下，我也是有恃无恐的。可是为何这时候，突然不安了起来？

"传言主子是风神国皇族的后人。"

我的心中如被刀割，竟一时有些喘不过气来。风神国皇族的后人？这事只有曦岚提起过，能知道我这身份，或者猜到我有这个身份的，除了曦岚，就只有天青王了。

如果坊间已有关于我的这一类传闻，那是天青王的主意吗？曦岚的失忆、曦岚失忆后对我的误会，以及关于我身份的传言，这一切有什么联系吗？

"然后呢？我是风神国皇族的后人又如何？"我深吸一口气，问道。这才是重点，不然谁管你是谁的后人啊，就算是风神国皇族的后人，几百年过去了，也依旧是个亡国之人。

"得主子，得天下。"

他话音未落，我就大笑出声，边笑边道："来来来，小夜，便宜你了，我跟着你走，你吞并五国做老大吧！"

"主子……"这小子满脸黑线，神情略有些担心，八成以为我气疯了。

"小夜！"我猛地扑到他跟前，双手揪住他的衣服，怒道，"你速派人给我去查，NND！查明白是哪个王八羔子放出这种消息让我不好受的，我要去杀了他！"

"主子……"这小子脸上的担心更甚了。

"还有，你要教我功夫，暗器使毒，哪个更快更狠更有效更好学就教我哪个，我要亲手去解决他！"

"主子！"他握住我的手，将他胸前的衣服从我手下解救出来。

"小夜！"我忽然心中大恸，扑进他怀里，哭道，"小夜，现在该怎么办？有这种传言，让我还怎么顺利地嫁给大哥，便宜他这只狐狸啊！"

呜呜呜，我敢肯定，坊间都有这种传闻，老老头、云老头肯定会想方设法地去证实，如果真如曦岚所说，那我的去向与归宿，只怕又是另一番模样，哪能这么容易让我得偿所愿？哭啊，大哭啊，号啕大哭啊，不就是想跟自己喜欢的人在一起吗，怎么就这么难呢？

"主子。"他两手放在身侧，任我在他怀里用他的衣服擦干眼泪，声音却微微

不平静。

"好了。"我吸吸鼻子，从他怀里退身，"发泄完了，办正事。你去安排一下，除了调查传闻的来源，再跟大哥联系一下，我若回去，这一路必定不会太平，而我身份行踪既已暴露，自是不能再留在这里，徒然添乱。所以，你安排好随行人员与其他事宜，我这就动身回龙曜。"

"是。"他领命退下。

躺回床上，我用被子蒙住头，不去理会外边是何情形，也不去想刚才得知的事，一遍一遍数着绵羊入睡。身后隐隐传来脚步声，又似有一声轻叹，我假装不知，继续装睡。

第二日一早，刚吃了早饭，就有小兵来报，说是云府的管家来找穆大将军。清林示意让人进来，然后转过头，别有深意地看了我一眼。

我心里一阵哀号，自是明白张德大老远地过来，当然是来找我，哪能真的来找清林啊。

"可以假装我没来找过你吗？"

"只怕不行。"声音平静。

"可以假装我已经连夜离开军营了吗？"

"只怕不行。"声音微微不平静。

"可以假装没有我这个人吗？"

"浅浅……"声音已经有些无奈。

"算了算了，该来的躲也躲不了，你先避避吧。"我朝他摆了摆手，他起身出营。

不消多时，外面就有人通传说是云府的管家到了。

"德叔，你怎么来了？"我看着掀帘进来的人，起身迎接，假装才知道他过来，声音里还带着一抹惊喜。

"张德给公主请安。"他慌忙行礼请安。

"快起来吧。德叔这样急着赶来，可是有事？"我虚扶了一把。

"王爷请公主速回修若，皇上病重。"

"什么！"我惊出声，狐狸病重了？呃，不对不对，回修若，那是老老头病重了？什么时候的事？虽然老老头年纪大了，虽然他确实有过身体不好的迹象，可是病重，这也太突然了吧！而且又在我身份大白天下的时候，不得不让我心生警惕，"德叔，这是真的？"

"是的。请公主尽快起程吧。"他微弓着身子垂头回答。

云老头再怎么不是，似乎也不敢拿他老子的事开玩笑，若是他想用计将我骗回修若，直接说云风出事了更省事。如此一想，我心里也急了起来，不管怎么说，我在修若的时候，老老头待我不薄，到目前为止，他也没有伤害过我，而且老皇后待我也特别亲善。

"德叔稍等，我跟清林告个别。"我示意夜风留下，然后出营随手抓了个小兵，问清了清林去向，就向目的地跑去。

"二哥！"我气喘吁吁，半路碰上正往回走的清林。

"浅浅……"

他看着我，只一眼，我就知道他已明白我跑来找他的目的。只是我的去向、我的归宿，终不是他能决定的。除了第一次，在政事堂我说要去出使天青的时候，他几乎是下意识地脱口而出要护我此行，往后他就再也没有了这样的行动。或许他一早就看开了，狐狸于他，是朋友，是兄弟，更是君王。其实看不开又能如何？当我与他再次相见，他会由着我的性子，毫不犹豫地答应将穆默他们几个拨给我，他会由着我的性子，留我在这军营中，只是，那一个君臣之礼，一切已成定局。

"清林……"此刻，看着他泄露所有情感的黑眸，看着他又避之不及地撇开视线，再也叫不出"二哥"，叫不出"二林子"。我能留给他的，只有这一声"清林"。

"浅浅是不是要走了？"他微垂眼睑，不敢直视我的眼睛。

"嗯。"我看着他，脸上浮起大大的笑容，视线却微微模糊。

"二哥派人护送你回去，这一路浅浅要格外小心。"他似已敛了感情，黑眸复又恢复了温暖和深邃，自称也改回了二哥。

"好。"我不能拒绝他的好意，努力微笑道，"二哥，你一定要保重，我等二哥凯旋，上一回的接风宴还欠着，到时候两餐并一餐，请二哥吃全天下最好的美食——由我这个两国公主一国议政外加风神国皇族后人亲自下厨！"

"好。"

"二哥，你别送我，忙正事要紧。我走了。二哥，预祝我们龙曜大军一路势如破竹，大败叶苍！预祝二哥早日班师回朝！"说完也不等他回答，转身跑了回去。

回到帅营，将所有人通通遣了出去，让夜风在营外把守，然后将天丝软甲解下。留了个短笺，压在天丝软甲下，我就出了营。

一路曾无数次幻想，更准确地说是担心会遇到种种不测，比如遇袭啦，比如暗杀啦，结果一路风平浪静，愣是连一点小波折都没有。让我很是郁闷，难道我回修若就是这么的"天意所归"？

甫一入修州，就有御林军开道，一路疾驰，直到宫门前。张德掀开车帘，我起身跳下马车，云老头站在宫门处，看样子似在等我。

"父王。"我微一行礼。

"快去看看你皇爷爷！"他说完转身往宫里走去。

我这一路赶得急，坐马车又坐得浑身似散了架，可一想到老老头病重，就急不可待地跟在云老头身后疾步走去，甚至都来不及换件得体的衣服。

老老头的寝宫外有不少侍卫守着，云老头向其中一侍卫点了点头，然后示意我进去，他却留在了外面。我顾不得其他，径直往里急急走去，看到躺在明黄龙床上的那个身影，我忙跑过去扑到床沿喊道："皇爷爷！"

"丫头，你来了。"老老头闻声睁开眼，侧过头看着我，脸上勉强浮起笑容，声音苍老而低沉。

"皇爷爷，皇爷爷，您没事吧？"看着床上的人，他确实比我离开修若的时候更显苍老更显憔悴。不过几个月时间，他却似突然老了好几岁。

"朕没事。倒是丫头你，这一趟回来成熟了不少。"他一字一句说得很慢，声音也有些轻，说完又有些气喘。

"皇爷爷！"眼泪突然滑落，毫无征兆。这一趟，怎能不成熟？如果与狐狸在一起，是身体的蜕变，那么曦岚再次救了我，就是心灵的蜕变了。

"丫头心中可有怨？"他突然这样问。

"没有，皇爷爷。"我用衣袖抹了抹眼泪，身上还是一袭男装，直视着他的眼睛道，"过程再苦再累，月儿都无怨无恨，只要结果圆满。"

"陈寿，你先下去吧。"老老头移开视线，看向我身后，低低说道。

偌大一个寝宫，只剩我与老老头。

"皇爷爷。"我跪在床前，伸手掖了掖被子，微笑道，"皇爷爷马上就可以好起来的。"

"丫头，朕老了，该接受丫头说过的唯一的最终的宿命了。"他边说边喘气，脸色微白。

"不会的，不会的，皇爷爷可以长命百岁的。"我拼命摇着头，继续道，"皇爷爷，您休息休息，月儿在这儿陪您，等下我们再聊天。"

"丫头的身世知道了吧？"他并没有放弃，依旧微喘着气道。

我看着心痛却也无奈，点了点头。

"丫头自己怎么想？"

"没想法。"我直视着他的眼睛，那虽然憔悴但依旧矍铄深沉的眼睛，坦然道，"逐鹿与吞并，永远是政治家们的游戏，胜为王，败亡国，弱肉强食，这是自然生存的法则。如果世界上真的有一个人能改变天下形势，这个人也不会是月儿。所谓的传闻，所谓的秘密，不管是富可敌国的财富，还是长生不老的秘诀，甚至是权倾天下的尊荣与权势，最终都是利用了人的贪婪之心。所谓的'得一人得天下'，亦是如此。若这天下真因月儿而改变，其实也不是月儿的问题，而是政治家们的野心。"

"丫头……"

"皇爷爷，就让月儿放肆一回吧！若月儿的身份真是如此，那么传闻就不攻自破。月儿若是风神皇族后人，哥哥也是。同父同母还同胞，哥哥的才能远胜于月儿，又怎么只知月儿才是传闻中的主人公？"

他看着我，眼神专注，却说不清是打量是探究还是其他。

"皇爷爷，接连的征战，各国元气都会大伤。此次若能攻下叶苍，顺取寒星，就是三分天下的局面，到时候三国都需要修整，而且是较长时间的修整。月儿喜欢太平盛世，喜欢岁月静好，羡慕皇爷爷与皇奶奶这样平安地过了一辈子，所以不希望再有征战。三国鼎立，或许不是最终的结局，但起码，在很长一段时间内，长到或许不止月儿作了古，月儿的子孙都作了古，才会再一次不平静。"

"有时候，越是以为自己看得清楚真切，越是没看清形势。"他边说边示意我扶他起身。

我半扶起他，往他背后垫了一个大软垫。心里却是虚虚的，不明白老老头这

话是什么意思。

"丫头，你觉得朕待你如何？"

"好。"我微低着头，感觉到他的视线始终放在我身上。

"丫头会不会觉得皇爷爷对你的好，是另有目的？"

"不会。"我抬头直视着他，坚定地道，"月儿知道皇爷爷真心疼月儿，会替月儿安排好一切的。"

"那火药包，真是丫头发明的？"他看着我，神色莫测，突然这样问道。

"皇爷爷都知道了？"我没有否认，反正否认也没用。

"果然丫头的整颗心都放在了龙曜。"他轻咳了两声，收回视线，半躺在床上，眼睛盯着某一处。

"是。"我坦然承认，当初在龙曜的时候，狐狸就说他修书至修若，让我暂时留在龙曜，以及最终的归宿都不是问题，那么老老头早就明白这一切了，而且我与狐狸的感情，他也不会不知道。

少顷，老皇后亲自端了药过来，我才发现，这一路赶得及，我连早饭、午饭都还没来得及吃。

"月儿给皇奶奶请安。"我忙起身行礼。

"丫头，你回来就好，回来就好。"老皇后端着药走至我身前，神情也微有些憔悴，看着我，脸上浮起一抹笑容，慈祥和蔼中多了份欢喜。

我也向她笑笑，转身扶起老老头。老皇后坐在床沿，亲手将药一勺一勺地喂到老老头口中，那神情中的温柔令人动容。

喝完药，老皇后扶了老老头躺下，他闭上眼休息。我本欲留下来守一会儿，结果老皇后拉过我的手，在我手背上轻拍了拍，叹道："丫头这一路赶得急，本宫看你神色疲惫，就先下去吃点东西睡一觉，你皇爷爷是明白你的孝心的。"

"谢谢皇奶奶。"我搂住她，往她怀里蹭了蹭，退身抬头时，微笑道，"皇奶奶不要太担心，皇爷爷很快就会康复的。"

她点点头，我行礼告退。在回醉月宫的路上，竟看见太子伯伯与云老头迎面而来，我避之不及，只得迎上前行礼请安。

"月儿总算回来了。"太子伯伯一如往常的儒雅华贵，看着我，好像慈爱的长辈看着自己特别喜欢的小辈，和颜悦色道，"月儿不在的这几个月，你皇爷爷可是天天念叨，如今回来了，可去看过你皇爷爷？"

"就是从皇爷爷寝宫回来的。"我微笑答道，太子伯伯这不是明知故问嘛。

"父皇龙体可还好？"他笑得温和，问得自然而然。

"嗯。"我下意识地应了声，惊见不止太子伯伯，连云老头看着我的眼里都有丝不一样的神色，似深思，似捉摸，于是我笑容更大，声音更坦然地道，"皇爷爷很好，真的。"

应该不是我的错觉吧，太子伯伯和云老头听了我的回答，眼神都是变了又变，这也太诡异了。问我老老头的情况已经很奇怪了，听了我的答案还有不同的反应，虽然这反应来得快消失得更快。再联想到老老头寝宫外的侍卫，云老头没跟着我进寝宫，寝宫里只见到老皇后和陈寿……妈呀，不会这么狗血吧，难道老老头这回生病也有玄机也有猫腻？重要的是，现在是什么情况？

"月儿舟车劳累，仪表不正，就先下去了。"我躬身行礼，在他俩心思各异的神色中匆匆向醉月宫跑去。

下部

第五十一章·灏王府

即便能逃离这里，过的也只是逃亡生活。

回了醉月宫，还没进门，就见一干人等远远地迎上来，夭夭更是飞扑出来，伸出舌头在我脸上来来回回舔了三遍。那湿黏的感觉，此刻却让我觉得温馨。我猛地抱住它，想到先前的遭遇，想到现在的曦岚，想到我的身份、六国的秘密，想到将要面对的种种问题，一时间百感交集，怔怔落泪。

"公主，快进屋吧。"

是王安的声音，不止王安，还有衍儿，以及醉月宫的侍卫、宫女、太监。除了王安，其他的人只敢远远地站着，嘴里却都念叨着："公主回来了，公主回来了。"

我敛了神色，松开夭夭，看了王安一眼，向他点头道："大家都回来了吧？"

"是的，公主。"

"翠儿怎么样？"那日我遇袭，穆默应该会将翠儿保护好吧。只是不知她回了云府之后，会不会因我被劫的事，被家规处罚？

"奴才回来的时候，她还躺在床上。"

"躺在床上？"我轻声重复，"你回来的时候，她情况还好吧？"

"公主放心，并无性命之忧，这时候身体应该已经恢复了。"他微垂着头，躬身回话。

我点点头，转身就朝里走去。我中圣血菊杀之事只怕早已公开，所以醉月宫里的一应事物听说都是祈了福的，我的寝宫内还有老皇后亲自向修若神灵请来的平安符。我沐浴净身，换了身衣裳，然后由江御医仔细给我诊了脉，确定了只是身虚体乏并无大碍，才终于能停下来歇口气了。

"王安，哥哥在修若待得怎样？"从张德口中得知，哥哥住进了灏王府，虽有正式的认祖归宗仪式，但身份甚至连庶出都算不上，按照修若的规定，修若的皇姓都没被赐予。所以哥哥仅被承认是灏王爷的长子，依旧叫云风。我觉得修若的这规矩很怪，但规矩怪是其次，重要的是在这种规矩下，哥哥在这里的日子会是何种情况并不难想象。

"一切都好，云大人让公主不要担心。"

"哥哥总是这样。"我轻叹道。

云风曾是龙曜国的宰相，且政绩斐然，如今却只是个四品廷尉正，或许云风心里并不觉得委屈，我却替他觉得冤枉。云老头这个二皇子手中抓的工作主要是

两部分，一是刑罚，一是财政收入，明明他可以给云风安排一个更好的官职，但他没有这样做。四品廷尉正，那是个连上朝的机会也没有的小官，而且还在云老头的控制范围之内司职。

我与云风同胞，论个人才能，云风远胜于我。而我与他在修若的处境，却是天壤之别。我一来就破例成为有封地的公主，住在离老老头最近的醉月宫，后又任女言官，在外人眼里，虽是个半路冒出来的金枝玉叶，却最得圣上皇后的宠爱。许多事情、许多规矩，老老头和老皇后都默许我随性而为，宫里的人，不管是主子还是奴才，无一不讨好我。而云风住在灏王府里，身份尴尬，怕是受了不少冷言冷语，官位也不高，连进个宫也是需要请旨的。我不知道云风放下龙曜国的一切，是如何和狐狸谈判的，来了修若又是如何打算的，但我知道，云风这样做必是为了我。一想到此，心中愧疚更深。

傍晚，我去老老头的寝宫问安，老老头正在睡觉，老皇后守在他身边，除了陈寿，寝宫里再无他人。我心中更加明白，向老皇后请了旨，说是想去看看哥哥，顺便看看父王一家人。自我来了修若，从未踏足灏王府，我虽是公主，毕竟还是灏王爷的女儿，回家看看，也是应该的。老皇后神情微疲，点了点头，只嘱要带上侍卫，又叮咛早点回宫，我点头应允，回宫让王安备了马车和礼物，就出了宫。

灏王府离皇宫很近，抄近路更是快，也就一炷香的时间，马车就停了下来。灏王府规模宏大，气势森然中又添一抹富贵。我示意灏王府门口的守卫不必通传，又问了云风是否已经回来，在得到肯定的答案后，才与王安入内。

灏王府里门多院多小公园多，天色又渐暗，我根本分不清东南西北，又不知道云风住在哪儿，怎么找人啊？管家气喘吁吁地跑过来下跪行礼的时候，我只向他挥了挥手，然后道："本宫来找哥哥，你领路吧。"

跟着管家弯来绕去，才知云府虽豪华奢侈，但比起灏王府，那还是有距离的。云老头果然是个超级大富豪啊，这灏王府的金碧辉煌是云府比不了的。不过我还是喜欢云府，因为云府更显精致。

终于可以见到哥哥了，心里隐隐有些激动，所以当我看到迎面而来的修若恒松和修若惜棠，避之不及、后悔不已的时候，脸上还是挂起了假笑，准备好夕打声招呼，毕竟说起来，这两人是我的弟弟和妹妹——见面不超过三次的弟弟和妹妹。

"这不是皇姐吗？没想到皇姐回来了，还屈驾来了灏王府，怎么不派人事先通知一声？我们也好出府迎接啊。"先开口的是年仅十六岁的修若惜棠，她是郡主，我是公主，而且我长她三岁，她却只微弯了弯身，连个礼都称不上，没礼貌也没规矩。

可是在修若，四下无人的时候，对我没规矩没礼貌的人不止她一个，我早已习惯，哪怕是当着我有礼貌有规矩，我也知道那是他们不甘心而为之，暗地里，只怕心中骂我鄙视我不止千百遍了。我自是无所谓，能不惹事就不惹事，是我在修若皇宫的生存原则。何况这些人对我来说，就好像路人甲乙丙丁，他们的态度，他们的心理，我根本没兴趣！

"妹妹这不是开玩笑吗！"不等我开口，年满十八岁的修若恒松就紧接着道，"皇姐是公主，而且是我们修若最尊贵的公主，身份可比我们高贵多了，能来我们灏王府，是让王府增光添彩的事。况且皇姐来我们王府，又不是来看我们，若说要派人提前通知，那也不是通知我们，怕是只有我们新近冒出来的大哥才够这资格。"

他用了"冒"字，而且说到"大哥"两字的时候，声调微微上扬，似有嘲讽之意。本来，他们怎么说我，我都无所谓，而且我是打定主意不想惹事的，但一听到这话，心头怒火却突地升起，他们说云风，比说我更让我不能忍受，甚至直觉想骂人。

"大哥？也不知父王是怎么回事，说认祖归宗就认祖归宗，也不查查清楚，明明长得一点儿都不像！"我刚想开口说话，那个修若惜棠又开口了。她左右看了看没有人，又是在她的地盘上，话说得理直气壮，一点儿顾忌都没有。修若恒松脸色微一变，用眼色示意她住口，但修若惜棠依旧大咧咧地将话说完，还回瞪了修若恒松一眼，似不满她这个哥哥如此胆小。

"惜棠妹妹今年十六岁了吧？也是个小大人了，怎么还这般口无遮拦不懂规矩？看来父王真是太宠你了，才令你这般无礼放肆，还大放谣言！"我冷笑道，"惜棠妹妹的疑问，不如让本宫代为转告父王如何？"

"你……就算你告诉父王又如何？你以为父王会惩罚我吗？"她怒极，连尊称都省了。

"惩罚你很重要吗？只怕查出来的结果真如你所愿的话，受罚的可就是父王了！"我笑了笑，看到她本来气红的脸明显一白，于是笑得更开心，慢慢走到她身前，一字一句地道，"修若惜棠，你记住，本宫是皇爷爷下旨亲封且公告天下的公主，这是不会改变的事实。本宫的哥哥与父王长得像不像并不重要，重要的是他跟本宫长得像就行了。今天的事就算了，再让本宫听到你这般口无遮拦，本宫倒要看看，到时候受罚的会是哪个！"

"皇姐……"修若恒松的声音响起的时候，我看到他身后远远地出现了一个身影，正向我们这边走来，那身着一袭蓝灰长袍的人，远远地朝我微笑，正是云风。

"惜棠年幼，又向来任性，刚才冲撞之罪，还望皇姐莫怪。"

"本是一家人，就不该说两家话，这道理惜棠不懂，恒松你应该明白。"我收回视线朝他笑笑，可没忘记他刚才的话也不怎么好听。或许仅有的几次见面我都太温和，他们还以为我就是一个好欺负的主儿，再则云风突然回来，认了祖归了宗，老老头虽一时还没个说法，但这兄妹俩若还没有点危机意识，那就不是修若家族的人了。不管这次他二人是有心试探，还是本性如此，从现在起就该明白，就算我是个软柿子，他们也还不够资格来捏，而云风，我想他们更不是对手了。

"皇姐，母妃有事找我们，我们该过去了。"修若恒松既没装样子受教，也没再有什么不敬的表示，拉了修若惜棠的手就急急向前行去。

我自是不去理会，冲着那个一直既紧张又害怕的管家挥了挥手，让他退下，然后站在原地，向云风微笑着。

"哥哥！"我喊他，作势就要扑到他怀里。

他慌忙一个跨步，抓过我的手，微一用力，止住了我往前扑的身形，叹息般说道："月儿，这里是王府。"

"哥，在王府你也是我的哥哥。"我看到他微皱着眉头却满是宠溺的样子，妥协道，"好了好了，回你住的屋子吧，我出来是皇奶奶准许的。哥哥来修若我却回了龙曜，哥哥认祖归宗我也没参加，哥哥第一天任职廷尉正我也没法说声加油，一别竟有半年没见了，现在好不容易我回来了，我们好好聊聊。"

"月儿，虽说皇后允了你出宫看我，但府里人多口杂，不可任性。"云风的口气，比云老头还像当爹的。

我立马垮下脸来，一边拉着他往前走，一边絮絮叨叨地抱怨："哥，我是你的妹妹，你就比我早出生了十几分钟，怎么你跟我说话就像在训斥女儿？唉，你现在还没娶妻呢，若是将来娶妻生子了，那该如何是好？"

"月儿……". 又是那种无奈却又宠溺的口气。

"不是吗？哥，要不你早点娶妻生子吧，这样你每天教导自己的孩子都忙不过来，看到我就不会这样唠唠叨叨的了。"

"胡说什么！"云风快走一步，与我并行，佯装生气道。

我吐了吐舌头，半是认真半是玩笑地问道："哥，说起来你已是二十岁了，这年纪也该娶妻了，你有没有喜欢的人？你喜欢哪种类型的女孩子啊？"

在这里，二十岁的人婚嫁比较正常，男女都一样，这点倒是很意外。说起这个，就不期然地想起狐狸、清林和曦岚，这三个人的年龄也不小了，早过了正常娶妻的年龄，可是为何一个一个还单身着？想起狐狸，大婚消息未明；想起曦岚，不管失不失忆都为我付出太多太多；还有清林，上了战场的清林是否能毫发无伤地凯旋？一想到这些，心里就又苦又涩，脸上的笑容也有些挂不住。

"月儿。"他的脸上有心疼，我虽尽量隐藏心事，但他还是一眼就看穿了。或许，双胞胎真的有心灵感应。

"没事！"我深吸了一口气，压下心中纷乱的思绪，笑着说道，"不管怎么样，哥，我的嫂子可一定要温柔大方贤淑，一定要比我漂亮比我优秀比我出色，嘿嘿。"

他似张口欲言，我忙抢着说道："唉，算了算了，这条件太苛刻了，估计天底下的女人啊，聪明的没我漂亮，漂亮的没我聪明，既要比我漂亮还要比我聪明的，那是怎么也找不到的。呵呵，哥，其实最重要的是你喜欢，而且她要对你好！"

他摇头笑笑，没再说话。其实看他刚才听了我的话急着开口的样子，我自是有七八分明白他会说什么。非关自恋，非关直觉，只将这一路来的种种分析推测，就明白，对云风来说，目前为止，我这个妹妹就是他的所有，除此之外，他再无心其他。

到了云风住的屋子，略看周围环境，就知是整个王府最角落的小院，与前面的金碧辉煌比，云风住的屋子比较冷清简陋，而且我连个下人也没看到。

"哥哥!"见他伸手推门示意我进屋,我再也忍不住,扑到他怀里就哭了起来,"哥哥,对不起,对不起……"

"傻瓜,哥哥在这里住得好好的,月儿何须说对不起?"他一声叹息,用手环住我,在我背上轻轻拍着。

"如果不是月儿,哥哥根本不会到修若来,不到修若来,哥哥就不必住在这里听那些冷言冷语了。"我一直知道云风对龙曜的感情,我一直知道云风有他的清高有他的骄傲,我也一直知道,在云府的云风云月从未受过委屈。而现在,我从他怀里抬头打量了一下房子,竟有种清贫的味道,再观今日修若恒松与修若惜棠的态度,更是证实了心中的想法。不管怎样,云风都不应该受到这种待遇,若非这灏王府里的人欺负人,若非云老头不替云风主持公道,任由云风受这委屈,云风住的地方何至如此!我倒没想自己其实不是云月,因为从始至终,我都将他当成了哥哥。

他欲再说些什么,我却从他怀里抽身,恨恨地说道:"哥哥,等我回宫,就将一应事物都送了来,再派几个人来照顾哥哥的起居,我就不信他们还能将东西扔出去将人赶出去不成!"

"月儿……"他看着我,伸手摸了摸我的头,笑道,"哥哥不需要这些,这样其实也不错。"

我三两下拍掉他的手,拉着他在屋里坐下,气道:"那好,我晚上就在你这儿吃饭,你别提前打招呼,等下应该有人给你送饭菜来吧,我倒要看看哥哥平时吃的都是什么!"

他神色微有些尴尬,忙道:"宫门关得早,月儿看了哥哥,应该早点回宫,晚饭就回宫再吃吧。"

我噌的一下起身,云风居然这么说,肯定是被我猜到了。我两步跑到门前,对王安道:"王安,你去问问王爷回来了没有,若他回来了,你就告诉他,我马上过去给他和他那个王妃请安!"

他躬身垂首答"是",转身就往来的方向走去。云风看着我,略有些无奈地摇了摇头,我走回位子,坐下来生闷气。

"哥哥,你来修若,皇上是如何说的?哥哥是请辞,还是请假?"这个问题我早就想问,只不过被云老头的另一双儿女打扰,又被云风的现状激怒,差点儿就忘了问。我问狐狸的时候，这厮居然说一样。这怎么会一样？

"不管是请辞，还是请假，以后月儿在哪儿，哥哥就在哪儿。"跟狐狸一个德行。

"哥，我长大了，也懂事了，虽然不够聪明，很多时候也没有能力处理好发生的事情，但两个人商量总比一个人强，而且更能成事。我知道哥哥来修若是为了我，是想让我永远离开皇宫那个是非地，过自由自在幸福的生活。但就目前来说，既然不能一步成事，哥哥何不与月儿摊牌，哥哥要做的事，说不定有用得着月儿的地方。"

我低头笑笑，深吸了一口气，再抬头时心里已是一片清明，坦然道："皇宫是个什么样的地方，月儿很明白。只是月儿一心想与心爱的人在一起，他若是一介草民，自是天高云淡山高水远过轻松而平淡的生活；他若是一国之君，荣华磨难是是非非，月儿都甘愿陪在他身边与他一同笑看风云。我爱的是人，不是他的身份、他的背景。即便如此，我依然有自己的底线，若他负我，我也不会委屈自己。哥，易得无价宝，难得有情郎，好不容易遇上，怎么能不努力不尝试就放弃呢？过程或许很苦，却也是一种幸福，就像娘日日等待，虽然等来的是一次次失望，可心里永远抱着希望。只是这一切的前提是相爱，若失了这前提，等待就只剩苦涩与煎熬。哥，这些道理我懂，娘的遗愿我也明白，她心里有怨，或许还有恨，但我相信，娘看到我们、想到我们的时候，心里就只有幸福。"

"月儿？"他看着我，眼里有审视的味道。

我直直地看着他，继续道："我对幸福有自己的理解，也绝不能忍受三心二意的男人，当我看到幸福的方向的时候，我希望自己能努力追求，不愿错失，如果到时候幸福只是幻影，我就会抽身离去。我想哥哥也希望看到月儿幸福吧。"

"月儿。"他突然轻叹，伸手摸了摸我的头，笑道，"月儿说的没错，可是，哥从一次又一次的事情中得出一个结论，若想保护月儿，让月儿幸福，哥哥必须变得足够强大，不然到这地步，即便能逃离这里，过的也只是逃亡生活。"

他的眼神坚定自信，深深地看了我一眼，起身去泡茶。留我怔在原地，回想他说的话，久久不能言语。

王安回报说云老头还没回府，我又与云风聊了些家常，天色已暗，我看着云风微有些尴尬的神色，叹了口气，然后起身道："哥哥，天色晚了，我先回宫了，

哪天有空再来看哥哥，或者哥哥有空的时候来看我。"

"好。"他跟着起身，神情温暖宠溺，带着一丝不放心道，"月儿在皇宫要多加小心，知道了吗？"

我点点头，也有些不放心地道："哥，不管怎样，有用得着我这个人和这个身份的时候，哥一定要告诉我。事关重大的时候，哥一定要知会我。你不许冒险，不许让自己置身险境，不许不顾一切……"

他闻言轻笑，我也住了口，讪讪地笑了笑。他这个哥哥才不似我冲动不知轻重呢，什么时候又轮得到我来提醒他教训他？我不再坚持在这里吃晚饭，示意云风不要送了，就与王安一道慢慢往外走。

"听闻灏王妃身体不适，备的礼可收了？"我问王安。来的时候听说云老头的正牌王妃身体抱恙，而且是从哥哥来修若开始的，我心下暗笑，且不管是有意装病还是真病，我对这个人都是毫无好感可言。既然她抱恙，那就省了我去请安，我虽从辈分上小了一辈，但从身份上来说，我这有封地的公主，好像比她这个王妃还尊贵了一些。

"回公主，礼收了。"

"那就好。我们回宫吧。"我言毕，停步，分外严肃地道，"王安，你走前面。"

天哪，刚才来的时候就是九曲十八弯的，差点就将我绕晕了，如今让我自己走回去，只绕了两个弯，我就不知道该往左还是往右走了，反正触目所及皆是陌生的环境，一点眼熟的感觉也没有。

"是。"王安恭声答道，垂着头疾步走到前面，也不知道有没有暗自偷笑。

下部

第五十二章·病重的玄机

把我嫁到龙曜吧，这对修若，对父王，才是最好的选择。

临出府的时候竟碰到了刚回府的云老头，我心不甘情不愿地上前行礼请安，他略表诧异之余竟还亲自送我出府，倒让我有点受宠若惊。

"父王打算怎么安排哥哥？"我站在马车前，遣退了王安和驾车的侍卫，转身直接问道。

哥哥既然住进了灏王府，也认了祖归了宗，受到的却是这种待遇，我不可能连句不平的话也没有。

我知道云风在云老头的几个孩子中是最年长的，既已认祖归宗，若我们的娘亲真是那什么风神国皇族的后人的话，那么云风的身份同样尊贵，在灏王府就不该是这种身份这种地位。

可若是正了云风的名，或者说是正了云月娘亲的名，王府里肯定会闹得天翻地覆，那个正牌王妃加她的一子一女又岂会同意？

"不如月儿给父王提个建议如何？"他不答反问。

我笑了笑，也不打算敷衍了事，恭敬地答道："虽然娘亲没名没分，但我和哥哥，毕竟是父王的骨肉，这一点是谁也无法改变与否认的。如今哥哥与我既然都回了修若，父王若有诚意，我们自会尽力帮父王完成心愿。父王也该听说了月儿与哥哥的身份其实很不一般，皇爷爷既然可以破例封我为公主，只要父王愿意，哥哥的问题自然也不难解决。"

"月儿的意思？"

"王妃的病，还需要父王来医治。"我边说边抬起手，细细打量那圈圈缠绕的细金线在王府大门宫灯的映衬下折射出的金红色的光芒，我微笑着，继续说道，"可是理儿总是这个理儿，皇爷爷不也是这样做的吗？能帮自己的，能强大修若的，可没说父王是二皇子就没了机会。"

"你知道了什么？"他侧过头盯着我的手，眼神冷厉。

"不管我知道什么，在修若，我只有一个立场，那就是父王您。"我笑得格外真诚，"所以，父王，说服皇爷爷把我嫁到龙曜吧，这对修若，对父王，才是最好的选择。"

"为何？"他既没有生气，也没有表态。

"不为何，若父王一定要将我嫁到天青，或者留我在修若，希望借此得天下，那么我也告诉父王，到时候皇爷爷与父王的雄心壮志，只怕会烟消云散。"

"月儿就这么肯定？"他终于收回视线，仔细看着我，眼里竟有抹兴致。

我依旧微笑道："总比父王的把握大一些。"

"你的婚事，是由你皇爷爷定的，怎么月儿反同父王来商量？"他倒也没再纠缠这个问题，转过头不再看我。

我也移开视线，直直看向前，淡淡地道："皇爷爷那边，有了机会月儿自会跟他解释，只不过希望到时候父王能在一旁帮月儿说几句好话罢了。"

"理由？"

我掀开车帘，利落地上了马车，转回身看着云老头道："理由？很简单，我若嫁给曦岚，就从此与他游山玩水，不理这些俗事。我若留在修若安家，父王应该明白天青王的野心吧，到时候天下三分，三国鼎立，你说天青王会选择联合修若对付龙曜，还是联合龙曜对付修若？月儿太了解龙曜的皇上了，或许那时候根本不用天青王花心思，只需点个头，修若的形势立马就会变得严峻起来。"

他凝眉，脸色微沉，我继续淡笑道："父王莫生气，也莫怪月儿口无禁忌，父王比谁都明白，月儿身上有修若皇族的血，或许也真的有风神国皇族的血，但月儿更愿意从来就只是一个地地道道的龙曜国人！"

我说完不再看他，只高声道："王安，回宫！"

放下车帘，又是个只属于我的清静世界。我由着马车飞驰起来，笑容越发深了。

回到醉月宫，陈寿来传话，说是从明天开始，我依旧要去老老头的寝宫报到，继续女言官的生活。我亲自送了他出宫，确定老老头的情况还算稳定，这才有些安心。

第二日一早，我去了老老头的寝宫，寝宫外仍有侍卫严守，见我过来自动放行。老老头依然憔悴，其实或许病情不算严重，但年纪大的人，有时候一场感冒都是能大伤元气的。许是这几十年来早朝养成的习惯，我进去的时候，他已经醒来。

我上前行礼请安，然后示意陈寿将外间书桌上的奏折搬进来，在老老头的龙床前置了张矮几，备了笔墨，我一张一张地读奏折。放在最上面的奏折都是军报，老老头好像已经很久未理朝政的样子，因为前方战报都积了好几份。从最初的攻

克寒星边关，到连破几个城池，捷报频传，皆是喜讯。读至最后一封，才奏报说
叶苍王已下了撤兵的旨意，所幸那个送旨的敕使已被拦下，估计不出几天，修若
与叶苍就要撕破脸皮了。

如果叶苍王已经下旨撤兵，那么只有两种可能：一、此次战事的玄机叶苍终
于发现了；二、龙曜天青两军攻打叶苍太顺利，叶苍形势已经不妙。

老老头每听完一张奏折就给个简短的意见，通常也就是几个字。即便如此，
近半个时辰后，他也有些气喘咳嗽了，未批完的奏折却还剩一大半。

如果老老头的身体越来越差，这些奏折可以由太子伯伯代为批复。可是坐在
龙椅上的人啊，不到最后一刻，是不会放下手中的权力的。还是眼下的情况，实
在是太诡异了？

"皇爷爷，我们休息一下？"我试探性地建议道。

"好。"他竟一口答应，"丫头跟皇爷爷说你在龙曜的故事吧。"

"呃……"我在龙曜的故事？是云月从小到大的故事，还是这次去龙曜送盟书
的故事？不管是哪个，最精彩的，也就是自我穿越过来的经历，不都是天下皆知
的事了吗？至于不精彩的，我穿越过来之前的事，不好意思，我也不知道啦。

"就说说丫头为什么这么喜欢龙曜，说说龙曜王。"他虽神色憔悴，声音低沉，
那双笑眯眯的眼睛却是锐利而深沉的。

"喜欢龙曜，是因为龙曜是生我养我的地方。在过去的十九年，月儿一直以为
自己是龙曜人，地地道道的龙曜人。虽然现在知道了自己的身份，但人总会念旧，
总会有故乡情结。这是一种本能，由不得自己控制，若有一个人能自由控制这些
感情，那么他已经偏离本真的自己太远了。"

我娓娓道来，搬出的是人之常情与大道理，很标准的答案。他静静听着，并
不说一个字。

我低头笑笑，继续道："至于龙曜王，那时候他是君我是臣，以臣子的眼光来
看，他是一位明君。"

"不以臣子的眼光来看呢？"

"呃？"我抬眼看向老老头，却看不清他的神色，只得讪讪地道："先前送来的
盟书写了什么吗？"

我看着老老头，他却一言不发，似笑非笑。我摸了摸自己的脑袋，想到狐狸，

心中一片柔软，嘴角不自觉地弯起，道："不以臣子的眼光，他只是月儿喜欢的人。"

许是没料到我会如此坦白，他看着我的眼里骤然有抹光彩划过，然后恢复深沉难测，一字一字又轻又缓地道："丫头觉得他好在哪里？"

我笑笑，坦然道："或许一个人在别人眼里并不好，但在喜欢他的那个人眼里，更多的时候缺点也是优点，甚至缺点也会变得可爱。他明知我女扮男装是个假冒的宰相却没有点破，任我为之。或许在别人眼里他是另有所图，但在我的心里，这是包容，更是一种平等与认可。他同意我出使天青，或许在别人眼里是将我置于险境，是舍我顾家国，但在我的心里，这是一种信任。"

"或许别人眼中看到的，"他话说了一半，轻咳起来，我忙上前扶了他，伸手替他顺了顺气，好半晌他才平静下来，方缓缓说道，"才是事实真相。"

我转而跪在床前，微垂着眼想了一下，抬眼直言道："皇爷爷说的是。或许他一早就知道我的身份，才会在发现我是女儿身时不予揭穿；或许从始至终，他都想从我身上探知那些秘密那些传闻；或许他对我的好，是另有目的别有企图。可是谁又不是呢？或者起初不是，在知道我的身份、听闻那些传闻之后，多少都会让人有些不一样的想法与考虑。若是注定有些宿命逃不脱，注定有些事情避无可避，选择的时候我依然会选择那个我爱的人。而且我知道，他在做某些事做某些决定的时候，总还是会将我列入他的考虑范围，尽可能地不去伤害我。能为我放弃一切的人固然让我感动，可我更喜欢那个一直坚定并清楚自己要什么却不妥协求两全的人。"

"月儿不知当初父王为何不同意我与龙曜王的婚事，不然月儿这时候或许已为人妇。可是能来修若，认了皇爷爷皇奶奶，知道这世上，除了哥哥与父王，月儿还有这么多至亲的人，月儿心中也是欢喜与感激的。只是皇爷爷，若前方的战事真能如愿，到时三国鼎立，皇爷爷能否满足月儿这小小的心愿？"

我话音未落，就见陈寿躬身进来，向老老头恭敬道："皇上，太子殿下前来请安，并说有要事启奏。"

老老头闻言，一时没有说话，只看着我，眼神矍铄，似还带着一丝谋算。

很久很久之后，老老头开口，声音苍老而低沉，字字轻缓，"就说朕又睡下了，丫头你去传话，让他有事由你代为转告。"

"是。"我起身，心中虽有疑问，但还是神色平静地向老老头施了礼，便朝外走去。

老老头的寝宫很大，从龙床前到寝宫宫门是一段不小的距离，此刻越发觉得路远，竟似走了很久，才终于走到宫门处。我深吸一口气，微笑着缓缓走出宫门，果然看见太子伯伯站在寝宫外，一袭杏黄龙纹长袍，身形修长，自有一股儒雅华贵的气质。他微垂着眼，似在静思，又似在冥想，闻声抬头，看到我的刹那，眼里明显闪过一抹困惑与疑虑。

"月儿给太子伯伯请安。"我假装什么都不知，微笑行礼道。

"是月儿啊，父皇呢？"

"皇爷爷睡下了，月儿担心太子伯伯时间久了等得心急，所以就来回个话。若是太子伯伯除了请安之外还有事，不妨告诉月儿，等皇爷爷醒了，月儿会第一时间代为转告的。"

他闻言神色微变，笑容也有些挂不住了。不过他神色的变化，与其说是因我的这番话，不如说看起来更像是担心老老头的身体，"不知父皇龙体可好些了？"

"嗯。"我笑得真诚，答得干脆。可是端看太子伯伯的神色，似乎有些不相信我啊。脑中灵光一现，忽然之间好像明白了什么。昨天从灏王府回来，问过王安老老头生病的事，王安只道他们回到皇宫的时候，老老头已经病了，不过似乎是从最初的小病，到大半月前的病重。不早朝，不批奏，甚至在我来之前，老老头的寝宫只有老皇后和陈寿，外加老老头的专属御医进出。连平常的汤药，都是那位御医亲自煎熬，然后由老皇后亲自端来喂服，不假以他人之手。

不只如此，太子伯伯、云老头每日必会来请安，却都被拦在了门外，哪怕有事启奏，最后都是写了奏折由陈寿拿了进去，人是不能入内的。所以，在外面的人看来，老老头的身体或许不是如我所见那般不至于病得十分严重，在他们眼里，或许老老头这一次很危险，这一关不容易挨。

若是如此，那么接下来会发生什么事？或者说，从开始的小病到如今的"病重"，是否已经有什么事在上演了？

"月儿。"太子伯伯正待说什么，远远地就听见有人在唤我，不用看人，听这低低的冷冷的声音，我就知道是云老头。

唉，打东边来了个太子伯伯，人还没走，打西边又来了个云老头，不吉利啊不吉利。

"月儿给父王请安。"想归想，做归做，我还是规规矩矩地行了个礼。

云老头坦然受了我一礼之后，又向他皇兄——太子伯伯行了个礼，太子伯伯忙客气地虚扶了一把，两人一阵假惺惺，看得我寒毛直竖，浑身一颤，只差倒抽冷气然后趴下了。

"皇弟，父皇现在需要静休，若皇弟有事启奏，也一并让月儿代为转告吧。"太子伯伯看着云老头，笑得温暖而慈爱。

"也好，既然皇兄久等都见不到父皇，只怕今日父皇又不会召见人了。"

他这是什么话？老老头不是召见我啦？难道云老头你想说我不是人吗？算了，撇开我是人还是神的问题，怎么感觉太子伯伯和云老头的对话有些诡异呢？不如以往那么兄慈弟爱啊。果然有鬼！

就在我暗自嘀咕的光景，他们居然微笑着点头致意，然后就这么狗腿地转身一道离开了。不是有事要启奏吗，怎么一句话也没有就走了？太不将我放在眼里了。我顿时气闷，愤愤转身，大步朝里走去。

"怎么说？"老老头看着我这么快回来，颇有些意外。

"没怎么说，"我依然有些余怒，找了杯茶一口喝下，然后补充道，"不是，是什么也没说。"

"丫头。"他这一声叫得语重心长。

"是，皇爷爷，月儿知错了。"我又坐回小矮几旁，低着头乖乖认错。唉，要忍耐啊要忍耐，这里不是龙曜国，老老头是我的长辈，和狐狸不一样。又处理了一些奏折，老皇后端药进来的时候，我顺便告退。其实也是肚子饿了，都快中午了，早餐又没怎么吃。

如是几天，我发现情况越来越复杂了，不止读奏折、代为批奏折，打发一应来找老老头的人，中午回到醉月宫之后，往往饭还没吃完，便不停地有"金枝玉叶"来访，比如太子妃，比如几个郡主，亲昵地拉着我，完全不顾我全身寒毛直竖，扯了半天最终都绕回到老老头身体现状的问题上来。我是多么诚恳多么坦率地告诉她们老老头身体挺好的，只是小病不碍事，不久就能康复，可是大伙儿听了，虽然嘴上都是谢天谢地谢神灵的，但看我的神情，总有丝不敢置信，可能是觉得多问也问不出个所以然来，只得悻悻地告辞。

这日"下朝"，回了醉月宫，临吃饭前突然想到一事，我问王安道："王安，你回修若前，龙州那边可有什么消息？"

"回公主，听闻龙曜失踪近三年的二皇子突然回了皇宫。"菜已摆满桌，屋内只留王安侍候，他将一大盘夭夭吃的大骨头端至我右手侧，然后躬身回道。

"还有呢？"小白回宫的事我知道，为了他的母妃，那个已经做了近三年宫女才能苟活下来的玉妃娘娘。

他似微微凝眉思考了一下，答道："奴才不知。"

我向他点了点头，拿了块大骨头递给夭夭，伸手顺了顺它的长金毛，淡淡地道："王安，我需要休息一下，吩咐下去，别让任何人来打扰了。还有，你亲自走一趟，请哥哥到宫里来一趟。"

吃完饭，我就趴在床上睡午觉，刚睡着，朦朦胧胧听到有人"公主醒醒，公主醒醒"地喊个不停，平生最恼有人扰我清梦，本来打算不理，后来实在受不住，睁开眼，看到衍儿站在门外，一脸胆怯，嗓门却分外响亮地还在喊着"公主醒醒"，显然她还没发现我已睁开眼，直到我蓦地从床上坐起身，她才吃惊地用手捂住嘴，又慌忙下跪道："公主，皇后娘娘派人来请公主。"

我一下子没了脾气，向她挥了挥手，边起身边道："知道了。"

整了整仪容仪表，我拍了拍夭夭的脑袋，然后转身出了门。来传话的是槿香，老皇后的贴身大丫头。我尾随着她向中宫走去，心里一边想着老皇后找我有何事，一边想着这时候，哥哥也该和王安一道进宫来了。

入得中宫，行礼请安，老皇后这时候竟不在老老头的寝宫陪老老头，多少让我有些意外，毕竟这几天都是上午由我在老老头身边给他念奏折批奏折，而近午时分从老老头服药开始之后，一般就留老皇后在老老头身边照顾了。

"丫头，昨儿个你父王来找本宫，丫头知道所为何事吗？"其实老皇后也有六十多岁了，是老老头的元配，所以这段时间下来，她好像也一下子苍老了许多。

真是的，我又不是你们肚子里的蛔虫，怎么知道你们昨天说了什么？再说，既然现在要讨论这事，就不能干干脆脆明明白白地说清楚？心中如是想，嘴里却恭恭敬敬地答道："月儿不知。"

"他希望本宫劝劝灏王妃。"

想着自从云风入住灏王府便开始"生病"的灏王妃，劝她？莫不是云老头良心发现要将哥哥"扶正"了，让哥哥从此在灏王府吃香的喝辣的，再也没有人给他冷脸看了？

Oh，my god！这不会是真的吧？不管是不是真的，我都开始有些激动了。不过，在老皇后面前，我尽量表现得神色平静。

"本宫让人请了你哥哥来，这时候也该到了。"她也不逼我说话，只笑看着我，良久，才笑着说道。

呃？老皇后也去请了云风？不会和王安撞上吧！不过撞上了也没关系，反正我想看看哥哥，这又不是什么大逆不道天理不容的事。

于是我也开心地笑道："真的？皇奶奶，好巧啊，月儿今天也特别想见哥哥呢。"

也不说派王安找人的事，半坦白半不坦白最好，不管撞没撞上王安，这样说都不算错。不消多时，槿香领着人进来，首先进入视线的竟是云老头，走在他身后的，才是云风。

"哥哥！"我顾不得规矩，顾不得讨人厌的云老头，起身便跑向云风。他抬眼笑看了我一下，收回视线就一撩袍摆，双膝跪地，俯身垂首，恭声道："微臣云风，给皇后娘娘请安。"

我怔在原地，心里一酸，我在这个皇宫里嬉笑得宠的时候，哥哥却只能以四品廷尉正的身份，被宣入宫。哥哥放下了龙曜国的一切，来到他最不喜欢的地方，不曾犹豫也不曾计较，蹚入了这未知的浑水。

"长得真像啊，单看五官，和丫头丝毫不差。"云老头跟着行礼请安，老皇后一脸慈爱地看向自己的小儿子，示意他在一旁入座，然后看向云风，又转回视线看着我，不由得感叹道，却并没有让哥哥起身。

我脸上带笑，边走向云风边道："皇奶奶，同胞手足，可不仅仅只是长得像，而且心里会有感应呢。我开心的时候哥哥能感觉得到，我难受的时候哥哥也能感觉得到。"

说完恰好站至云风身边，我也跪下身，伸手拉住云风的手，侧过头看着他，"哥哥，你说是不是？"

"都跪着做什么？快起来吧。"老皇后似乎此刻才看到我们都跪着，忙伸手示意道。

我拉着云风起身，他却执意不肯，转而跪向我，施礼道："微臣云风，给醉月公主请安。"

我慌忙跳开一大步，复又走到他身边使劲拉他，"哥，你这是做什么？快起来快起来！"

他这才起身，手却下意识地想挣脱，我自是明白他此刻这样做并无不妥，但心里却不肯接受，转身就扑进他怀里，嚷嚷道："哥，我好想你！"

"月……公主。"他下意识地才说了个"月"字，便又立马改口。

"哥哥永远是哥哥，月儿也还是月儿。"我立马表明态度，然后向老皇后行了个礼，开口求道，"皇奶奶，请您恩准哥哥与我依旧兄妹相称吧，自打月儿能开口说话便是如此，近二十年来不曾改变，若只因月儿被封公主，而生疏了兄妹之情，这又与那些出人头地之后不认穷亲戚的人有何分别？亲情最可贵，我想皇奶奶也不愿月儿是个凉薄之人吧？"

"月儿，怎么能这样跟你皇奶奶说话！"老皇后还未开口，云老头便厉声斥道。

"算了算了，你又动个什么气？"老皇后扫了我们三人一眼，方朝我招了招手，我依言过去，她执了我的手，才对云老头道，"丫头自与你们不同，这么些年，别说她那早逝的娘亲，连你这当爹的也不容易见到，身边也就她这个哥哥一直陪着她，两兄妹自然亲厚，这也不是什么伤天逆理之事，就随他们去吧，要人前人后注意着点儿就是了。"

"我就知道皇奶奶最疼我了！"我忙扑到老皇后怀里腻了腻，她笑着拍了拍我的背，复又看向云老头，问道，"王妃的身体可好些了？"

"劳母后担心，已经好多了。"云老头在面对老皇后的时候，态度是绝对的恭敬，声音是绝对的温和。

"既然身体好多了，就让她来趟宫里，使性子使到几个月，都不给本宫来请安了。"老皇后的声音里有些微怒。

"是，母后。"看到老皇后微怒，云老头的神色就有些尴尬了。

"皇奶奶，我请哥哥去我的醉月宫看看，可以吗？"我实在不喜欢云老头，而且该明白的事大概也明白了，咱还是识相点儿闪人，留他们母子话话家常吧。再说云风既然来了皇宫，又怎么可以不去我宫里坐坐？好歹也得认识个路，以后有事也好直接上门。

　　老皇后笑着看了看我和云风，点了点头。我立马行礼告退，拉了云风的手，就直直往醉月宫小跑而去。

下部

第五十三章 · 御史大夫

如今为了哥哥，就全招供了吧……

"月儿，慢点慢点。"云风的手微微用力，示意我走慢点。

"哥，快点快点啦。"我依旧三步并作两步，且有慢跑向快跑发展之势。

云风无奈地笑笑，神色温柔，没再说什么，由着我拉着他向醉月宫快快走去。

甫一入宫，我就挥退众人，不理她们惊慌与好奇的眼神，径直拉了云风进屋，然后吩咐王安备了茶点退下，屋里就只剩我和云风。至于夭夭，当它飞扑出来迎接我的时候，看到云风明显一怔，我抱着它安抚了一会儿，它就乖乖地跟着我，对云风也没有丝毫敌意。

"皇上身体如何？"直到在桌旁坐下，云风才打量了一下四周，看着我，正色问道。

我坦然答道："皇爷爷身体虽抱恙，但并没有大家想象中的那么糟，每日里我读奏折，都是皇爷爷亲自给了意见后我再在奏折上写批复的。"

真不明白为何我的坦诚回答除了云风眼中是坚定不移的相信之外，其他人都是一副惊疑的样子。看着眼前五官跟我一模一样却比我多了份清俊稳重的脸庞，看着他清亮眼眸里的深思，这一刻我忽然明白，老老头不上朝不见官员，甚至不见太子伯伯与云老头，最近才由我开始代批奏折，得有多少人得有多久没见圣颜了？我这一句一个皇上身体无大碍，在这些人眼里，没准儿以为我是在掩饰真相。

历来帝王的新旧交替，哪怕上一任是最正常的生老病死，也不会太过平静。可是如果老老头的一场病会引得如此，就肯定有诡异之处。不等云风说话，我忙问道："哥哥，是不是皇爷爷的这场病，有什么玄机？或者说，皇爷爷生病之后，发生了什么事？"

我离开修若的时候，云风恰赶来修若，时间上应该连得起来，若真的发生了什么，云风应该知道。再说这之中夹杂着认祖归宗的事，就算有什么事是在暗地里发生，以云风的性格与才能，必然会有所察觉的。

"月儿如何看待这一家人？"他淡笑，不答反问。

老老头、老皇后、太子伯伯与云老头这一家人？我一想到这个组合，就笑了，"看似父慈母爱兄弟和睦，或许先前真是如此，可是现在……"

太子伯伯当了几十年的太子，儿子女儿都成家了，他还是个太子，外表表现得再儒雅高贵，心里也是会有想法的吧？说到云老头，唉，从我第一天穿来这里第一次看到云老头，就觉得他不是个好人，尽管他和太子伯伯相处得无比融洽，但他这种人，呕心沥血地修若龙曜两头跑，怎能甘心这一切是为他人做嫁衣裳？而且前朝上，云老头的势力从来不容小觑，太子伯伯又稳做太子几十年，两人之间再如何看似亲密，心里必是都有所防备与顾忌的吧。

再如今，加上我的问题、我的身份，不管是醉月公主，还是那乱七八糟的风神国皇族后人，对太子伯伯都是一种刺激吧？若是这光景云风又坐上了重要的位置，这刺激会不会更深？对了，说到传闻，这种东西最讨人厌，你说它不足信吧，听的人肯定都会留个心眼儿，你说它可信吧，又不能当确凿证据来做点什么，比如让咱亲爱的云风哥哥身份无比高贵，高贵到令人瞩目什么的，那他也不至于到现在还是个四品廷尉正，更别说在灏王府受气了。

"哥，龙曜国那边……"我用左手狠狠掐了一下右手，天怒，说好这事不问的，告诉自己这事要等狐狸解决了麻烦再来主动找我，怎么还是下意识地问出了口？总之，不管再怎么安慰自己，再怎么说服自己，听闻狐狸大婚的消息，又怎会当什么事也没有？

"月儿该听到传言，二皇子回宫，而皇上也即将大婚，月儿该放下心思了。"他将桌前的点心碟通通推到我跟前，还亲手给我倒了杯茶，笑容里有兄长独有的温和与包容。

我没有再争辩，端过茶喝了一口，又随意拿起一块小点心吃了起来。即便云风也这样说，但在我心里，还是相信狐狸的。我所了解的狐狸，就算屈从现实迫于万般无奈做出这种选择，也会料到我因此会有的反应，然后用各种手段各种方法坑蒙拐骗软硬兼施地将我绑回去，一直到我原谅他体谅他才会还我自由。可是如今他别说人影了，连个背影也没有，甚至连一句话也没有，所以，明摆着这一切都很不正常，很有问题。

第二天早上去老老头寝宫读奏折的时候，随手拿起的第一张奏折就是云老头请旨册封云风为世子的。我勉强声音平静一字不差地念完，然后抬眼看着老老头。册封世子耶，云老头也太有诚意了吧？昨天老皇后说的那番话，我还以为云老头顶多恳请他父皇同意让云风连升三级赐个皇家姓什么的，然后让云风在朝堂上成为他的左膀右臂，顺便让云风在灏王府里能过得惬意点。再过段时间，挑个好日子，替云风找个来头不小的老婆，那么云风在修若的日子会越来越好。万没想到竟是世子！世子，嫡长子啊，俺亲爱的云风哥哥虽然认了祖归了宗，倒也是长子，但不嫡啊，谁让咱的亲娘至死都是没名没分的呢！

"丫头是什么看法？"他躺在龙床上，眼睛微合。

看法？只有一个，云老头抽风了，而且抽得很严重，可是同时又让人觉得他这次抽风抽得很美妙。可是我能这样说吗？当然不能了，唉，做人是如此的无奈啊。我也微垂着眼，看着手中的奏折，淡淡地道："虽已认祖归宗，但毕竟不是嫡出，若是破例封为世子，总也得有个说服天下人的理由。"

当然，说服天下人那是说着好听，其实重点就是说服灏王府的一干人，以及那些动不动就搬上老祖宗规矩的皇亲大臣。

"这个理你父王又岂会不明白？"他抬眼看着我，视线逼人。

那是当然的啦，云老头是什么人，这一点毋庸置疑！可是这样一想，问题又来了，云老头明知不合规矩，怎么还上了这样一张欠揍的奏折？

"丫头说这奏折朕当如何批复？"

我说皇爷爷，就算您不批复也没人敢说什么。不过老实说，世子不世子，倒可以先放段时间，咱也不急，只不过云风现在的官位，好歹也应该让他参与朝政啊。如是一想，我便坦然了，说起话来也有了底气，"月儿只是觉得以哥哥的才能任廷尉正一职，委实屈了点。就算初来修若，这几个月的适应，也该是过了试用考察期。屈才，对个人而言是一种遗憾，对国家而言却是一种浪费。"

有那么一刹那脑海中浮现的是"云风"两字，出口却还是自动换成了"哥哥"，俺现在的身份是言官，真是太不专业，太不专业了，呜呜呜，自我反省一下。

"有人升，必得有人退或有人降，又岂是想升就升的。"

老老头这番话说得很有道理啊，我虽任言官时间不长，但稍留个心眼儿就会发现，修若早朝的那些官员都是上了年纪有了多年工作经验的，也就是说他们在各自的位置上都待了不少年头，有些估计还是元老中的元老呢，想挤掉其中的一个，特别是位高一点的，谈何容易啊！这和当初在龙曜拿下韩某某那一大家子人不一样，老老头执政几十年，修若日益强大，从政局上来说从未出过什么差错，所以他根本不会为了云风将好好的一池静水拨乱。

"文臣武将，以宰相和大将军官位最高，皇爷爷或许可以考虑一下，设一个监察官？"有时候中意一个人，要提拔他，不一定要用这种降一升一的方法，咱可以因岗招人，也可以因人设岗的嘛！再说这旮旯，除了龙曜的官僚制度改了革，其余国家还是老样子。

"监察官？"若有所思的声音，却看不清他眼里的神色。

唉，在这个传闻满天飞的时候表现自己的政治才能，照理应该不是什么好事，可为了亲爱的云风哥哥，我就豁出去了。

"所谓的监察官，准确来说，其实是个监察监督机构。最高官员为御史大夫，除协助宰相处理朝政之外，另一职责便是监察百官，不仅可以弹劾不法的大臣，还可以奉诏收缚或审讯有罪的官吏。但凡军国大计，皇上可以和宰相、大将军、御史大夫共同议决，群臣奏事须由御史大夫向上转达，皇上下诏，可先下御史，再达宰相、诸王等，所以御史大夫一职，除了协理朝政监察百官，也可以牵制宰相。"当初在龙曜，由于我自己是个宰相——虽然是假冒的，所以当初我愣是将这相对科学相对合理的御史大夫一职生生地扼杀在心中，可是如今为了哥哥，就全招供了吧，"御史大夫下属有御史中丞、侍御史等。也可按实际情况重设下属官员，无非就是朝中与地方的区别，或者掌管职责的具体细分。月儿也是随口胡诌，作不得准，皇爷爷若是有兴趣，只怕心里早已比月儿更清楚明白了。"

"随口胡诌就能说得这么头头是道？"老老头对御史大夫一职不置可否。

我一时也辩不得，讪讪地笑道："皇爷爷过奖了。"

"是个好主意，加上早先的科举六部等改革良策，丫头是如何有这些想法的？而且这些想法可行性强，似都经过了琢磨与试行，执行起来分外顺利。"他说得又慢又轻，眼神却越发犀利起来。

唉，早先问及云相这些事时，我将所有问题都推给了云风，就知道那时候老老头虽然嘴里不说，心里肯定也是不相信的。现在更是不可能将这事推到云风头上了，不然岂不是变成哥哥想升官上位了吗？那现在怎么办？说自己想的，扯了点儿；说听来的，更扯；说从哪本书上看到的，扯中之扯！

就在我皱眉苦思如何回答时，老老头又发话了："看来不是传闻，而是确有其事。"

"皇爷爷……"呃，这话是什么意思？难道绕啊绕的，又要绕回到什么风神国皇族后人的传闻上去了？Oh，my god！难道这传闻还有些什么是我所不知道的？

难道外面广为流传的版本不是完整版的？

"此事朕再考虑一下，先往下看奏折吧。"老老头似不愿再多说，直接打发了我。

我也没法，只得继续往下念奏折。也没什么特别的奏折，关注了一下前方的战报，又是捷报。我想这时候叶苍已经发现不妙了，也不知修若大军是如何做到的，竟然还是传了捷报，而且貌似顺利得不得了，真是没天理。

回了醉月宫，想着是不是出宫去看看云风。想起昨天他跟着云老头进宫来，又去见了老皇后，只怕今日奏折的事他早就明白，却什么也没跟我说，难道是料到了现在的情况？唉，这个哥哥啊，总是什么也不肯跟我说，好像我就是一个吃白饭的。可是出宫又要去请示老皇后，理由呢？昨天才见过，什么理由都不充分，罢了罢了。

提笔给云风写信，想让王安替我送去。不管云风知不知道，我跟他说一声总没错。云老头突然请旨册封云风为世子，那可不是一句好心或者抽风就可以解释的，这里面肯定有问题。坐在书桌前摊开纸，正待提笔写字，夭夭突然"兽性大发"，也不知是对这纸笔砚发生了兴趣还是咋的，只顾着往书桌上蹿，扰得我写不了字。

正跟夭夭"斗智斗勇"的时候，王安来报，说是云老头来了。不速之客啊，我心里抱怨，却还是放下笔出门迎接。

"父王今日好兴致啊。"我向迎面而来的人微一行礼道。

他也不说话，径直往里走，对夭夭也没有提防之意。我本想忍着等夭夭将他扑倒再去安抚夭夭，转念一想这里虽是我的寝宫，但说到底还是人家的地盘，也就算了。乖乖地早他一步进屋安抚了夭夭，然后端茶倒水被迫献了回殷勤，就等着他老人家开口了。

"那份奏折，父皇如何说？"和云老头交流的唯一优点——开门见山。

我伸手也给自己倒了杯茶，淡淡地道："还在考虑，暂时搁着。"

"月儿看了，有什么想法？"他端起茶杯，似仔细端详着茶水，却不喝一口。

"若父王此举没有后顾之忧，王府不会闹得天翻地覆人仰马翻，月儿自是乐见其成。"我心里不免有些失笑，继续道，"不过父王的奏折倒是让月儿大感意外。

是什么原因让父王将世子这么尊贵的身份与头衔交给哥哥，该不会是欣赏哥哥的才能这么简单吧？"

说到"尊贵"两字的时候，我的声音不自觉地走了音，听来似有讽刺之意。他倒也不恼，依旧盯着茶杯，好像对这杯茶着了迷，声音低沉，"月儿该明白原因的。"

呵呵，这么看得起我？太高估我了吧？我还是有自知之明的，我就一个混吃骗喝盼望过有点小智慧有点小品味的猪的生活的小白，哪能洞悉你们这些皇宫里长大的娃的复杂心理？不过听他这么说，静坐下来细想一下最近发生的事，似乎有什么呼之欲出。

听王安说，修若大军出征后不久，老老头某一天偶染风寒，大半个月过去了风寒不见好，反倒有越来越严重之势，到最后竟然卧病休朝。推算时间，修若大军出发的时候，应该是收到龙曜天青盟书后，那时候我还在龙曜，该是曦岚离开龙曜之后，或恰是我中毒被小白劫去的那段时间。

说起来，我后来听说寒星去年秋收闹了点天灾，其实不止一点，听说灾情还是蛮严重的，收成连往年的一半都达不到。说来寒星也够倒霉，一边忙着对付天灾，一边待叶苍与修若大军兵临边境才知大战在即，意识到大事不妙，慌忙派了使臣到天青、龙曜求援，这一来一回时间不短，外加即使知道这场战事的玄机，天青、龙曜大军出征的时间估计也会晚一些，行程也慢了些，而这一切，应该都发生在曦岚救我以及我昏迷的那两个月。

天青龙曜大军逼近叶苍边境的时候，叶苍与修若两路大军已经攻克了寒星几个城池。寒星国力本来就弱，又逢天灾，面对的又是强大的叶苍与修若，战事并无悬念。叶苍派兵出征时虽也留了个心眼儿，派大军驻守苍齐关，或者叶苍王在知道天青龙曜两国大军意欲侵犯本国边境，谈判谨守苍齐关之余，就算意欲调回那出征伐寒星的大军，这一来一回的时间也耽搁了不少。而且叶苍王意欲调兵回朝的那个送旨的敕使已被修若半路拿下，又为战事争取了不少时间。只怕现在叶苍与修若的大军已过寒星国境一半，而叶苍与修若，八成也已经撕破脸皮了。

忽然想起狐狸说的将寒星公主送给修若，以狐狸的狡猾，只怕利用了那寒星公主，在叶苍与修若将要破裂之际，巧妙地让叶苍与寒星发生冲突，互消双方力量，而修若借机以保存实力，坐收渔翁之利。到时候叶苍大军班师回朝无望，寒星更是兵力大损，白白便宜了修若，加快修若攻打寒星的步伐。

言归正传，以老老头现在的言行与表现，以及众人眼中老老头身体每况愈下实则不然的情况，当初老老头偶感风寒结果病情日日加重肯定有什么不为人知的玄机与奥秘，但会是什么呢？我是不是可以按最最常见最最狗血的情节推论——与太子伯伯和云老头有关？若真是如此，那么关于我身份的传言，会不会与云老头有关？我一直以为，知道那什么风神国皇族后人的传闻以及我身份的人只有天青王与曦岚，但纵观这一路恐怕知道的人已不在少数。

这所谓的皇宫的秘密其实六国皆有，而且每个皇宫知晓的只是其中一部分，或许六国皇宫秘密结合起来才是一个完整的秘密，而关于风神国皇族后人与天下形势相结合的这一传闻会不会是六国皇宫皆知及互相连结的一部分？那样的话，云老头请旨云风为世子也好理解一些，若真是得一人得天下，在眼下皇上"病重"的时候，云风的身份得到提升与肯定对他无疑很有利。

而且，大家都知道我和云风是同胞孪生，若传闻中的主角换成云风，也很正常。这样能进能退，如果我不听话，说不定这传闻就转到云风身上了，可是不管是我，还是云风，对云老头来说都是一件好事，特别是在眼下这种时候。

当然，所有的一切，都不过是我的推测而已，没有人会给我明确的答案。

"那么父王现在需要月儿做些什么呢？"说来复杂，但这些想法在我脑海里却只是一刹那的事。

"父皇现在身体如何？"

"月儿不是御医。不过依月儿看来，皇爷爷的身体与精神状态还不错。"我实话实话，老老头的身体虽然上朝是有点困难，但也不至于像现在这样，连自己的儿子都不能见。

他紧紧盯着我，眼神冷冽凌厉，似在琢磨我的话的可信度。我坦然地笑了笑，问道："父王下一步行动有什么需要月儿的地方？"

我知道云老头主动找上门来，绝不是为了问问我老老头身体现状这么简单。

"月儿有这份心就行了。"他说完起身，也不打招呼，径直向外走去。我起身送他出宫，想着他的话，毫无疑问，这算是提早打了招呼，想让我帮忙，却又因不相信而不肯把计划告诉我，估计只能靠我自己的领悟能力了。不过云老头好像也太看得起我了吧？到时候我若会意错了，会不会死得很惨？

第三天的时候，老老头意外地召见了云风，召见的时候还把我支了出去。我在老老头的寝宫外晃荡了好半天，直到两腿发软，云风才从寝宫里走出来，旁边跟着陈寿，我还没来得及跟云风说些什么，陈寿就行礼道："皇上在里边等着公主。"

眼神与云风交会，双胞胎的心电感应完全失灵，汗！我跟着陈寿入内，就见老老头神色疲惫地躺靠在龙床上，微合着眼，似在沉思。

"皇爷爷？"等了许久，他都不睁眼，不开口，我只得试探着喊道。

"知道朕找他来的原因吗？"他依旧合着眼，声音轻得似在呓语。

云风吗？我抬眼看了眼老老头，轻声问道："为了御史大夫的事？"

他不说话，轻轻地点了点头。

"皇爷爷同意哥哥担任御史大夫了？"或许不止是为了这件事，老老头和云风谈了这么久，或许还谈了那份奏折和世子的事。

"不正合丫头之意吗？"他倏然睁开眼，眼神矍铄。

我低头笑道："月儿只是提个建议，而皇爷爷权衡之后决定采纳，说明月儿的意见不错。当然，哥哥连升三级自是一件开心的事。"

"过两天就是元宵了。"他神色莫名。

"元宵？"我轻声重复。这里也有元宵节？来到这里近两年了，过了两个春节，第一个春节是在若尘的那个小四合院里浑浑噩噩不知不觉地过了个年，这回是在苍齐关赶回修若的路上，在马车里过了个年。

"是啊，正月十五元宵节。"

汗，时间倒是一模一样，那么风俗呢，也是闹花灯猜灯谜吃元宵吗？时间过得真快，想起以往在家里的大节小节，一家人聚在一起其乐融融，而来到这里，似乎总是忙着四处奔波，从未关心过什么节日，也失却了过节的心境。如今临近佳节，却要老老头提起才想起此事，这之中虽有回来时短事多的缘故，更重要的一点却是老老头"病重"。莫说元宵了，我刚回皇宫的时候恰是新年，或许老皇后没吩咐，大家只能干等着，谁也不敢闹腾，又或许老皇后一早就有了特别交代，所以整个皇宫就跟平时一样，丝毫没有逢年过节的热闹气氛。

"皇爷爷，修若元宵有何风俗？"反正我是初来乍到，待的时间又短，不知道这些很正常。

他也不疑有他，神色疲倦，又似有些难言的情绪包含在里面，意外地让人觉得有些孤寂与苍凉，声音迟缓有如暮鼓道："元宵是一家人团聚在一起吃团圆饭的日子。"

就一家人吃团圆饭？没有别的节目，比如闹花灯什么的？我还以为一家人吃团圆饭是除夕之夜的事，难道在修若，家宴是设在元宵节？可是先撇开其他节目仪式，撇开一家人吃团圆饭是在元宵还是除夕，老老头现在可是"病重"得卧床不起，闲人近不得身啊，怎么出席团圆饭？他不参加的团圆饭，还算是团圆饭，或者说还会有团圆饭吗？怪不得元宵将近，皇宫里静悄悄的，估计大家都在等着老老头的反应呢。

"那今年……"老老头你是参加还是不参加，这团圆饭是办还是不办，好歹吱个声啊。

"丫头觉得呢？"

"皇爷爷龙体抱恙，又逢大军出征，虽是风俗，但其实图的就是个团圆热闹。既然如此，不如等皇爷爷龙体康复，再设家宴可好？"我一边回答一边心虚，老老头现在的心理我可揣摩不出。

"这次可是丫头回修若认祖归宗以来第一次正式的家宴。"

这倒是，认祖归宗、册封公主大典虽然庄严而隆重，该参加的人也都来了，但毕竟不同于家宴——家宴该是这皇宫里看起来最有亲情最像是平常人家的氛围和场合了。而且云风也已认祖归宗，按理也是有一席之位的。不过老老头这话多少有些诡异，或许皇宫里的人都特别注重这些，可对我来说，不管家宴国宴，没我的事情才好。

"皇爷爷您太疼月儿了，月儿只求皇爷爷身体早日康复。"

他的眼睛明明看着我，目光却又越过我，停留在某个地方，良久，方叹息道："元宵家宴照常，朕会尽量参加。朕累了，丫头也退下吧。"

我领命退下，摸着下巴，想着老老头的那番话。

下部

第五十四章·元宵家宴

这皇宫里的争斗到刚才，是不是已经上演到最高潮？

在强大的责任感与使命感的推动下，我先去了中宫跟老皇后说了老老头的意思，回到醉月宫的时候已近傍晚。

我百无聊赖地喂着夭夭，自己却没有什么胃口。也不知前方的战事如何了——当然不是指修若，修若叶苍出兵远早于龙曜天青，按时间来推算，就算寒星兵临城下时天青龙曜才来求援，从天青和龙曜发兵的时间来看，也是拖了不少时间的。或者不知整兵需要时间，还是天青大军越过龙曜边境需商谈妥当，我只知道待天青与龙曜大军到达苍齐关外时，叶苍与修若一路势如破竹，已至寒星近半国境。

天灾粮荒，又面对两军强敌，寒星的抵抗显得苍白无力，全国上下人心惶惶。这段时间因叶苍的撤军修若减缓了侵略的步伐，但只看老老头对战事的笃定，只怕顺取寒星，也是顺理成章的事。我所关心的，其实是叶苍，清林如何了？还有曦岚，苍齐关虽已攻破，但叶苍强冠六国数百年，哪怕此番部分兵力在外，也不可能让人轻易攻破的。

比起战事的成功与否，我更担心的是清林和曦岚的安全。所幸修若、天青、龙曜是真正的盟国，所以对于叶苍的战事，修若肯定会派探子仔细打探，如今修若既没有异常的举动，所以叶苍那边应该还算顺利。即便如此，我还是想亲自求证一下。

是夜，我安抚了夭夭半晌，待大家都已进入睡眠，方推开窗户，取出清林送我的七彩琉璃镯，轻轻地吹了起来。

在夭夭腾身欲扑的同时，一个黑影已出现在了我的身前。我喝住夭夭，打发了一早被我遣至外面、如今闻声赶来的衍儿，方示意夜风起身。

"夭夭，他是夜风，是保护我的人，以后看到他，要乖乖的，不可以这么紧张，知道吗？"虽然我跟夭夭说了很多遍，待会儿有人来了不许闹腾，无奈这是夭夭的本能，夜风来了它还是老样子。记忆中，也只有在曦岚和云风面前，夭夭才是安安静静的。曦岚是因为他身上有护魂，那么云风呢？仅是因为长得与我太过相像吗？

夭夭听话地点了点头，我伸手顺了顺它的长金毛，它乖乖地在我脚边趴下。

"夜风，穆将军那边可还顺利？还有天元帅那边的情形如何？"夜风能得狐狸的信任，不仅是因为他武功好，话不多，而且很多时候，夜风做事很自觉，不需要每件事你都面面提起，很多时候他都会自觉地做好准备，在你开口问的时候，他已能给你答案，又不会贸然行事。

"穆将军已攻下苍州，现至兰州。天元帅经泉州、余州，如今已至安州。"他躬身垂首回话，声音平静。

"其实最重要的，是他二人没事。"我松了口气。

从两军行程看，叶苍兵力的侧重点，似乎从始至终是龙曜这边的正面交锋比较多，或者说龙曜的行军路线恰是叶苍的防御路线，所以清林这边会打得比较艰苦。

而曦岚，从绕道苍州南上，就有一点点避重就轻的味道。当然，对于战争，其实没有哪一方会敷衍，会不慎重，所以曦岚这一路，也不会轻松。

屋内一阵沉默，我心里乱乱的，考虑再三，终于问出了口："大哥那边怎么样了？"

唉，不中用，不争气啊！死狐狸臭狐狸音信全无，我还这么惦记着他干吗？那厮受得了彼此不联系，我干吗总是心里放下不他？

夜风也不说话，只伸手探怀，将一封信递到了我跟前。借着微弱的亮光，信封上"浅浅吾妻"四字赫然映入眼帘。我大怒，啪的一声将信拍到桌子上，然后翻箱倒柜地找到那颗奇大无比的夜明珠，跑回桌旁将夜明珠压在信封上，凑近细看。

我伸手抽信，圆润莹泽的夜明珠骨碌碌向一侧滚去，我分外用力地将信封撕破，恰好让"浅浅"与"吾妻"分离，然后掏出信纸，捏住一端，伸手一甩，心里则愤愤不平，臭狐狸你这厮不是要大婚吗，还吾妻你个头！

"近期多变故，在皇宫切记小心自保。"

这么一句话就完结了，什么甜言蜜语略表相思之情的话也没有，也没有对他大婚的事作个解释。从来都是如此，也不知是他太自信了，还是对我太有信心了，整得就跟老夫老妻"一切尽在不言中"似的，天怒！

"臭小夜，既然收到了信，为什么一开始不拿出来？"这小子跟在我身边是不是不乐意啊？怎么现在为人处世这么不老实、不本分、不坦诚了？以前，一旦狐狸有信过来，必是第一时间双手奉上的，现在倒好，刚才我不问，他还不主动拿出来了！

"是皇上吩咐的。"他这话说得坦然，连一丝愧疚的神色也没有。

这只该死的自大的自恋的自傲的沙文狐狸！

我将信纸撕了个稀巴烂，咬牙切齿道："小夜，现在我才是你的主子，所以你要听我的话。他若要回复，你就告诉他，我什么都没问，是你主动将信交给我的，知道了吗？"

"是。"这小子貌似很忠心地立刻应答。

"好，那现在说说他大婚的来龙去脉吧。"反正都泄底了，就索性问个痛快吧。天哪，让暴风雨来得更猛烈些吧，如果臭狐狸色狐狸真敢跟别人结婚的话！

"二皇子自愿请命担任迎亲使，这时候应该迎了天青的三公主，回到龙州了吧。"

来龙去脉他仅用一句话就说清了一切。我还是不自觉地腿软了一下，夜风眼疾手快地伸手扶住我，然后扶着我在一旁的凳子上坐下。

晕了晕了，我本来以为大婚的对象会是那个讨厌的假男人纤绘公主，所以我当然不担心了，这不寒星都是目标国之一了吗，再则狐狸也说过留她在龙曜是为了利用她，所以根本不可能便宜了那假男人嘛。

可是什么时候大婚的对象竟然变成了天青的三公主——天槿瑜？那个敢于反抗天青王、拒绝天青王亲自订下婚事的三公主，那个总是一脸淡然看不出悲喜、总是沉默着的高挑女子，她什么时候与狐狸有了婚约？而这次她居然就同意不远千里地嫁到龙曜了？

还有，小白自愿请命担任迎亲使？我知道小白回去的目的，而且也知道小白的个性，那么小白会这样做，肯定与狐狸有关。狐狸让小白去迎亲，有什么目的？

想起他微眯着桃花眼，挂着招牌式慵懒的笑的样子，让人觉得深不可测，却又偏生让人觉得安全，仿佛有他在，一切问题都能迎刃而解。

这一刻我突然觉得所谓的和亲与联姻，到最后只会是一出闹剧。狐狸，此刻我真想站在你面前，亲口向你求证，我此时的预感可会成真？

"夜风，关于我那个风神国皇族后人的传闻，可知是从哪个地方传出来的？"天青？修若？或者龙曜？希望三个都不是。

"属下不知。"他略一犹豫，微垂着眼睑回道。

"不知？还是不敢确定？"又不是第一天认识夜风，岂会不明白他这一瞬间的

犹豫所为何故？也罢，他既然不肯说，估计也是担心没调查清楚之前将嫌疑人列出来对我可能不是一件好事，"罢了，就跟我说说外边的情形吧。"

来匆匆去匆匆，进了皇宫更是进了牢笼。现在我除了对修若的事还能有些了解，其他的可是一概不知。再则云风也来了修若，连打听龙曜方面消息的理由也没有了，云风也不愿老提起狐狸，唉。

这小子看着我，不说话。我摇了摇头，"外边的情形"范围太大了吗？战事刚刚问过，狐狸的婚事也弄明白了，那么还有什么？

"那个假男人如何了？"看着小夜一脸茫然，我忙改口道，"就是寒星国的纤绘公主。"

仇人啊，险些害得我没命，狐狸这厮不会轻易放过她吧？

"龙曜发兵叶苍的时候，皇上派人将她送回了寒星。"

"什么？"我愤然而起身，臭狐狸脑子烧坏了不成，还是他决定当圣父了？

"不过她半路偷偷溜走了，还混进了修若的军营，这时候估计已经探得叶苍、修若的军机，遣人通知寒星大军，现在说不定双方正在恶战呢。"

他越说，我听得越惊奇，怎么小夜这说话的调调和狐狸这厮这么像——除了声音平静了点，神色恭敬了点。若是小夜挑挑眉毛，声音发懒，配上这句台词，整个一狐狸腔嘛！

"这话是大哥说的？他人在哪里？难道他也来了修若？"我一边说，一边探身往夜风身后看。

"是皇上让暗使传的话。"这小子眉毛几不可见地挑了挑，声音却还算平静地说道。

忙吧忙吧，忙你的大婚事吧，臭狐狸！我嘴里念叨着，一屁股坐在椅子上，暗忖着这番话。

巴巴地跑到龙曜的纤绘公主一看就是个被宠坏的刁蛮孩子，但是由夭夭及血菊杀的事上又不难看出她很厉害，那么她在回寒星的路上却混进了修若军营，这一切真能如狐狸所算，一步不差吗？

"小夜你先下去吧，近期都留在皇宫，我担心这几天皇宫里也会不平静。"连狐狸都特意写了信来叮嘱，估计他也听闻了老老头"病重"的消息，哪怕他不在这里，但以他这个"过来人"的经验，不难推测之后会发生的事。而我，也早已发现老老头"病重"的可疑之处，虽然心中的疑问得不到解答，但老老头躺在龙床上月余不出寝宫，不召见皇子大臣，新年没动静，元宵家宴却要出席，心中总隐隐有预感，这场家宴上定会有一场暴风雨。

接下来的两天倒是平静，元宵家宴开始有条不紊地准备起来，所不同的是，这次家宴一切从简，"病重"的皇上居然也会参加，气氛就有些说不清道不明的味道了。

当然，有了老老头这一出，我与云风倒是安全了。我最怕这种场合大家都拿眼盯着我，而且也担心云风在这种场合被人奚落，如今看来，我与云风应该不会在此次家宴上受到注目了。

很快就到元宵佳节，家宴并非晚上举行，而是未时开始，设在修仪殿，殿中面南背北摆金龙大宴桌，东西两边一字排开摆内廷主位宴桌。我扶着老老头进入修仪殿的时候，金龙大宴桌上只坐着老皇后，而东边主宴桌头桌坐的是太子伯伯一家人，西边主宴桌头桌坐的是云老头一家人，云风也赫然在席，东西两边主宴桌往下是陪宴桌若干，坐的是老老头的几个未有所出或育女外嫁的妃子，以及一应王公皇亲。

我搀着老老头一入殿，众人就起身跪拜行礼，山呼万岁。其实老老头的身体大不如前确是事实，从他的寝宫到修仪殿的那段路坐的是皇辇，此刻我费力地搀扶着他，明显感觉到老老头能走着入殿，那是意志与身体在硬撑。

径直走到正中金龙大宴桌的主位，我扶着老老头坐下，双手这才背着身偷偷地甩了甩手，心里一阵叹息：终于解放了！

"都起来吧。"老老头的声音不大，倒也足以让殿内跪着的人都听清楚，"丫头就坐在朕的身边吧。"

我领命，待老皇后在老老头左侧坐下，就依言坐在老老头的右侧。金龙大宴桌只坐着我们三个人，陈寿垂首站在老老头的身后。我抬眼往右侧望去，难得云老头的正牌妃子也"抱病"参加，想来老老头病得这么严重都出席了，别说她一个灏王妃了。云老头的左侧坐着灏王妃，依次是修若恒松、修若惜棠、云风，一眼望去，云风显然坐在了西侧主宴桌的最下首。而东侧主宴桌按顺序坐着太子伯伯、太子妃，以及太子伯伯的两双儿女。再往下的那几桌人，我可就顾不得他们了。

所谓的家宴，处处彰显着皇家的威仪与尊贵。哪怕一切从简，也担得起"奢侈"两字，而且家宴的一应规矩、仪式与流程，是缺一不可的。

众人依次入席后，老皇后才示意家宴正式开始。随着宫女依次端着热膳进来，各张桌上很快摆满了美味佳肴，让人垂涎不已。为了这个家宴，我可是特意没吃午饭的，现在肚子饿得咕咕直叫，可是老老头不动筷子不说话，我也只能对着眼前的"满汉全席"偷偷流口水。

乐人开始奏乐。两名宫女合抬着一个金边大托盘缓步上前。陈寿走近，端过托盘上的雕龙大玉盘，双手高举过头顶躬身行礼，然后将大玉盘置于金龙大宴桌的正中。我忙往玉盘上看去，只见上面躺着一只似乳猪又非乳猪的东西，眼生得很。

我眨巴着眼睛视线不离那玉盘上的东西，看它猪不像猪，羊不像羊，兔不像兔，牛不像牛……反正有别于我能想象的能吃的任何肉类食物。正想着这到底是什么东西，老老头已举起筷子，率先向这东西动手了。我的视线跟着老老头的筷子游移，直到筷子夹着的东西顺势送进了老老头的嘴巴，我还是弄不清这一盘到底是什么东西。

"别拘着，随意些。"老皇后说完也拿起筷子，向那个大盘子夹去，待她也品尝了一口，看着那个大盘子，就示意我也动筷，"丫头，这是瑞祥兽，取其天瑞人祥之意。相传瑞祥兽通灵，是百兽之王。"

百兽之王不是老虎吗？就算不是老虎，在修若这兽中之王的位置也该让给夭夭吧？再说了，通灵的东西也敢吃？真是邪门！在老老头和老皇后期待的眼神下，我无奈地伸筷，也夹了一筷子塞进嘴巴里，我向来不爱吃来历不明的东西，对肉类食物也没多大兴趣，但形势所迫，不得已只能吃了，囫囵吞枣地吞了下去，然后向老老头老皇后直说好吃，直到这时，众人才纷纷拿起筷子开吃。

按照修若的风俗，老老头在宴上可以将他中意的菜肴赏赐给他中意的人，以示恩宠；而皇子不论嫡出与否，都需向老老头老皇后敬酒；最后太子还必须亲自给老老头奉茶。这次家宴，老老头将他尝过的觉得好吃的菜肴通通赏给了我。本就坐在一桌，这些菜肴还要端来端去的，也不嫌折腾。我在众人或羡慕或嫉妒的目光下，跟着老老头尝了一道又一道的菜，不管是爱吃的不爱吃的，挑食这种毛病在这时生生被我压下，碰到平时爱吃的，细嚼慢咽，碰到平日不吃的，眼一闭吞下就是。不过面对一桌美食，却完全不能由着自己的喜好尽情享用，想起来还是挺凄凉的，泪奔一下。

气氛渐渐热络，众人对老老头龙体好转无不激动，外加四室同堂，一般情况下都会比较热闹。不过老老头不知是身体的缘故，还是别的原因，脸上倒少了惯常的笑眯眯的神情。

虽是家宴，但皇宫的家宴格外有规矩，未经老老头同意，没人敢主动跑到我们这一桌前套近乎联络感情什么的，甚至没人起身向老老头老皇后说些祝福讨好的话，这多少让人觉得奇怪。很快，肚子已经半饱，家宴就显得无聊了。外廊处的乐曲还在继续，我却有些昏昏欲睡，吃饱喝足再睡一觉，人生一大美事啊，如果能枕着这种催眠曲入睡，那就是美事中的美事了。

"儿臣给父皇母后敬酒，祝父皇母后身体安康，福如东海，寿比南山。"太子伯伯和云老头在老皇后的示意下终于来敬酒了，谢天谢地，这也表示家宴进行大半了。我不知道以往家宴一般需要多长时间，不过老老头的脸上明显已有疲惫之色，趁早结束这场家宴，对老老头是件好事，对我更是一件好事，嘿嘿。

老老头点头，我起身，将太子伯伯手中的酒转递到老老头跟前，返身走向云老头的时候，恰与太子伯伯似不经意移过来的视线相碰。我慌忙低头，然后快步走到云老头身前，接过他手中的酒杯，再折回身递到老皇后手中。老皇后举杯浅喝了一口，而老老头放下酒杯，并未沾口。

"你父皇身体刚好一些，御医交代不得沾酒，待会儿你敬茶也是一样的。"老老头还没说话，老皇后便说了圆场话。

两人退下，又坐了一会儿，时近申时，太子伯伯复又起身，亲自取了茶叶，执了茶壶，在一套儒雅而雍容的沏茶动作之后，亲自斟了一杯茶，起身向前敬茶。按礼，由太子献茶，皇上喝了这杯茶之后，便是宴毕离席回宫之时。

我又很自觉地起身，接过太子伯伯手中的茶杯，然后递至老老头跟前。这回，老老头一手接过茶杯，低头抿了几口。我看着他将茶杯往桌上放去，结果茶杯还没放稳，老老头手一松，砰的一声，不轻不重，茶杯侧转，未喝完的茶水如数洒到桌面上。

"皇爷爷！"我急忙起身去扶老老头，他的脸色瞬间泛白，双眉紧皱，眼睛却看向依旧站在金龙大宴桌前还未来得及退下的太子伯伯。

"皇上!"

"父皇!"

老皇后的声音与太子伯伯的声音同时响起,或者叫"父皇"的还有云老头,但我已顾不得这些,更顾不得惊慌的众人,只大声叫道:"传御医,御医!"

老老头的脸色越来越苍白,大冬天的,额头还有汗珠渗出来。我一边让陈寿扶住他向后倾的身子,一边慌忙伸手去擦汗,老皇后在紧张担心之余,又冷静地吩咐侍卫暂封大殿,限制进出,也就是限制消息的外传。与太子伯伯同坐东面宴席的众人脸色皆白,太子伯伯站在我们桌前对这突发的一幕回过神来时,云老头已经站在了他身边。

由于老老头身体本就不适,宴前御医原就候在外边,我话音刚落,不出几秒就见老老头的专属御医疾步而来。陈寿扶着老老头,老皇后焦急地看着御医,我退身,将位置让给御医,顾不得一应规矩礼仪,御医上前直接搭脉察色。

我望着桌上半斜的白玉雕龙杯,想起狐狸信中所言,这皇宫里的争斗到刚才,是不是已经上演到最高潮?接下来,就是落幕等待结局了?

我迎向盯视着我的视线,是太子伯伯。若是这杯茶出了问题,经手的人除了他,就只有我了。茶叶、茶杯、茶水、茶具等一应物什,按照惯例,是由他亲自动手挑选准备的,他在太子之位坐了几十年,哪怕此次老老头病重有了希望,心里再急切,也不可能蠢到在这么多人面前做手脚犯下如此大罪,那么此刻他看着我的眼神,半眯着眼虽让人看不清他眼里的神色,但至少,那难懂的神色里,肯定有一抹是对我的怀疑。

我坦然迎视他的目光,心却悬在半空不能着地,总觉得慌得不行。视线滑过他,看向站在他身旁的云老头,他却不看我,似担心似忧虑地看着御医忙碌。

茶不可能只沏一杯!

脑中出现这个念头的时候,我提起裙摆快步跑向东西主宴桌中间,刚才为了太子伯伯沏茶,陈寿特吩咐人搬过来一个小案几,案几上一应茶具俱在。我跪在案几前,伸手捋袖,越过倒置于茶盘上的白玉雕龙杯,伸手执了茶壶,里面果然还有剩余的茶水。

眼角瞥见太子伯伯的身影,我忙仰起头,将茶壶高举,茶水悉数入喉的刹那,耳边只闻嘈杂的惊呼声，有叫"月儿"的，有叫"丫头"的，有叫"公主"的，我却顾不上分清种种声音的来源了。

"月儿！"身子向后倾的时候，有人伸手揽上了我的腰，熟悉的声音在耳畔响起，我安心地将身子靠向他，轻声笑道："哥哥，我不能让人有机会将弑君的罪名推到我身上，连丝怀疑都不行。"

腹痛如绞，几近晕厥，我抓着云风的手，长长的指甲死命地抠着。修仪殿已经乱作一团，我的意识却越来越模糊，越来越难以集中，外界的声音渐渐离我远去，只依稀看到云风的嘴巴一张一合，似在喊"御医"。

不管是云老头还是太子伯伯谋划了这一切，我想都不可能简单地只是在茶水里做了手脚，然后还留着一些让人可以轻易抓住的把柄。可是老老头显然是喝了茶才变得如此，我只是搏一搏，搏自己的运气，搏这茶里的手脚非简单地喝下就能产生不良反应，而是需与某些东西相结合才会有效果。

偌大一个修仪殿里，只有我与老老头所吃的东西一样，与其让别人，或者说是太子伯伯饮了这剩下的茶却什么事都没有，证明了他一半的清白，却让我因为递过茶杯蒙上一半的不白之冤，还不如索性让我来喝茶壶里剩余的茶水，若结果与老老头的反应一样，就说明老老头喝下的那杯茶早在我接手之前就已有了问题，从而还我个清白。

而且，如果这手脚确是云老头所做，那么他无非是想陷害太子伯伯，让自己有"转正"的机会，在我陷入昏迷前，忽然想到了曦岚，失忆前一身白衣的曦岚，纵情山水犹如谪仙飘然出尘的曦岚。

这一次昏迷，没有任何意识，也没有梦境，没有黑暗，更没有找到回家的路，哪怕只是用灵魂远远地看着爸爸、妈妈、姐姐的机会也没有。再醒来时，却是被某样东西扎得痛醒的。

"痛……"我忍不住呻吟。挣扎着睁开眼，发现我还在醉月宫，幸好幸好。

"你醒了。"很平静又带着些不屑的声音。

"呃……小破孩儿？"声音听起来依旧沙沙哑哑外加有气无力。天哪！怎么是小破孩儿？我费力地环视一圈，除了小破孩儿，竟然没有旁人了，连夭夭都不在。

"你有没有搞错啊？我是神医，神医懂吗？这才救了你的命，你就不能说句好

听的感激的话?"他愤而起身,指着我大声道,手里赫然捏着枚细细长长的银针。

我盯着那枚银针眨巴了几下眼睛,然后低下头,天寒地冻的自己竟光着膀子,胳膊上还插满了密密的银针。

"啊……"我惨叫,由于力气不足,听起来不怎么凄惨,伸手扯住被子想盖住自己,却发现自己根本拖不动厚厚的大被子。抬眼瞪向小破孩,哀怨地发现自己被占便宜了。

"你那是什么眼神啊?我在救人,懂吗?别出声别乱动别影响我,免得待会儿针又扎歪了!"这小子一屁股坐在床沿,举着那枚银针在我胸前上方游移,似在找位置下手。

天哪,什么狗屁神医?我刚才被扎得痛醒,不会也是因为这小破孩扎错地方了吧?天哪,简直一男版容嬷嬷,还是顶着"神医"光环的容嬷嬷!我两眼一黑,自己怄气怄得气晕了过去。

再醒来的时候,一切恢复了正常。小破孩儿不见了,夭夭趴上床沿用舌头舔着我的脸,房门开着,门外站着王安与衍儿,让我恍然以为小破孩儿只是我梦里一个跑龙套的。

"夭夭!"脸上这黏黏湿湿的感觉快让我崩溃了,我不得不出声。

"公主!"伴着两声惊呼,还有夭夭的一声儿欲将我震聋的惊天大吼!

"公主醒了,公主醒了……"整个醉月宫都闹腾起来,只怕再过几分钟,整个皇宫也会闹腾起来。

"皇上怎么样了?"我还躺在醉月宫里,没在天牢里醒来,我的问题应该解决了吧?不知老老头现在怎么样了?端看王安和衍儿的穿着,老老头应该还健在吧,只是不知醒过来了没有。

"回公主,皇上龙体初愈,已无大碍。"

啊?老老头竟比我还早醒来吗?难道是因为那茶水我喝得比较多?

"今天是什么日子了?"神哪,可别俺一睡又是几个月啊,青春是不能这样虚度的。

"正月廿二,公主晕迷了七天,总算是醒过来了,谢天谢地。"难得王安的回答里还带了个人感情在里面。

"后来怎么样了?"我担心的是太子伯伯现在的处境。

"太子殿下被废，如今已迁至北宫。"

这么快，事情就核查清楚了吗？忽然想起，在修若，刑罚与财政向来由云老头兼管，此次太子涉嫌"弑君"，落到了云老头的手里，又岂有翻身的机会？历来帝王们最忌讳的便是谋权篡位，在自己的生命面对强大的威胁时，在滔天的权势面前，亲情是很渺小的。

而北宫，其实就是冷宫，又不同于传统意义上的冷宫，北宫里住着的，不仅有失宠失德的后宫女子，还有犯罪有过错的皇室男子。唯有一点相同，住进了北宫与冷宫，东山再起的希望就约等于零了。

或许，太子会这么快被废，不只是因为元宵家宴那一出，从我这次回修若就隐隐感到，老老头的"病重"，是另有玄机的，前有预兆，后又重演，任谁都不能忍受，而谋事之人自是不可原谅不可宽恕的。

我让衍儿侍候我喝了点水润润口，然后又喝了点清粥填填肚子。衍儿刚放下碗扶我躺下，门外由远及近便有人报"皇上驾到，皇后驾到"。我示意衍儿再扶了我半躺着，出声安抚了夭夭，就见老老头与老皇后一前一后进了屋来，后边还跟着云老头和云风。

太子被废，云老头虽然一时半会儿还不能"扶正"，但在众人眼里，这一切似乎已是水到渠成。而云风，刚才王安说，老老头已下旨任命他为御史大夫，关于御史大夫事务的一应准备工作也已经安排下去，只等着下月初上任了。

对了，早朝是前两天恢复的。久未上早朝，老老头恢复早朝的第一件事就是废太子，任命云风为御史大夫。二月初一开始，云风每日也要上朝了，而且是以一品御史大夫的身份。

"皇爷爷，皇奶奶，父王，哥哥……"昏睡七天，元气大伤，就不折腾行礼了，勉强能有气无力地叫叫人已经算不错了。当然，实际情况也没那么糟糕啦，我只是能偷懒就偷懒而已。我发觉现在的身体，虽然常常遭遇大难，几次就要撒手那啥了，昏睡昏迷也是常有的事，但只要一醒来，身体倒好像能自动补充能量，只能勉强算是有些虚弱。

"丫头，你可算是醒过来了。"老皇后几步走到老老头前面，在床沿坐下，伸手摸了摸我的脸，许是太子的事，她眉间的那抹悲痛似还留有淡淡痕迹，脸上却仍现出慈爱和蔼的笑容，柔声道，"你睡了这么久，身子虚，别硬撑着，快些躺下吧。"

"皇爷爷的身体没事了吧?"我冲着老皇后努力扯出一抹笑容,然后看向老老头道。

"嗯,倒是丫头你,下次可别这么冲动了。"老老头站在床前细细打量着我,确定我真的没事了,方有些释然地道。他的神色虽温和,却失了惯常的笑眯眯的表情,经过这件事,只怕他不仅身老体弱,心也苍老了几分。

想起来修若皇宫的第一天,我装乖巧在老老头面前攀着亲,在还未认祖归宗的情况下,庆幸自己一直以为世上只剩两个至亲了,却没想到还有一大家子人在修若皇宫等着我,当时老老头看着我意味深长的一句"在这里,可没有永远不变的东西",没想到半年后,竟一语成谶。

"皇爷爷、皇奶奶、父王、哥哥,月儿大难不死,你们一人给月儿一个红包,冲冲喜压压惊。"我不去想这些累人的费神的事,努力弯起嘴角,尽量说得讨巧,然后从被窝里抽出手伸向眼前,晃了晃。

四人同时一怔,又都微微有些尴尬。人家好不容易醒过来,对在场的四个人来说,俺这回的牺牲可不小,他们竟然都是空着手来的,真是太不厚道太不懂人情世故了。

我又打量了他们一眼,确定肯定以及一定这四人手中什么也没有之后,立马垮下脸,缩回手,在心里嘀咕着。

"咳咳,朕等会儿就命人送来,丫头好好休息,朕先回去了。"老老头第一个表态,然后老皇后也借机起身,临走的时候同样表示会派人火速将冲喜压惊的礼物送过来的。

我自是没法儿起身相送的,云老头和云风恭送两个老人家出门之后,只有云老头一人折身回来。我往他身后探探脑袋,没看到云风,就抬眼看着云老头,眼里有询问之意。

"身体好了?"冷冷的低沉的声音。

"若尘怎么在这儿?"我就喜欢跟他直来直往,外加牛头不对马嘴。

"他不在这儿,你现在怎么醒得过来?"他也不管他突然的面露微笑会让我寒毛一竖,继续道,"或者月儿还想再睡一段时间?"

我本想摇头,转念一想,又懒得理他,冷冷地道:"父王真是不简单,一边下毒害人，一边又找好了神医救人，父王不怕一个意外，就陷入万劫不复的境地吗？"

他沉默不语，看着我，嘴角似笑非笑。

"父王得偿所愿，如今又有哥哥在一旁鼎力相助，那么是否能成全月儿小小的心愿？"我也似笑非笑地看着他，坦然道，"月儿自认作为女儿，为父王效劳也算是鞠躬尽瘁死而后已了，这一点父王心里应该最清楚，如今不止修若的形势，天下的形势都应该是父王所满意的。月儿为父王尽心尽力，龙曜王亦是表现了十足的诚意，求父王成全了月儿吧。"

说到最后，我还是有点心慌，就怕即便如此，云老头还是不肯松口。

"其实月儿的婚事，你皇爷爷一早就有打算。你如今是修若最为尊贵的公主，哪怕是父王，其实也只有建议的份儿。"他说得风轻云淡。

"父王！"我实在受不了云老头这鸟人了，一激动忍不住轻咳了起来，好半晌才抚着胸口平静下来，讥笑道，"我想太子伯伯在北宫，应该在等着有人替他平反吧。"

"月儿这话是何意？"他的眼睛不由得微眯了一下，眼神凌厉。

"月儿冒死喝下那些茶，可不是为了证明自身的清白，定下太子伯伯的罪。"

"那是为何？"

"是为了让父王欠月儿一个大人情。若是父王不愿领情，月儿自会向皇爷爷解释月儿这样做的打算与考量。"我笑容越深，声音越轻柔，"那时候月儿若是建议太子伯伯饮下那杯茶以表清白，只怕太子伯伯什么事也不会有吧？修若的百兽之王瑞祥兽，妙用无穷啊！父王，您说是不是？"

我只是猜测，只是试探，但看云老头的眼眸一暗，我就明白猜测八九不离十了。当时若太子伯伯真的喝下那剩下的茶以示清白，至少他还有将这事推到我身上的机会，只要牵扯到我，云老头和太子伯伯的这一场较量，结果可能是谁都不会赢，而不是像现在这样，太子伯伯连翻盘的机会也没有。

宫廷争斗历来如此，为了自己的幸福，我只能跟太子伯伯说声抱歉了。

"其实父王真有些舍不得月儿。"他也不理我的话，忽地在床边坐下，直直盯着我，似有一秒的失神，然后又恢复深沉冷厉，"月儿长得很像你娘，只是人越大，这性格就越不像了。"

"父王爱过我娘亲吗？还是一早知晓了娘是风神国皇族后人的身份，才做了这一切？"我嗤笑，话虽如此问，心里自是不敢奢望云老头这样的人会心存爱情的。

他闻言蓦地起身，散发出强烈的怒意，转瞬他又恢复那冷冷的深沉的神情，转身就向外走去。行至房门处略一犹豫，终是继续迈脚向前，只扔下一句："其实天青六皇子付出得更多，你自己不后悔便是！"

我看着门外消失的身影，耳畔回响着他的话，一时怔住。直到耳旁有人唤我，我才收回思绪看向声音的来源，脸上浮起大大的笑容，道："哥哥！"

"月儿。"他已至床前，看着我，清俊的脸上满是心疼与愧色。

我勉强坐起身，伸出手去，他略一愣怔，很快又显得有些激动，终是坐下来，伸手紧紧抱住我，一声一声叹息般叫着我的名字。

"哥哥，对不起，对不起……"我将头埋在他怀里，想着为了自己的幸福又让他陷于自责与担心之中，能说的却唯有"对不起"这三个字。

"月儿……"他微微用力，紧紧搂着我，声音里包含了所有未出口的感情。

"哥哥，我想他，好想好想他……"我终是忍不住，在他怀里边哭边说道。

我真的好想好想狐狸，经过了这许许多多，何时我才能与他真正在一起？而曦岚，注定亏欠他太多太多，我不敢，不敢去想若尘的出现是否与曦岚有关，不敢去想曦岚到底为我付出了多少，我怕一旦清楚地知道后，会连与狐狸在一起的最后一份坚持都没有了。

"月儿……月儿……"他轻拍着我的背，似安慰似叹息。

日子过得飞快，转眼又过月余。

我被若尘禁足在醉月宫里，怀疑是小破孩儿假公济私故意整我，明明我已经生龙活虎，爬窗爬树都没问题了，可小破孩儿硬是说我这里不行那里不对，反正不好好待在醉月宫里，一天不躺上十二个小时，就会落下病根。

我赏了他几个卫生球，压根儿不当回事地抬脚就往外走，结果这小破孩儿就在我身后说什么我再不乖乖听话不好好静休会影响以后生育什么的，声音大得整个醉月宫的宫女太监都能听到，我闻言险些摔倒，就见四面八方涌出很多人，连拖带拽地将我抬着送回了大床上。

好事的衍儿还将这一消息禀告了老皇后，自此我就彻底被明令禁足了。一天三大碗不知名的补品不计，宫门外还严守着侍卫，近身的宫女也多了四个，再加上衍儿，这五个人就轮流站在我的房门外，生怕我偷跑出去。

我自是不信小破孩儿的鬼扯，结果他竟然扯上一大堆的事，包括当初护魂渡来渡去的事，后来中圣血菊杀的事，还说到我几次跳下天圣水池，说什么至寒至冷的天圣水对女性有多少不利影响什么的。

想起我能开口说话之后，曦岚又让我一日一颗足足吃了一小瓶的不知名的药丸，当时他说我吃了这些就会没事，说起来曦岚还是小破孩儿的师兄呢，那时候的曦岚不会就知道这些了吧？如果曦岚和若尘都知道天圣水池对我身体造成的影响，那么我回了宫让江御医检查身体的时候，他为何一句话也不说，只道我身体挺好，难道江御医的医术太差劲了？

我曾很想很想问若尘关于曦岚的事，但几次话到嘴边却又咽下。有时候，我一副欲言又止的样子，小破孩儿明明能看出几分，却总是借故走开，似不肯说关于曦岚的事。

对了，若尘在修若皇宫可受欢迎了，因为他的师父玄清大师是闻名六国的老神医，所以他这徒弟担上个小神医的名号在修若皇宫招摇撞骗混得风生水起。不过天青六皇子是他师兄的事倒是无人知道无人提起，而且我现在才知道，若尘年纪虽小，名号倒是很响亮的，以周游列国到处闲晃为人生乐趣，这回来了修若，倒不知是云老头偏巧碰上赶上，还是另有原因。

这日老天长眼，若尘终于撤了我的禁令。时已三月，春暖花开，我心情大好，花蝴蝶一般在皇宫里疯跑，先是问候了老老头，又跑到老皇后那边缠着让她准我出宫，理由是：俺的封地都封了大半年了，自己却一次都没去过，如今得去看看。

云老头虽还未被册封为太子，但我得宠也不是一天两天的事了，他封不封都不影响我赖着老皇后同意。没用多久老皇后便投降了，再次确认若神医对我的身体恢复状况表示满意之后，就大张旗鼓地安排了一众人等随我出行。

第二日，浩浩荡荡的一行侍卫随从就跟着我起程了。傍晚时分到达醉月城，我才发现老老头待我实在不薄，赐封的这座城，就在皇城修州的东边，而且地肥人美，一派修若国"经济发达城市"的样子。老老头还特意命人建了座别院，我这回过去正巧赶上新居落成，又岂有不入住之理？

所谓的封邑，其实只是经济收益归我所有，政治上还是归老老头的。不过我自是对那些没什么兴趣，从穿越到这里的第一天起，我就突然过上了暴发户的生活，自己家里有钱，认识的人也非富即贵，男朋友家里好像更有钱，汗！

虽然待在醉月城一样无聊，但好歹自由了很多，我不顾夭夭在一旁上蹿下跳，将夜风呼来喝去地使唤了个够，终于得到了第一手资料：我亲爱的清林哥哥依旧在叶苍苦战，曦岚也是，两军已逾叶苍过半国境，战事进行得很顺利。而在寒星，也不知狐狸和老老头用的什么计策，也不知那劳什子的纤绘公主怎会乖乖上当，反正最终真的是寒星借机偷袭叶苍、修若两军，结果修若堪堪避过寒星大军锋芒，而倒霉的叶苍与寒星正面交锋，两败俱伤。如此一来，修若顺取寒星又多了几分把握。

当然，这些都不是重点，重点是当我问夜风狐狸那拖了许久的婚事时，夜风随随便便地扯了扯嘴角，答道："完婚的是二皇子与天青三公主。"

"什么？"我脑中轰的一声，险些栽倒在地，死命抓住夜风过来扶我的手，不敢置信地叫道。

不是狐狸跟天槿瑜吗？什么时候新郎换成了小白？Oh，my god！这只阴险狡诈的臭狐狸，派小白去迎亲应该是早有安排的吧？

"咱伟大的龙曜王成全了他弟弟与天青三公主，终于让有情人终成眷属了？"我声音走调满脸抽筋地道。

不意外地看到夜风也挑了挑眉毛，我立马伸手挡道："别说了，我什么都明白了。"

小白若不是被设计，怎么可能跟那个冷冷的天槿瑜成为有情人？他俩根本就是两块冰，不掺和点什么，或者说不突破点什么，情深义重得起来才怪！狐狸真是太卑鄙太可耻了！这下好了，明明是他打定主意甩了人家，结果现在反倒是天青王欠了他一个人情。我恨得牙根痒痒，咬牙切齿地冲着门外的王安嚷道："王安，明天去醉月泉！"

醉月泉是修若最负盛名的旅游观光地。衍儿前几天在我耳边唾沫横飞地说着关于醉月泉的种种美丽传说，我虽将信将疑，但想醉月城既然是以醉月泉这一景点命名，理应有其风景独好之处。

为了方便，我又换回了男装，远离皇宫就是有这点好处，嘿嘿。醉月泉离我的别院不算远，天亮出发，骑马一个时辰就到了。

阳春三月，草长莺飞，恰是踏青好时节，可醉月泉却是官兵重重把守，一个游人也不见。我斜眼看了王安一眼，他忙垂首躬身道："公主恕罪。"

"罢了。"我挥了挥手，也罢，偶尔奢侈一回，人少点是非也是好的。

我一直以为醉月泉就是一个温泉，顶多周围加些花花草草树树木木的，竟没想到它是由数百个七彩熔岩池组成的，浅蓝、深蓝、靛蓝、明黄、玉翠、苍青、粉紫、赤红……高高低低、深深浅浅，圆形椭圆形，纵横交错密布，美得让人一时忘了呼吸。

我小心翼翼地走在熔岩池之间的狭小过道上，不时弯下身伸手去感受池里的水，微热，水质干净，大概因池底的熔岩颜色不同以及水的深浅不同，所以看上去五彩缤纷。几个浅的水池里还有几棵树，有些只剩枯枝，有些却已冒出点点新绿。

"主子。"夜风出现的时候，我朝王安和那两个高手摆了摆手，示意他们退下。

"什么事啊，小夜？"心情大好，顺便调侃调侃咱们的小夜同学。

"皇上来了。"他话音未落，就揽着我飞身向前掠去。

我倒也没惊呼，脑子虽然晕乎乎的，一时半会儿也没理解夜风说的话，只看着快速向后退去的七彩熔岩池，觉得飞翔的感觉真是美妙。直到身下再没有熔岩池，我转过头看夜风，才发现小夜揽着我正在树林中穿梭。

"小夜！"夜风终于停住身形，我有些晕晕地抬头，惊见在我和小夜身前站着一排黑衣人，竟有二十来个。等等，中间那个，虽也是一身黑衣，还背对着我们，可是一眼望去，就是与身边的人格外不同，特别吸引人的眼球，而且怎么看怎么像龙狐狸。不是像，那黑衣人虽然是背对着我站着，虽然我看不到他的脸，却能强烈感受到他身上散发出来的那一股慵懒气息，肯定是那只臭狐狸啦！

虽然小夜同学好像带着我飞了不少路，可是这里应该还是在醉月泉风景区吧？周围的树很高很密，地势也不低，看起来很隐蔽，可是醉月泉四周不是有官兵严守吗？而且臭狐狸跑到修若来干吗，太闲了来春游吗？

刚想到这里，腰上的力量适时消失，我三两步就冲到中间那黑衣人的身前，正待掐住他脖子好好向他怒吼几句，这么久才想起来我！还没来得及伸手，更没来得及开口，就被他狠狠地拥入怀中。我叹了口气，国事、战事、婚事，哪一样都不是他说不管就能不管、说放手就能放手的，如今他终于赶过来，终于出现在我面前，心中的疑惑、心中的怨都在这一刻释然。他来了，依旧是未婚的身份，就说明了一切。

"大哥瘦了。"我的手忍不住抚上那张又盼又念的脸，本想骂他这么久才想起我来，话一出口，却自动换成了这么一句。

他没说话，看到我，一瞬间好似有些释然般勾起嘴角，可是眼里明明有更多的压抑，拥着我的手，很紧很紧。

"大哥怎么来了？"我伸手环住他，将脸埋在他的胸前，用力呼吸他身上淡淡的让人备感熟悉与依赖的龙涎香。

"浅浅……"他终于出声，声音与眉间有一抹疲惫。

我心中一动，仰起脸，眼前却见他不断放大的脸。唇上一暖，我不由得闭上眼，在唇舌交缠中互诉相思之意。

"皇上。"是夜风的声音。

闻声我立即停下缠绵的动作，将脸死死埋在狐狸怀里，只觉得耳根一阵发烧，不意外地听到他的轻笑声。

色狐狸，竟然当着这么多人的面玩亲亲，我也昏头了，竟然忘了我和狐狸的身边可围了不少观众，现在可好了，大庭广众之下做出这等让人脸红心跳的事，被看了白戏，真是亏大发了，呜呜呜。

一想到自己吃亏，我就不觉得有什么不好意思了，忙从狐狸怀里抬头，就见几个黑衣人以半弧形之势护在了我和狐狸身前。我抬头向前看，几个身影迅速朝这边飞掠而来，不用细看也知道是那些侍卫，怕是久等看不到我，王安就让他们找过来了。

"都退下！"我从狐狸怀里退出，向前几步，低声喝道。

那几人乖乖停下，却没有离开。混乱啊，什么乱七八糟的情况都能碰到，狐狸这样跑来，被人撞见，竟然躲也不躲，就会添乱！

"没听到本宫说的话，想让本宫再重复一遍吗？"我向前再走几步，淡淡笑道。

这几人对视一眼，躬身垂首，就悄无声息地退下了。我松了口气，回身怒瞪向狐狸，这厮果然笑得一脸风骚地看着我，桃花眼斜斜上挑，双手环胸，声音慵懒地道："浅浅果然得宠，这醉月城可不比一般的城池，修若王竟舍得赐封给浅浅。"

"是啊，皇爷爷特别大方。大哥呢，什么时候也赐座城池给我？"我白了他一眼，最看不惯他这种懒洋洋的调调，特别是在别人的地盘上，特别是在这种严肃认真的场合中。

他蓦地伸手，将我紧搂在怀里，低头又覆在我的唇上。我起先微微挣扎，想着一旁还有若干观众，没挣两下很快就找不着北了，只能任由那厮揩油占便宜。

"龙曜的每一寸土地，都是我与浅浅共享的。"他终于心满意足地放开我的唇，将我的头按在他的胸口，让我听着他胸口处异于平常的心跳声，俯首在我耳旁轻喃。

唉，不行了不行了，半年未见，狐狸这厮更色了，在人前做起这种亲密的事来肆无忌惮，倒比我这二十一世纪的新新人类还开放。

"大哥怎么来了？"我再次问出心中的疑问。

"来接浅浅回家，这一次，再也不会分离。"他双手捧着我的脸，桃花眼眸耀若星辰，澄若清水，将他所有的感情毫不保留地展现在我面前。

"再也不会分离……"我轻声重复，微微失神。

"再也不会分离！"他说得坚定，桃花眼里也是满满的笃定，脸上浮现着慵懒的笑容，执了我的手，缓步向树林外走去。

直到回到醉月城的别院，我依然恍若梦中。一场在我心里想了千遍万遍重逢的梦，伸手轻触自己的唇，却又真实得让人脸红。不是梦，是狐狸真的来了，而且现在，他已经先我一步赶去了修州。

我左右矛盾着，一方面也想急急地赶去修州，想第一时间知道狐狸与老老头谈的结果，第一时间知道婚事能不能成；另一方面又想乖乖地听狐狸的话在醉月城多留几天，他说他办完了事会回醉月城看我，我若回了修若，只怕就错过见他了。

在留与回的问题上一犹豫就是三天，三天之后，我安心留在醉月城，要么等着狐狸来，要么等着老老头派人将我接回去，以静待动，免得我巴巴地跑回去狐狸却来了这里，到时候扑个空，还不活活恒死！

一时也没心情出去，在醉月城已经住了小半个月，刚来的几天逛了不少地方，这几天索性窝在别院里折腾，直将整个别院闹得鸡飞狗跳。说实话，我虽然从来没有下厨的经验，但打小最爱看妈妈在厨房里忙活，自认虽没动手经验，但理论知识扎实，又有兴趣，更是自信自己有天分。哪知如今一下厨，那叫一个恐怖，没有厨卫的异时空啊，一个女人若能做出可口的饭菜，那真是太难了。

下部

第五十五章·大婚

天哪，我是不是得了婚前恐惧症？

这日我又从厨房灰溜溜地出来，最后还是吃了厨子准备的午饭，然后躺在床上翻来滚去准备午休。

一天比一天暖和了，桃红柳绿，春风吹得人微醉，我忽然想念起了龙曜皇宫御花园里那个四周栽满桃树的凉亭，那是我的第一天早朝，狐狸这厮竟然留下了我，估计就在那个御花园，在那个凉亭，在桃花环绕中对我施展了男狐狸精的勾人魅术，才让我直到现在还对他死心塌地，一点儿也不曾犹豫地拒绝了一大堆好男人的爱意啊。

迷迷糊糊地感觉有人压着我，脸上湿湿暖暖的触感，似有人温柔地亲吻着我的脸。

亲吻?!

我猛地睁开眼，正对上一双幽若深潭的桃花眼，眸底跳动着我熟悉的火焰，而他的唇依旧在我的脸上游移，从眉到眼，到鼻尖到唇，在唇上辗转留恋，然后又顺势而下，百忙之中还能抽空轻喃我的名字。

"大哥……"狐狸回来了，和老老头谈得如何? 现在是大白天啊，色狐狸，我趁着还剩一丝理智，伸手用力推他。

唉，夭夭呢? 对了，夭夭被我这几天炖的大骨头折磨的，看到我都避得远远的。

"名字。"他伸手一下子就松了我的衣带。

"煜。"不自觉地应承着他，这个日思夜想的人啊，如今真真切切出现在了面前，我伸手就能感觉到他的心跳、他的呼吸。

他的身体坚实而温暖，既不是肌肉男，也不是排骨男，上天给了他一副好皮囊，这一点我不得不承认。我本欲推开他，却恋恋不舍。

"浅浅，你真是个妖精。"他伸手放下床帐，合二为一的时候，紧紧抱着我律动……

我趴在他胸口喘气，一边咬牙暗骂自己没骨气，被人一挑逗就全城沦陷，心里顿生哀怨，"事情顺利吗?"

心却又悬了起来，虽然狐狸的表现不像是不顺利的样子，可是我与他折腾了这么久，云老头也曾阻止，云风也不同意，虽说现在情况好了许多，但保不准云老头又要赖了。

他看着我，桃花眼严肃而认真，却一直不开口说话。

我被他看得心里发毛，越发心慌起来，正待开口再问，他的桃花眼忽然泛起浓浓笑意，嘴角浅浅勾起，似对我的紧张心慌万分满意，伸手拥紧我，叹息般说道："修若王同意了，下了婚旨。迎亲使由沉谙担任，这时候他已经出发了，过不了多久就会迎接浅浅回国。我会在龙曜等浅浅。"

下午狐狸就走了，他要赶在城门关闭前出城，而我第二天一早离开醉月城，回了修州。

就如狐狸所说，老老头同意了我与狐狸的婚事，还下了婚旨诏告天下。我躺在床上咧嘴微笑，想着我与狐狸的婚事总算是铁板钉钉的事了。滚了两圈，又发现不对劲，婚事会不会发生变故？我回龙曜的路上会不会遇袭？到时候他要纳妃怎么办……越想越恐怖，越想越可怕，越想越可疑，蓦地坐起身，天哪，我是不是得了婚前恐惧症？没在一起的时候很想在一起，如今终于可以名正言顺地在一起了，又开始紧张担心害怕了。

当然，除了我之外，大家都忙翻了天，忙着一应仪式，忙着准备嫁妆什么的。我不懂这些，也懒得理，索性两手一摊，什么也不管。只在有人来问我时才开口回答，比如问我喜欢什么、不喜欢什么、嫁衣的款式、生辰八字什么的，我都有问必答，态度绝对诚恳。

可是随着时间的推进，我再也不能当闲人了，天天被老皇后拉去听她讲宫中规矩，讲为人妻为人妇该守的、为人母该做的，还有身为一国皇后该有的胸襟、气节、情操，听得我差点口吐白沫晕了过去，只能在心底将受的这些罪通通记到狐狸头上。

沉谙来得很快，让人怀疑婚旨未下的时候他就已经从龙曜出发了。老老头和云老头很热情地招呼了沉谙同学，也没为难他，几天之后万分爽快地依礼将我送出了宫。

迎亲使是沉谙，送亲使却是云风，我本以为云风虽然逆不了旨，但至少会嘱咐我几句，外加搬出娘亲大人的遗愿什么的，结果他一句不动听的话也没说，只不过看着我的眼里总现出不舍的神色，好像我是他女儿，他是嫁女儿的爹一样，汗。

一路很是太平，甫一进入龙曜国境，就有御林军开道。狐狸那厮竟率了御林军，亲自来迎接我，这自是很不合规矩的，而且太过张扬，可是心里却又是欢喜的，毕竟还是小女人啊，又有谁不喜欢自己被所爱的人重视呢？是破例，是重视，是张扬，又何尝不是一种浪漫？

很快我就确信，臭狐狸肯定是狐狸精投胎的。他不仅亲自迎接，这一路下来，更是让我与他接受了万民的敬仰与祝福。

婚旨虽下，婚礼毕竟未成，他却又"任性"地直接以皇后之礼相待并让我示人，也不知他做了多少准备工作，我与他所到之处，龙曜的老百姓莫不沿街跪下，叩首大喊："皇上万岁，皇后万福！"

我还以为会是"皇后千岁"以示狐狸更高一等，没想到大家喊的都是"万"，倒让我没了挑刺的机会。沉谙对这一切微笑以对，反观云风，就满脸黑线了，但他这传统惯了的哥哥最后还是忍下没说一句话，这点儿倒是难得。

或者云风的心里，虽然不赞成狐狸这样做，但狐狸以此表明对我的心，对于疼我这个妹妹的哥哥，又何尝不是吃了颗定心丸？

待进入龙州，更是盛况空前，大婚的一应准备早已备妥，龙州城门挂满了喜庆的红灯笼。

狐狸伸手掀开车帘，扶着我步下马车的时候，我才看到龙州城门内自我落脚的地方起竟铺着大红掐金绣龙织凤长地毯。红地毯远远地延伸至远处，望不到尽头，红毯两侧跪满了文武百官，个个身着朝服，一眼望去，说不出的庄重，而千米之外跪着的是自发前来迎接我的龙州城百姓。

狐狸紧紧握着我的手，示意我随他向前走，接受百官万民的跪拜与祝福。我微微有些心慌，这时候已经忘了激动啊感动啊浪漫啊这应该有的反应，只想着这红地毯不会一直铺到皇宫吧？从城门到皇宫，再走捷径那也是很远的，若是一路红地毯走过去，我非走断腿不可！

甫一迈步，就听到跪着的众人整齐划一地山呼万岁万福。我略一打量两侧的人，第一眼就看到左侧为首跪着的竟是小白，一袭紫色绣龙云纹朝袍，那是王爷的准官服，头发已用玉扣高高地束起来，干净而整齐。

"大哥？"我侧过头看向狐狸，将心里的疑问用眼神表达出来。

他完美的脸庞浮现出一抹温暖的笑容，向我微微点了点头，桃花眼暖若春阳。

我坐在龙凤大床上，听着外边传来的好像永远都停不下来的喧闹声，终于忍不住伸手掀下了喜帕。

"娘娘，使不得！"喜娘白着脸，慌手慌脚地拿起我扔在床上的喜帕，双手合十夹着喜帕，然后半转过身子，面南背北，闭上眼睛，口中念念有词。

我趁机将头上起码十几斤重的凤冠摘下，左右扭了扭脖子，还好还好，还能动。天哪，顶着这么重的东西坐了大半天，我怀疑我的脖子已经被压短了好几厘米。

唉，设计出这凤冠的人肯定不知道脖子对于一个女人有多重要，抛开身体健康不说，脖子可是一个女人气质的重要组成部分，是不是美女，不是光看脸蛋和 S 形身材的，脖子短的人穿啥啥不好看，而且整个人的气质会立刻消失无踪。

刚放下凤冠，背对着我念念有词的喜娘恰好转过身来，手中的喜帕伸向我，似欲重新替我盖上，可眼睛看到我，整张脸一下变得煞白如纸，飞身扑向凤冠，喊道："娘娘……"

"你先下去吧。"我用手轻轻地捶了捶脖子，好酸好胀好痛啊。

"娘娘……"喜娘的脸虽然煞白，手中却拿着凤冠，伸手就欲给我重新戴上。

"小夜！"我身体向后往床上一倾，仰起脸对着空气大叫。

话音刚落，夜风便幽灵般出现，喜娘瞪着眼张着嘴，一时忘了动作忘了说话。

"小夜，送她出去。"我向夜风摆了摆手，转身爬到床上，仰面朝天双手伸直地躺下，长长地呼出一口气。

臭狐狸还说体谅我必受不了那亘长无聊的婚后仪式，所以特将隆重而严谨的仪式精简再精简，除了必须的流程外，尽量不来折腾我。

可是事实证明，我从起床到现在，顶着沉沉的凤冠，穿着繁复得让人崩溃的婚衣，任人拉来牵去，跪这拜那，最重要的是 N 个小时过去了，我却滴水未进。上帝啊，我快饿死了。

我瘫在床上，随手抓了几颗撒放在床上的花生，费力地剥好，胡乱地塞到嘴里一阵乱嚼，没吃几口，又摸索了几颗桂圆，再啃了几颗大红枣，胃里好歹有了些东西，心才慢慢踏实起来。

仅看外边的天色就知离狐狸过来还远得很。我也不急，本来就打算晚点儿大婚才好，若不是臭狐狸叽叽歪歪念叨着火速完婚，我还想等清林凯旋之后再举行婚礼呢。在我与狐狸的婚宴上少了清林，心里多少有些遗憾，转念一想，或许对清林来说，还是目前的情况更好。

一直让夜风打听这个打探那个，却独独忘了打听我自己，所以那天当我到了龙州接受百官万民祝福之后与云风一道回云府落脚，从翠儿口中听到我替兄出仕的经历以及浅醉公子的身份已是天下尽知的时候，险些冲出云府冲进皇宫准备掐死那只该死的臭狐狸。

当然掐狐狸不是因为我的身份我的经历彻底大白于天下，而是在这些传闻中，狐狸将自己塑造成了绝世痴情郎的形象，那叫一个惊天地泣鬼神地感人啊，我都不好意思再重复。狐狸真是太可耻了，整得好像他为我抛头颅洒热血眼也不眨一下，明明抛头颅洒热血的人是我嘛，太过分了！

关于小白，问及狐狸，这厮只道小白如今已被封为煌王爷，却对小白跟他回宫之后发生的事只字不提，至于玉妃娘娘，那就更不会说了。不过夜风也不是小觑的，他探来的消息说，玉妃娘娘如今在煌王府住着，对外的身份是煌王爷的乳娘。这点我倒可以理解，玉妃娘娘当年已风光大葬，狐狸自是不可能搬起石头砸自己的脚，让玉妃"死而复生"的，小白得知自己的母妃未死，最大的希望该是能在她身前尽孝，即便不能正名，也该感到庆幸吧。

我忽然想起皇陵中那个诡异出现的妇人，想起当时狐狸与她的对话，想起当时她清冷的神情，想起她目光怨毒地盯着狐狸，当时就觉得她有些似曾相识的感觉。

脑中一个激灵，狐狸口中的玉妃娘娘，小白的母妃，会不会就是那妇人？如果是，狐狸将人当宫女使唤不够，居然还让人家堂堂前皇妃做了几年"守陵人"？真是太不厚道了，呜呜呜。

那日甫入龙州，小白也在百官之中，看其当时的神色，虽是惯常的冷清，但至少没有仇恨或其他怨恨的神色。

从他被封煌王爷，娶天青三公主，后又秘密接回了母妃，我并不认为仅这些事就能化解他与狐狸之间的那些是非恩怨，无奈我怎么问狐狸他都不肯告诉我是否还有什么我不知道的事发生，让小夜去查也没查出个所以然来，又没有单独问小白的机会，况且只怕有了这机会，小白也不会透露。

至于小白与天槿瑜的婚事，我虽不知当初狐狸答应联姻是否与救我之事有关，但显然如我所猜测的，他让小白做迎亲使，那真是赤裸裸的计谋啊！

我很快发现，完婚才两个多月的煌王妃就怀孕了。怀孕很正常，但结婚还不到三个月，却已怀孕近四个月。是不是奉子成婚我不知道，先上车后补票那是肯定的，而且掐指一算，小白是在迎亲回来的路上被人设计的——当然是设计了，不然我怎么都不相信小白会在正常情况下做出如此大逆不道的事。而且从最终的得益人来分析，以及我对这几个人的了解，这事百分之九十九点九跟狐狸脱不了干系。

在天青王为能成为狐狸"岳父大人"而沾沾自喜的时候，狐狸却反手甩了天青王一个巴掌，看在亲生女儿的分上，天青王不仅不能发飙，还得摆上笑脸感谢臭狐狸成人之美的伟大胸怀。我想天青王心中肯定郁闷得不行吧？

清林依旧在前线，当初半年就攻下了望月，如今面对强大的叶苍，就不是那么容易的了。

大半年的时间，龙曜与天青依然只过叶苍一半国境，接下来的战事将更艰辛更困难。我别无他求，唯愿清林能早日平安回来。

而曦岚，想到曦岚，我不由得闭上眼，在修若皇宫若尘对我的态度、云老头的那句话……我不知道云老头最后为何会说那句话，他从来都只是想着利用我与云风，从他口中听到这样一句话，确实很奇怪，但曦岚竟能博得他如此说，我想曦岚身上肯定发生了很多事，而那些事，是我不知道，也是不敢知道的。

曦岚，曦岚，曦岚……

迷迷糊糊中感觉有双手在我脸上徘徊，我猛地睁开眼，看到床沿上坐着一个熟悉的白色身影。

"曦岚！"我抓住他欲缩回的手，吃惊地坐起身，然后扑到他怀里，双手紧紧环着他，一时不敢置信地道，"曦岚不是应该在战场吗？我在做梦吗？是在做梦吗？"

他的手似有一秒钟的犹豫，然后也用力地拥着我，一声一声似喃喃自语，"微眠，微眠，微眠……"

眼泪瞬间滑下，毫无征兆。他的声音包含着所有我懂或不懂的感情，在一片

红色的映衬下，他身上的白衣显得纤尘不染。真的是曦岚吗？虽然脸上没有温润的笑，虽然清亮的眼眸里没有笑意，甚至那股仿佛与生俱来的飘然脱俗的气质也被眉间的疲惫与伤痛替代，可他真的是曦岚啊。

"曦岚怎么来了？战事顺利吗？曦岚没受伤吧？这样跑过来没事吗？"我从他怀里抽身，努力微笑着，然后将床上的桂圆、莲子、红枣、花生全部扫到地上，挪到他身边坐下。

"微眠……"他转过头不看我，只握住我的手，大拇指在护魂处来回轻抚。

虽然知道微眠是狐狸给自己取的字，虽然也曾向曦岚坦白我是林浅浅，可是曦岚却依旧执著地叫我微眠。

而我，听到曦岚口中的微眠，从不会另有他想。这是一种习惯，不管我们经历了什么，不管历经多少时间，这个习惯，怕是再也改不了了。

"曦岚是不是为了救我，而答应了父皇什么条件？"想起若尘，想起云老头的那句话，再见曦岚时曦岚的表现是真的失忆了，而失忆后的曦岚会对我有那种认识，肯定与天青王有关。

我不知道现在的曦岚是不是恢复了记忆，或者已经想起了某些事，但天青王当初既然利用曦岚失忆的机会让曦岚误会我，那么当曦岚为了救我，又要将我带到那个天圣水池又要将护魂渡到我身上时，天青王会视而不见？

或者说，天青王早已知道我的身份、皇宫的秘密、我的传闻，可是知道我又到了天青，他岂会轻易放过我？

曦岚不说话，握着我的手却不自觉地紧了紧。我心一颤，心中凄惶起来，"曦岚答应了什么？出征？继位？是什么让天青王放过我这个关系到天下形势的风神国皇族后人？"

他依旧不说话，握着我的手却有抽离之势。

"曦岚！"我反手紧紧握住他的手，转而跳下床跪在他跟前，心里既哀且痛，声音都有些颤抖地道，"曦岚，你不是忘了我吗，不是不记得我了吗？知道我曾那样利用过你，为何还要为了我答应你父皇的条件？"

心里的话还没说完，我已将脸埋在他腿上痛哭起来。

"微眠，我不要忘了你，我不想忘了你。"曦岚能说出这样的话，他心里该有多苦多痛，他该承受了多少我不知道的东西？

"微眠……"他终于又开口，却依旧只叫了我的名字，任我将脸埋在他膝上痛哭，只是被我反握住的手，微微有些颤抖。

待终于平静下来，我方抬头盯着那双清亮的眼眸，一字一字轻声问道："曦岚是不是恢复记忆了？"

"微眠……"他微垂下眼，让人看不清他眼里的神色。

曦岚此前失忆，护魂的影响因素应该大于重伤昏迷高烧不退。那么有没有一种可能，在曦岚为了救我又将护魂渡到我身上的时候，失去的那部分记忆又重新回到了他身上？天圣水池相同的经历，会不会在那时已经刺激了曦岚？

若曦岚真的因救我而与天青王有了某种妥协，曦岚出天州接我的时候让御林军开道，天青王该是一早就知道我到了天青，那么曦岚与天青王的谈判该是在我进入天圣水池前吧？不管是失忆前的曦岚，还是失忆后的曦岚，都同样会为了我不计代价地付出吗？

"曦岚……"如果曦岚已经恢复记忆，那后来发生的事又何至于如此？所以哪怕曦岚有了关于我的记忆，这记忆也该是不全的吧？

"微眠……觉得幸福吗？"他看着我，黑宝石般清澈澄静的眼眸似有水波划过，让他的眼眸更显清亮，眼神专注认真，带着希冀。

幸福？

我看着他，细细思索这两个字。我很庆幸我与狐狸相爱，虽然分分合合，但这分合并不是因为两人感情出了什么问题，相反，在这分分合合中，彼此的心意越发坚定。所以幸福吗？答案自是肯定的，狐狸，无疑是我在这异时空的幸福归宿。

我向他点了点头，并不否认。不是曦岚不好，相反是曦岚太好，可我终究还是心系狐狸，晚到一步的喜欢，连拥抱都不会脸红。我与狐狸的情路看似坎坷，实则平坦，曦岚，注定与我有缘无分。

"现在开始，微眠再也不会受到任何伤害了。"他又垂下眼，声音轻得好似喃喃自语，嘴角慢慢浮起笑容，笑容中却有失落。

"曦岚……"曦岚这话是什么意思？

"微眠。"他却蓦地起身，伸手将我从地上抱起，双手捧着我的脸，清亮的眼眸带着贪恋，细细打量着我，似想将我烙印在他心中，俯身在我眉间落下一吻，声音似有若无，几不可闻地道，"微眠，我舍不得你，舍不得放开你。"

曦岚，我心中一痛，下意识地去拉他。

虽然我还不知道到底是谁将我风神国皇族后人的身份以及"得一人得天下"的传闻散播出去的，但是身份既然已大白天下，传闻既然已天下皆知，我却并没有因此招惹太大的麻烦，太子伯伯的事更多地源于云老头的野心，那么传闻给我造成的困扰真的几乎可以说是没有，这是很奇怪的。

撇开修若，撇开龙曜，天青竟也动静全无，难道是曦岚在默默付出，默默将一应麻烦在我丝毫不知情的情况下——承担了吗？或者不止天青，此前云老头就与曦岚有接触，莫非修若这边同意我回龙曜，同意我与狐狸在一起，其中不仅有狐狸的争取，有我自己的努力，还有曦岚的成全？曦岚必是做了许多，付出了许多，才得云老头那句"其实天青六皇子付出得更多，你自己不后悔就是"。

可是这之中若有曦岚的成全，曦岚为什么会这样做？失忆前的曦岚虽从未强迫我，却没有放手的迹象；失忆的曦岚虽经常有强势的举动，无意中提起的婚嫁，真心假意各半，作不得准，但他那时候都想不起我与他相处的点点滴滴，又怎么会为我做这些事？

除非，除非曦岚在救我，以及我处于昏迷的那段时间，发生了什么让曦岚恢复记忆又明白感情应懂得放手的事。

自我昏迷清醒一直到我在齐青关与清林会合留在龙曜军营，这之中我能感觉到曦岚心里的矛盾挣扎与纠结，也能感觉曦岚一天一天在改变，变得和最初的他越来越接近，似在慢慢恢复那种温润如玉。他一天比一天更温柔地待我，常常让我有刹那跌回最初与他相遇相逢相处的时光。是不是这样一个慢慢转变的过程，其实就是曦岚渐渐恢复记忆的过程？

行动支配意识，在自己惊觉过来的时候，我已经跑到外面将琵琶抱了进来。

"微眠……"他看着我，声音里有丝疑惑。

我拉着他坐下，右手一个轮拂，《十面埋伏》便倾泻而出。

"曦岚，还记得这支曲子吗？"只弹了一小段，我就停了下来，看着曦岚，问得又快又急，心却悬着，焦急地等着答案。

"十个馒头。"他忽而轻笑出声，神色一松，让人如坐春风。

我心弦一松，下意识地呼出一口气，放下琵琶，拉过曦岚，嘴角含笑，视线却渐渐模糊，轻声道："曦岚果然还记得这支曲子，其实它叫《十面埋伏》，那时候，不是有心欺骗曦岚的。"

虽然无心，虽然是自己负气任性随口胡诌，如今坦白，那么只除了我来自二十一世纪这一无人知晓的秘密，总算对曦岚做到了完全的坦白——我现在唯一能做的一件事。

"他在外边等了很久了。"他不置可否，却突然这样说道。

他？谁？夜风？不应该是夜风，曦岚能出现在这里，夜风又岂会不知？只不过他没拦着罢了，不然曦岚若是与夜风动起手来，曦岚也不可能这么顺利地进来。那么曦岚口中的他是指狐狸？我慌忙看向屋外的时候，似听到身边有衣袂翻飞的细碎声音。

"曦岚！"我心中一沉，不自觉地伸手，衣服从我手中滑过，最后却是手中空空，什么也没抓住。

"曦岚！"我大喊，起身朝那个白色身影消失的方向冲去，可是没跑两步，一脚踩在自己长长的裙摆上，人就往地上倒去。

"浅浅。"伴着一个熟悉的声音，有一双手将我从地上抱起。

"曦岚！"我依旧朝着那个身影消失的方向大喊，"曦岚，曦岚……"

那双手的主人并没有说话，只抱着我走至床前，将我抱坐在他怀里，轻轻拭去我眼角不断溢出的泪。

"大哥，曦岚走了。"曦岚从叶苍的战事中匆匆赶来，为的，好像就是向我亲口确认是否幸福——嫁给狐狸是否幸福，然后又匆忙离开。我忽然觉得，曦岚即便有成全之意，或者说为了让我幸福付出了所有，即便他的心里还有我，依然放不开我，可是从今天开始，或许我们再也没有见面的机会了。

"浅浅应该祝福他。"他轻轻拍着我的背，忽而拥紧我，在我耳边叹息般说道。

祝福他？如果曦岚能放手，如果曦岚能释怀，如果曦岚能看开，我当然微笑着祝福，只是想起他为我所做的一切，心便不受控制地揪疼起来。

"大哥，我放不下他。"我抬眼看着狐狸，想着从曦岚出现到他离去这短短的时间，却让我对身边的一切有了另一种认知，只怕在很长的一段时间里，我都会惦记着曦岚，想着他过得可好，是否幸福。曦岚本就烙印在我心里，这一生都不

会遗忘，而如今，他是我心上的一道伤，让我揪疼着，哪怕伤口愈合了，也会在我心里留下最深的痕迹。

"我知道，我明白。"他的声音轻柔，他的手抚上我脸颊，拭去我脸上的泪痕。

"曦岚，是不是为我做了很多事？又为何，突然选择了放手？"我伸手握住他在我脸上游移的手，看着他的桃花眼，一字一字说得又轻又缓，仿佛每一个字，最后都落回到我心里，让我的心突然变得沉重起来。

我知道，如果连狐狸也不忌讳我放不下曦岚，如果连狐狸都甘愿在我们大婚的时候对曦岚的到来睁只眼闭只眼，狐狸肯定早已知道了曦岚为我所做的事。

他的桃花眼蓦地变深，嘴角勾起一抹慵懒的笑，懒洋洋地道："我只知道，当初他救了浅浅，浅浅昏迷一月有余，在你昏迷的日子里，浅浅可是日夜念着大哥，我想浅浅醒来后也是如此吧！"

"切！"我一掌拍开狐狸不断凑近的脸，看着他这神情，心里突然很不爽，斜眼白了他一眼，一脸鄙视地道，"我那时候都不能开口说话，念你个头！"

"浅浅能开口，只是发不出声罢了。"他笑得越发放肆，一只手突然抚上我的嘴唇，修长的手指沿着唇廓慢慢游移，声音魅惑地道。

我又一掌挥开他的手，继续鄙视道："你也懂唇语？"

"浅浅……"他桃花眼半眯，蓦地凑近我，而我在他的嘴唇贴上我的唇之前奇快无比地滑下他的膝盖，后退五步，保持安全距离。

如果真如狐狸所说，我在昏迷中日日夜夜还念着狐狸，甚至随军与曦岚共处一营的晚上亦是如此，我知道曦岚会在认为我已经熟睡的情况下在一旁看着我陪着我守着我，如果曦岚能懂唇语，如果我真的在昏迷中在睡梦中都反复只念着狐狸，那么是否有可能曦岚因此明白了我对狐狸的感情而选择放手？

正自思考，头上却已一沉。我抬眼，不仅一眼瞥见凤冠垂下的明珠垂饰，还看见狐狸手中拿着那方喜帕，正欲往我头上盖。

"干……干吗？"脖子又被压得短了两厘米，连带让我说话也有点不顺畅起来。

眼前一红，狐狸还是将喜帕盖在了我头上，我正待伸手去扯，他却牵过我的手，引着我慢慢向前走，隐隐有些不平静地道："掀盖头、交杯酒、入洞房，这三礼之后，才算真正地完婚。"

我脸上一热，不自觉地缩回手，狐狸也没再坚持，双手扶上我的肩，示意我坐下。我眼前一片大红，根本看不到哪儿是哪儿，落座之后，才知道自己又坐回了龙凤大床，脸越发烫了起来。臭狐狸知道曦岚过来也不打扰，看到我扯了喜帕扔掉凤冠也不吭声，我还以为他真如传闻所言对我痴情深情浓情外加百依百顺任我为之了，没想到竟然在心底暗自闹着小意见呢。

"浅浅……"伴着这声心满意足的轻喃，眼前一亮，大红喜帕已被挑下，狐狸手中拿着喜秤，狭长而斜斜上挑的桃花眼看着我，眼里的深情让我不由得低下了头。

下部

后记

大哥，是曦岚，是曦岚，快追上去。

大婚第十日。

我独自霸占着狐狸的寝宫。唉，不是我体恤宫女让她们有偷懒的机会，实在是我不想让人看到堂堂龙曜国皇后大字形躺在龙床上发呆。一想到发呆两字，我就猛地翻身坐起，然后捂住耳朵一阵尖叫。

啊！啊！啊！狐狸这厮没信用啦！下婚旨跟人家求婚时说什么结婚后我爱干吗就干吗，说什么我不仅是他的妻子，是他的皇后，如果我愿意，依旧会是龙曜国的云相。我当然愿意啦，上朝多好玩啊！何况大婚之后，皇后的生活真是太无聊太无趣了，没有需要我请安问候的长辈，没有跟我勾心斗角抢男人的女人，每天除了对着狐狸大眼瞪小眼，就是一帮围着我皇后娘娘长皇后娘娘短的"下人"了。

不行，我要提早上朝！我干吗要听狐狸的，非要等到大婚半年之后才能女扮男装上朝堂玩？我在皇宫里闷了几天就已经受不了了，一想到还有一百七十个这样无聊无趣的日子，就感到一阵绝望。

我身手无比矫健地翻身下床，然后跑到狐狸的大书桌前摊开纸写谈判书。

没办法，自从大婚三天后狐狸恢复早朝，然后留我一个人在他的后宫，我就开始无聊开始发慌开始想起他的承诺，于是一天数次提及上朝这个问题，可结果却是一天数次体验失败的滋味。今天，我终于明白，跟狐狸面对面提这个要求谈这个条件是最最愚蠢的方式。这一次，我要以书面的文明的方式，再一次抗议，再一次维权。

刚写下"英明神武"四个字，马屁才拍了十分之一，就听到屋内有异响。夜风他们就守在外边，照理是连只苍蝇也飞不进来的，我困惑地抬头，就见一只许久未见的黑色小鸽子扑棱着翅膀朝我飞来，最后落在了"神武"两个字上。

"呃，小黑鸽？"我与那双小眼睛对视了N秒之后，又摸了摸身上的凤兰玉佩，然后无聊地招呼它。

它的小眼睛又看了我几秒，然后踱步踩到"英明"两字上，用尖尖的嘴啄了啄它的翅膀，不再理我。

我重重地哼了一声，想着跟那只狐狸有关的东西都是这个德行，然后抄手抓过小黑鸽，将它爪子上绑着的小纸条抽出，展开。

"皇陵与守陵人已找到。"

这里所指的皇陵与守陵人，肯定不是指龙曜国皇陵，或是其他五国皇陵吧？如果是六国之中的任一国皇陵，就像狐狸家的墓园，就这么招摇地建在那里，还用找吗？正自揣摩，狐狸已下朝回来。

"今天有二哥的消息吗？"我忙扔下小纸条，起身跑向狐狸，挽着狐狸的胳膊，将"每日一问"一字不差地说出口。

"他很好，战事也很顺利，不日就可攻下兰州。"他笑呵呵地拉着我，对我每天能主动热情地迎接他下朝显然很满意。唉，这狡猾阴暗的狐狸，将我关在宫里让我闷个半死，整个皇宫又唯有他既能不将我的皇后身份当回事，又决定了我在皇宫生活的自由度与满意度，我看到他能不主动不亲切不时不时地给点甜头拍点马屁吗？

"哦，对了，有小黑鸽来传信。"我将他拉到书桌前坐下，对于私自拆开他的"书信"一点愧疚也没有。

狐狸伸手拿起小纸条，桃花眼随意一瞟，脸上的笑容越发慵懒随意，然后就看着我，不说话了。

"什么皇陵？"

"浅浅说呢？"他的桃花眼斜斜上挑看着我，嘴角微勾。

"肯定不是六国中任何一国的皇陵。"我撇了撇嘴，我只能猜到这一层。唉，在皇宫混吃骗喝除了和狐狸斗智斗勇之外，我的脑细胞是完全无用武之地的。所以，自认智商大不如从前的我，只能巴巴地希望用自己楚楚可怜外加万分期待的眼神博得狐狸难得一见的良心发现，"大哥就快点告诉我吧。"

估计我有好些天都没叫大哥这称呼了，一时间狐狸颇有些动容，还伸出手将我拥入怀里，对着我的耳根声音魅惑地道："风神国皇陵。"

"呃？"我伸手将狐狸脑袋推开，然后侧转过身环着狐狸怪声道，"风神国皇陵？难道风神国的皇陵在哪儿大家都不知道？"

"浅浅。"显然我的问题太白痴了点，或者和我风神国皇族后人的身份太不相符了点，所以狐狸的声音里有着赤裸裸的无奈与叹息。

"传闻风神国的皇陵即是风神国皇脉所在，不仅葬着风神国历任皇帝，皇陵中还藏有当初风神国开国皇帝一统天下的神策。为了保护风神国的皇脉不被破坏，让风神国永久强大下去，风神国的皇陵是依山傍水建在八卦风水宝地，秘密而布满玄机，有守陵人负责把守。"

"然后呢？"

"然后？"狐狸看着我的眼神仿佛在看一个智障儿童，带着深深的同情与无药可救的惋惜，伸手摸了摸我的头，顺势又取下我发髻上的那支墨玉凤簪，把我好不容易束好的长发又弄得乱七八糟，方心满意足地道，"自风神国一分为六后，几百年来，各国都有不少人在苦苦找寻风神皇陵的所在。"

"那它究竟在哪儿？"我的心微微悬了起来。

"寒星国。"狐狸答得漫不经心。

"这是……属于寒星国皇宫的秘密？"

臭狐狸但笑不语，桃花眼里却满是赞赏之意，又伸手摸了摸我的头，好像我嫁给他不是成了他的妻子，而是成了他的孩子。

"说，你知道多少皇宫的秘密？这些秘密到底是怎么回事？"我怒从心头起，恶向胆边生，立马腾出手掐住狐狸的脖子，作势欲掐并粗声威胁道。

"浅浅……"狐狸一脸黑线。

"说吧说吧，知无不言，言无不尽，夫妻之间最重要的是信任是坦诚嘛。"我转而环住他，百年难得一回地赔着笑脸撒娇道。

"这样不够。"臭狐狸脸上的黑线立马变成红花，笑得无比慵懒，桃花眼里风情万种。

"给你绣个香囊。"我想起狐狸送我的他亲手绣的大香囊。

"不如换个方式？"红花变成黄花，狐狸嘴角微抽，脸上的笑容也有些挂不住。

"裁件温暖牌龙袍？"前几天我亲手为狐狸缝制了一件爱心牌睡衣，结果这厮不领情，至今都没穿过。不就颜色红了点，质地轻薄了点，款式女人了点吗？咱也是想到东方不败突来的灵感。

"再换一个。"黄花有变回黑线的趋势，也不再是疑问句，而是肯定句。

"那天天下厨给你做饭？"为人妻子，上得厅堂，下得厨房，这都是应该的嘛，咱手艺虽然差了点，但态度绝对是诚恳的。

"其实浅浅有心就行，大哥并不太在乎这些外在的表现形式。"狐狸足足盯了我十秒，似终于接受了现实，缓了神色，明明是害怕我下厨会烧了御膳房顺便让他拉肚子，却硬是将话说得跟探讨人生哲理似的。

"对的对的，是的是的，说吧说吧。"我也懒得计较，将头点得像小鸡啄米。

"浅浅应该知道天青皇宫的秘密吧？"说到皇宫的秘密，狐狸的桃花眼又变得深邃起来了，边说还边伸出手来回在我手指的护魂处游移。

我点点头，"好像六国皇宫都有秘密，又互有牵扯。"

"浅浅知道望月为何想攻打龙曜吗？"

我看着狐狸那张妖孽的脸，想起自己曾有过这样的推测，猛地惊醒道："难道望月皇宫的秘密牵扯到龙曜？大哥，我们的秘密是什么？"

如果望月皇宫的秘密牵扯到了龙曜，那么我当初以为望月是无故起兵，是欺小的无耻行径好像就都不成立了，起码不是主要原因了。

"遗诏上暗藏皇陵地图。"

"龙曜皇宫的秘密牵扯到的，是修若吗？"我本来应该心慌，应该害怕知道真相，应该屏住呼吸等待结果的，可事实是这个问题我问得极其自然，而且心境平常。我想今天这个情况，我已不在乎之前的过程中狐狸是否有利用我之心之举了。

"直到看到夭夭，我才肯定心中所想。"他坦然得紧，好像一点也不担心我会生气会难过会事后发飙。

唉，原来狐狸也是猜测出来的啊，看来龙曜皇宫的秘密，当初老皇帝真的是传给了小白。

"修若的圣灵兽，望月的圣金锁，天青的天圣水池与护魂，龙曜的地图，寒星的皇陵。天圣水池与护魂好像是能鉴定风神国皇族后人的身份，圣金锁能支配圣灵兽，地图能找到皇陵所在，那么叶苍皇宫的秘密是什么关键所在？"

如果那个传闻真实可信，如果我的身份真是其中一个重要组成部分，再加上圣金锁也在我的身上，皇陵已被狐狸找到。

天哪，这所谓的六国皇宫的秘密不会是让俺戴着圣金锁，然后骑着夭夭跋山涉水地跑到那劳什子风神国皇陵去，再加上叶苍的某个人或某件物什，解开这几百年来的秘密吧？

轰的一声，皇陵被打开，秘密揭晓，是金山银山钻石山？是武林秘籍？是一统天下的锦囊妙计？还是长生不老的仙丹？哎呀，都不对，应该是那个传说中的神策——百分百就是一张竹简，上书"以德服人"。

我噌的一下从狐狸腿上跳下，闪电般躲到五米开外，指着那只臭狐狸，不可思议地道："你想让我去寒星？"

"浅浅！"狐狸嘴一歪，我眼前一花，人又被他抱回了书桌前。

"说好了啊，我不干，我不干这种傻事。所谓的宝藏啊秘密啊，其实都是忽悠人、骗人的狗屁谎言，相信那个几百年前的一统天下神策，还不如相信自己。"我挣扎，说得义愤填膺外加肝肠寸断。臭狐狸对我这么好，不会是想将我养肥了给他卖命吧！

"浅浅，没人让你这么做。"狐狸的口气有些无奈。

"说得动听！所有的问题都汇集到了我身上，只除了叶苍。等这次灭了叶苍，你们探得叶苍皇城的秘密，整个秘密就能顺利串联起来，你们就没有好奇心，没有野心？"泪奔啊，越想越觉得自己不安全了，我要偷溜出宫逃命！

"若叶苍与寒星被灭，你想想天下的形势。"狐狸口气中的无奈感更强了。

不就是修若、天青、龙曜三分天下吗？

呃，等等，这三个国家好像都跟我有关啊，咱既是修若国的醉月公主，也还挂着天青国汐月公主的头衔，如今又身兼龙曜国皇后，关系复杂混乱得要死。

"我父王会放过我？"撇开狐狸这个问题，毕竟当初我与夭夭同时出现在他眼前的时候，他眼里反映出来的只有我一个，再说这种自恋狂说不定还真的不相信什么神策什么宝藏，只相信他自己呢！而天青王那边，显然已与曦岚有了某种交易。狐狸和天青的问题暂时搁置不说，云老头会这么好心地放过我？

"我那大舅子疼妹妹是出了名的。"狐狸的桃花眼里有戏谑，我脸上蓦地一烫，想起前几日云风回修若前竟然特意找到狐狸促膝长谈了两个时辰，看到狐狸出来时冲我笑得格外温柔，还亲自送了云风出城，我就知道我亲爱的云风哥哥肯定说了很多爹爹式的话。

可是，这些都不是重点，重点是狐狸会这样说，一方面是因为有哥哥在修若，另一方面八成是他自恃云老头找不到皇陵。

"对了大哥，哥哥当初中毒是咋回事啊？"天哪，我终于将这个从我穿来这里就梗在心里的问题问出口了。

"浅浅不知道吗？"臭狐狸故作惊讶。

"呃？我以前多天真多单纯多纯洁的一个人啊，怎么会问这种复杂的问题？"我故作无辜。

"那现在呢？"他有些好笑地继续追问。

"现在？现在自然是智慧与美貌并重，权势与名利俱荣了。"我大言不惭，然后话锋一转，立马拉回正题，"快说哥哥中毒的事。到底是谁下的黑手？"

说完，心居然怦怦地狂跳起来。是狐狸？仅看俺问这问题时他的神情就知道不会是他。云老头？没下毒的动机啊。那会是谁？路人甲乙丙丁？我皱眉苦思了许久，也没找到嫌疑人。

"下毒之人，浅浅已经代为报仇了。"

回想我这一路，勉强算是让那个讨厌的脂粉男划破了一点儿小皮，勉强算是让望月宗宁的野心变成死心，除此之外好像再没做过什么除暴安良的正义之举了。这两个人貌似八竿子打不着，凭直觉直接排除，那还有谁？呃，对了，老韩同志一家？段位低了点。难道，我心里微微一惊，难道是太子伯伯？

我一向都知道太子伯伯不简单，稳坐太子之位几十年，看起来又和云老头兄弟情深，若非云老头实在阴险狡诈且运气太好，他又何至于此？

云老头长久来往于修若与龙曜，太子伯伯不可能不知，他若想将太子之位坐得更稳，不让云老头有太出色太抢眼的表现，那是肯定的。若太子伯伯听闻云风官拜一国之相，说起来倒有下黑手的动机与可能。何况，这之中还有风神国皇族后人的玄妙在。

"真的是太子伯伯？"

元宵家宴的事虽已过去，但我一直有些愧疚。当初为了追求自己的幸福，努力争取和狐狸在一起，不曾犹豫就将良知抛诸脑后，每每想来都有些害怕这样的自己。可是若最初云风的毒真是太子伯伯所为，那么是否从此我的内心可以平静一些？

我看着狐狸，他的桃花眼眸一片澄清，如月夜星辰般耀眼。

如果一切可以重来，我是否会选择其他的路径？无论如何，过程虽然惊心动魄，可结果还是甜蜜的。

"浅浅。"一个无奈的声音。

我穿过御花园，一边继续大步朝外走，一边大声道："叫什么叫，你既然不愿意陪我出宫，我自己去还不行啊！"

难得臭狐狸今天不用早朝，半月一天的休假日，出宫透透气有什么不好的？整天闷在皇宫里，好无聊的啦，我要解放，我要闹革命！

"浅浅出宫想做什么？"

我抽了抽嘴角，立马停下，然后转身挽住他的胳膊，咧嘴笑道："未经我许可，在我面前私用武功，犯规一次。犯一次规就要满足我一个要求，今天的要求就是陪我出宫，嘿嘿。"

咳咳，说起这个私用武功犯规罪，那是我在无数次吃亏之后终在某一天爆发，然后定下的规矩。呜呜呜，没武功的人啊，在某些时候是很弱势的，想反抗那简直就是奢望，所以我若不趁着某些人意乱情迷的时候提些要求定些规矩，那简直就是余生凄凉啊。

"好。"他的桃花眼滑过我，一脸兴致地说。

我忍不住学着他的样子半眯了一下眼，刚才还磨磨叽叽赖在床上不肯出宫的狐狸怎么这么爽快地答应了？

不过不管了，他答应出宫就好，一大早起床，闲逛闲逛，然后吃吃喝喝，再回云府看看翠儿。

呃，说起翠儿，这丫头真不老实啊，竟然一早和云辉好上了，算时间大概也就是我中圣血菊杀之毒赶去天青的时候，估计那会儿她挨了家规处罚，小辉子没少献殷勤。不纯洁啊不纯洁，这俩人真是太不纯洁了，害得我本来想将翠儿调到宫里来，结果委实做不出棒打鸳鸯让人家有情人分隔两地的事，只得作罢，最后在狐狸的默许下溜出皇宫，送了份大礼作为他二人成婚的贺礼。

顺利出了皇宫，狐狸建议先"微服私访"一下。对了，"微服私访"这意识，我是彻底灌输给了狐狸，这厮现在对这事的热衷程度比我更甚。

在长安街口下了马车，狐狸凭借他那一张妖孽的脸，在长安街上一路招摇，接受路人呆怔惊艳的注目礼。虽然在这过程中，他的神情非常谦虚非常含蓄，但我只看他那两条"狐狸眉毛"就知他心里对于比我更受大众青睐，很有点扬扬得意的感觉。

"浅浅怎么一直皱着眉，是不是饿了？"他侧过头看着我，眼神温柔，神情关切，声音里透着浓浓的心疼。

我背后一寒，顿时觉得全身汗毛都竖了起来，勉强挂上笑容，敷衍道："可能吧。"

"那我们找个地方吃点东西？"他看着我，笑容越发亲切了。

我说呢，怎么突然这么关心起我来了，原来是自己饿了，哼！我一扫四周，脸上浮起特温柔特娴静的笑容，拉着他走至右前方那个小面摊前，轻声道："我们在这儿吃吧，大哥。"

"既然浅浅喜欢，那就这里吧。"狐狸的眉毛几不可见地抽了抽，桃花眼似很随便地左右看了眼，估计也没找到更适合的，又瞅着我难得这么温柔地看着他，难得这么温柔地说话，终是勉强点了点头。

我拉着狐狸在一张空桌旁坐下，真是万分诡异啊，我还以为狐狸这种自恋狂，这种出身高贵的家伙肯定不会同意在这种地方落脚吃东西呢，毕竟之前虽有微服私访——其实就是出宫，但吃饭休息的地方可都是龙州城内顶级的场所。

我们坐下后，原本在这儿吃早餐的人都暂停动作，纷纷转头朝我们看来，我不得不重重地叹了口气：唉，我还是有自知之明的，这些凡夫俗子肯定又被狐狸迷惑了。

"两位小哥要些什么？"好半晌老板兼伙计的中年男子才搓着沾满面粉的手走过来，肩上还挂着一个干布条，眼睛直直地盯着狐狸。

我环视了一圈，又看看长时间成为众人视线焦点的狐狸，被这么多人如此赤裸裸地盯着，这厮脸上的笑容好像有些挂不住之势。我心里狂笑，心情大好，粗着声对那中年男子道："老板，来一笼包子吧。"

"好的，马上来。"

中年男子又看了一眼狐狸，这才憨笑着跑回摊前，从蒸笼上拿了一笼热气腾腾的包子，放在我们桌上，拿起桌上的茶壶和茶杯，给我们倒了两杯茶，用他那沾满面粉的手，将茶杯放到我和狐狸跟前。

我亲手将筷子递到狐狸跟前，用自己听了也要竖汗毛的温柔声音道："大哥，快趁热吃吧，微服私访就是这样的啦，只有亲身体验百姓的生活，才能了解其中的疾苦啊。"

看着狐狸接过筷子，半眯着眼睛看着我，我笑得更加灿烂了，一边说着"吃吧吃吧，快吃吧"，一边用筷子夹住一个包子就欲往嘴里送。

"这是浅浅第一次请客，我也不好意思推拒了。"狐狸伸筷子也夹住一个包子，微笑着看着我，说得无比淡然。

我结结巴巴地道："为……为什么我请客？我身上没有银子的。"

"是浅浅一大早要出宫逛逛的。"狐狸坦然地看着我，一点点的愧疚心虚都没有，身为男人，身为人家老公，怎么可以这么无耻呢？

"我身上真的没有银子，今天就大哥埋单吧，下回我请大哥吃好的。"我不死心地赔着笑脸拍马屁。

"唉，我从来没有带银子的习惯。"他突地凑到了我身边，状似万分可惜地向我轻声道。

"夜风呢？暗卫呢？"我转头从左到右地在我们周围找了一圈。

"出宫门的时候我让他们今天都别跟出来了。"他说完，细看了一下用筷子夹住的包子，抬手就想往嘴里送。

我闪电一般将自己夹着的包子放回笼里，伸筷子又将狐狸的包子抢回来，小心翼翼地放回笼里，看了看一个不少这才有点安心。

"大哥，我们不吃了，我们走吧。"我在桌子下踢了狐狸一脚，低声建议道。

"浅浅才拉着我坐下，这会儿没吃东西又要走人，好像不太好吧？"狐狸的桃花眼里有得意，有算计，还有戏谑。

该死的臭狐狸，敢情虽然答应我出宫，心里还是不乐意的，而且屁股虽在这儿坐下了，却还是不打算在这里吃东西呢！

我就说嘛，臭狐狸一早明明赖床不起更不愿意出宫的，我用犯规补救政策逼他陪我出宫，这厮忽然一脸坏笑地说好，难道一早就有了预谋想拿我开心，让我出丑？

天哪，他现在不会身上有银子还故意说没有吧？毕竟无数次出宫，他身上都没有不带银子的记录啊！

我怒，臭狐狸你既然不想出宫，又不想吃东西，嘴巴还不肯承认，现在想借我的口说出这些，今天我偏要让你吃，哼，难道凭我的聪明才智还蹭不到一餐白食？

"老板。"我大声叫道，不就是吃霸王餐吗？我有的是办法。

"小哥什么事？"那中年男子又搓着面粉手跑了过来。

　　唉，可怜的人，马上要被吃霸王餐了！我略有些同情地看着他，轻声道："我大哥不喜欢吃包子，这一笼包子能不能换成四个大饼？"

　　那中年男子看了眼包子，忙说道："好的。"

　　说完将包子拿回去，不一会儿又拿了四个大饼过来。

　　我看了大饼一眼，忙说道："哎呀，大饼里有葱，我大哥不吃葱的，麻烦老板换四个馒头吧。"

　　中年男子二话不说，拿走四个大饼，又拿了四个馒头过来。

　　我盯着馒头，沉思了一会儿，面有愧色道："实在抱歉，老板，馒头太干，我突然又想吃面条了，这个……"

　　中年男子看了我一眼，又看了看狐狸，很快又将馒头换成面条端来。

　　我感激地向中年男子笑笑，拿起筷子开吃，中年男子这才放心地走了回去。

　　我示意狐狸也吃，他疑惑地看了我一眼，也学着我的样子，吃了起来。

　　我懒得理他，埋头一阵苦吃，直到将汤也喝光了，这才摸着滚圆的肚子心满意足地看向狐狸。

　　他居然也将面条吃完了，桃花眼正看着我，脸上是一副"现在怎么办"的神情。

　　我起身，抹了抹嘴，然后拍拍狐狸的肩道："大哥，走吧。"

　　还没走两步，中年男子搓着面粉手就拦在了我们跟前，有些不敢置信地看着我们道："两位小哥，你们还没付账呢。"

　　我眨巴了几下眼睛，问道："付什么账？"

　　"两碗面条的账没付呀！"

　　我又眨巴了几下眼睛，说道："这面条是我拿馒头换的，付什么账？"

　　"可是馒头你也没付账啊！"

　　"老板，馒头是我用大饼换的。"我说得理直气壮。

　　"你那大饼也没有给钱啊！"中年男子有些急了。

　　我笑道："大饼是我用包子换的啊。"

　　中年男子的脸已经有些红了，结结巴巴地道："可……可是包子你也没有给钱。"

　　我忙大声说道："老板，那包子我们根本就没有吃，你干吗要我们给钱啊？"

中年男子一下子呆在当场，我立马拉着狐狸狂跑。

天杀的狐狸，倒像是在看我表演，连跑路都要我提醒他，什么人哪！害我白吃老百姓的，说出去多丢我一国皇后的脸啊！待会儿让夜风送些银子回来，咱可不能搜刮民脂民膏！

我拉着狐狸跑得气喘吁吁，好不容易停下来抚着胸口顺一下气，结果却看到狐狸优哉游哉的，连口粗气都没喘。天怒，上天真是不公平，穿来穿去为什么不让俺穿到有绝世武功的侠女身上？

"曦岚！"我看到一个白色背影，一把拍开狐狸伸过来想帮我顺气的手，抬脚就向那个身影跑去。

"浅浅……"狐狸几步拉住我，声音里有丝疑惑。

我一边急欲挣脱，一边指着白色身影消失的方向嚷道："大哥，是曦岚，是曦岚，快追上去。"

"浅浅，他在叶苍，战事未了。"狐狸揽着我，声音里微有丝无奈。

是的，清林与曦岚现在还在叶苍，龙曜天青两军已至叶苍皇城叶州城外会合，大破叶苍指日可待。

而寒星那边，修若大军也已逼近寒星皇城寒州，顺取寒星也是意料之中的事。

至于修若，太子伯伯依旧被关在北宫，老老头身体虽算不得好，但还能撑些日子，云老头继位已是再明朗不过的事了。

一切的一切，都按照预期发展着。唯有我自己，心中的牵挂依然放不下。

自曦岚离开后，我常常梦到他，有时候梦到他在战场上又受重伤昏迷不醒，有时候梦到他坐上那把龙椅，天青王在一旁得意地笑着。每每梦到这些，我都会被惊醒，然后把头埋在狐狸怀里流泪，一边为曦岚心疼着，一边庆幸狐狸并没有因此动怒。

或许曦岚的付出，在某种程度上也感动了狐狸，或者说让狐狸心存感激，所以狐狸对我的行为才会一再包容。

"可是我刚才明明看到他了，我绝不会看错的，大哥。"我不会看错，那一定是曦岚，我不是仅看一个相似的白色背影就将他当成是曦岚，曦岚身上的气质，是谁也不能模仿谁也无法替代的。虽然这时候的他理应在战场上，但我大婚的时

候曦岚不是一样巴巴地赶过来了吗？我以为自那以后再也见不到曦岚了，心里却又希冀着曦岚再次出现在我眼前，一身白衣飘飘，出尘若仙。

狐狸不说话，却拉着我，朝着曦岚消失的方向走去。我快步跟着他，一边四处张望，寻找着那熟悉的白色身影。

"大哥，我没有看错，真的是曦岚，真的是曦岚。他明明往这个方向来了，可为什么我就是找不到他？"两人一直走到死胡同里，都没有找到曦岚，甚至都没有看到穿白衣服的人。我心里闷得难受，声音里隐有哭腔。

我一直在打听曦岚的情况，但并无联络。我曾试着写信给他，但那些信如石沉大海，并无回音。当我不再去打扰他，只远远地想着他，只远远地知道他过得好不好时，却又让我突然遇见了他。

曦岚既然来了龙州，我怎能不寻到他？怎能不当面问声好？怎能不正式向他道谢？如果可以，我还希望能和他一起吃饭，一起聊天，一如朋友间的久别重逢，虽然我知道这只是我的奢望。

"浅浅别急。"狐狸忽然拥我入怀，不顾路人诧异的目光，轻轻地拍着我的背，低低笑道，"若他真来了龙州，却又不来找你，那就是来看临产的煌王妃。"

我猛地抬头，一不小心头撞到狐狸的下巴，一边皱眉抚着头顶，一边细想狐狸的话。前方战事未了，天青与龙曜大军刚至叶州，在这种紧要的关头，曦岚还跑到龙州来，又不是为了我，那么只有可能是为临产的煌王妃——他三皇姐天槿瑜了。

"大哥好聪明。"我看着狐狸，脸上露出大大的笑容，拉过他的手往煌王府的方向走，一边吐了吐舌头，轻声道，"大哥都不介意吗？"

"介意。"他答得干净利落，我满脸黑线，脸上的笑容也有些挂不住。只见他斜着那双坏坏的桃花眼，嘴一歪，懒洋洋地说道："说起来，我们大婚已半年有余了吧？"

我不明所以地点了点头，好像跟这只臭狐狸结婚是有半年多了，可是这跟他介不介意有什么关系啊？

他嘴角一勾，桃花眼微眯，眼神慵懒，笑容慵懒，声音慵懒地道："听说他也是神医玄清大师的徒弟。"

"那又怎样？"我还是不明白，怎么臭狐狸忽然对曦岚有兴趣了？

"我正好有些事向他请教。"他突地揽住我，挣脱我的手，轻抚上我的肚子，眼眸蓦地变得深邃。

　　我大脑当机十秒之后终于明白了这厮的意思，飞身扑入他怀里伸手就欲掐他的腰，结果他轻轻避开，伸手扶住我飞扑入怀的身子，揽着我转身就上了前面不知何时出现的马车……